*Du monde entier*

JONATHAN COE

# LA VIE
# TRÈS PRIVÉE
# DE Mr SIM

roman

*Traduit de l'anglais*
*par Josée Kamoun*

GALLIMARD

*Titre original :*

THE TERRIBLE PRIVACY OF MAXWELL SIM

L'homme est un levier dont la longueur et la puissance ne sauraient être déterminées que par lui.

Donald Crowhurst,
cité dans *L'Étrange Voyage de Donald Crowhurst,*
de NICHOLAS TOMALIN et RON HALL

La géographie perd sa pertinence car il n'y a plus ni proche ni lointain, la gaine monétaire qui enserre le globe a détruit la géographie des distances.

ALASDAIR GRAY,
*1982, Janine*

Un jour je vais mourir et sur ma tombe on lira : « Ci-gît Reginald Iolanthe Perrin, qui ne connaissait pas le nom des fleurs et des arbres, mais qui savait le chiffre des ventes de crumble à la rhubarbe au Schleswig-Holstein. »

DAVID NOBBS,
*The Fall and Rise of Reginald Perrin*

Par les mots, elle nous offre ses révélations scandaleuses. Par les mots, elle nous fait don de sa terrible intimité.

JAMES WOOD,
dans un article du *Guardian* (18 avril 1992)
sur Toni Morrison

# UN VRP RETROUVÉ NU
## DANS SA VOITURE

La police de Grampian, qui patrouillait la portion de l'A93 bloquée par la neige entre Braemar et Spittal of Glenshee, jeudi soir, a repéré une voiture apparemment abandonnée sur le bas-côté, au pied même de la station de ski de Glenshee.

En s'approchant, les policiers ont découvert le chauffeur inconscient dans son véhicule. Les vêtements appartenant au quadragénaire presque nu étaient éparpillés à bord de la voiture. À côté de lui, sur le siège passager, se trouvaient deux bouteilles de whisky vides.

En inspectant le coffre de la voiture, les policiers ont vu le mystère s'épaissir ; il contenait en effet deux cartons renfermant 400 brosses à dents, ainsi qu'un grand sac-poubelle noir rempli de cartes postales d'Asie.

L'homme, qui souffrait d'une hypothermie grave, a dû être transporté par hélicoptère à la Royal Infirmary d'Aberdeen. Il a pu être identifié un peu plus tard comme Mr Maxwell Sim, âgé de 48 ans et domicilié à Watford, en Angle-terre.

Mr Sim était un VRP employé en freelance par la société Guest, de Reading, spécialiste de produits d'hygiène bucco-dentaire écologiques. Cette société avait été mise en liquidation le matin même.

Désormais tout à fait rétabli, Mr Sim serait rentré chez lui à Watford. On ignore encore si la police a l'intention de le poursuivre pour conduite en état d'ébriété.

*Aberdeenshire Press and Journal,*
lundi 9 mars 2009

# SYDNEY-WATFORD

# I

Quand j'ai vu la Chinoise et sa fille qui jouaient aux cartes à leur table, au restaurant, avec en toile de fond les lumières miroitant sur les eaux du port de Sydney, je me suis mis à penser à Stuart, et à la raison pour laquelle il avait dû renoncer à conduire.

J'allais dire « mon ami Stuart », mais sans doute n'est-il plus mon ami. Il semblerait que j'aie ainsi perdu quantité d'amis ces dernières années. Non pas que je me sois fâché avec eux, nous avons simplement décidé de ne pas rester en contact. Car c'est bien d'une décision qu'il s'agit, d'une décision consciente : il n'est guère difficile de rester en contact avec les gens, de nos jours, ce ne sont pas les moyens qui manquent. Mais avec l'âge, je crois qu'il y a des amitiés qui paraissent de plus en plus superflues. On se prend à se demander : À quoi bon ? Et c'est là qu'on arrête.

Pour en revenir à Stuart et son problème au volant, il avait dû cesser de conduire parce qu'il était sujet à des bouffées d'angoisse. C'était un bon conducteur, prudent, consciencieux, il n'avait jamais eu d'accident. Mais de temps en temps, au volant, il lui venait des crises ;

petit à petit elles se sont aggravées, et rapprochées. Je me souviens du jour où il m'en a parlé pour la première fois ; c'était au déjeuner, à la cantine du grand magasin d'Ealing où nous avons été collègues un ou deux ans. Je me dis que je devais l'écouter d'une oreille distraite, parce que Caroline était à notre table, et qu'entre nous les choses prenaient un tour intéressant ; si bien que je n'avais pas la moindre envie d'entendre Stuart parler de ses phobies au volant. C'est sans doute pourquoi je n'y ai jamais repensé, jusqu'à ce moment, des années plus tard, au restaurant sur le port de Sydney, où tout m'est revenu. Si j'ai bonne mémoire, son problème était le suivant : alors que la plupart des gens qui regardent les voitures passer sur une route à grande circulation ne voient là qu'un système normal et fonctionnel, Stuart y percevait une série d'accidents évités de justesse. Il voyait les voitures se précipiter les unes contre les autres à toute vitesse pour se manquer de peu, phénomène qui se répétait sans cesse, à longueur de journée. « Toutes ces voitures qui frôlent l'accident, me disait-il, comment font les gens pour supporter ça ? » Cette perspective a fini par être au-dessus de ses forces, et il a dû cesser de conduire.

Pourquoi cette conversation me revenait-elle précisément ce soir-là ? On était le 14 février 2009. Le deuxième samedi de février, la Saint-Valentin, pour le cas où la chose vous aurait échappé. Les lumières miroitaient sur les eaux du port de Sydney derrière moi, et je dînais seul, mon père ayant pour toutes sortes de raisons bizarres qui lui appartenaient refusé de m'accompagner, alors même que c'était mon dernier soir en Australie et qu'à l'origine le seul but de mon voyage était de le voir pour reconstruire notre relation. En cet instant, d'ailleurs, je me sentais sans doute plus seul que jamais dans ma vie, et ce qui m'en avait fait prendre conscience, c'était le spectacle de cette Chinoise avec sa fille, en train de jouer aux cartes à leur table. Elles semblaient si heureuses en compagnie l'une de l'autre, il y avait une telle complicité entre elles. Elles ne parlaient pas beaucoup, et quand elles parlaient, c'était de leur partie de cartes, autant que je pouvais en juger. Mais peu importait, tout se passait dans leur regard, leur sourire, cette façon de rire tout le temps, de se pencher l'une vers l'autre. À côté d'elles, aucun des dîneurs n'avait l'air de profiter de l'instant. Certes, ils parlaient et riaient, eux aussi. Mais ils ne paraissaient pas absorbés les uns dans les autres comme la Chinoise et sa fille. Il y avait un couple assis en face de moi, et manifestement sorti « en amoureux » : le type n'arrêtait pas de regarder l'heure à sa montre, et la fille les textos de son mobile. Derrière moi se trouvait une famille de quatre personnes : les deux petits garçons jouaient sur leurs consoles Nintendo, et le mari et la femme ne s'étaient pas adressé la parole depuis dix minutes. À ma gauche, me cachant un peu le front de mer, un groupe de six amis : deux d'entre eux étaient lancés dans une grande discussion qui avait commencé comme un débat sur le réchauffement climatique et semblait s'orienter davantage vers des questions économiques ; comme ils campaient sur leurs positions, les quatre autres assistaient sans mot dire à leur échange, s'ennuyant ferme. À ma droite, un couple âgé avait préféré s'asseoir côte à côte plutôt que face à face, ce qui leur permettait de profiter de la vue tout en les dispensant de causer. Rien de tout cela ne me déprimait à proprement parler. Sans doute ces gens rentreraient-ils chez eux convaincus d'avoir passé une excellente soirée. Mais moi, je n'enviais vraiment que la Chinoise et sa fille. Il était clair qu'elles possédaient quelque chose de précieux, quelque chose qui me manquait cruellement. Quelque chose dont j'aurais voulu avoir ma part.

Comment pouvais-je être sûr qu'elle était chinoise, au fait ? Sûr, c'est trop dire, mais à voir comme ça... Elle avait de longs cheveux noirs, un peu en bataille. Un visage étroit aux pommettes saillantes (désolé, je ne suis pas très fort pour décrire les gens). Un rouge à lèvres écarlate, choix assez curieux. Un joli sourire, lèvres un peu serrées, mais d'autant plus éclatant, en somme. Elle portait des vêtements coûteux, avec un foulard en soie-chiffon noir (je ne suis pas non plus très fort pour décrire les vêtements — vous avez toujours envie de lire les quatre cents pages qui suivent ?) fixé par une grosse broche dorée. Elle était donc dans l'aisance. Élégante, c'est le mot qui lui convenait. Très élégante. Sa fille aussi était bien habillée, elle aussi avait les cheveux noirs (d'accord, les Chinoises blondes, c'est plutôt rare) ; elle paraissait huit ou neuf ans. Elle avait un rire magnifique. Il naissait en gazouillis au fond de la gorge, et se perlait en gloussements qui cascadaient pour s'en aller mourir tel le torrent qui dévale la montagne de bassin en bassin. (Comme ceux que nous longions, Maman et moi, quand elle m'emmenait promener dans les Lickey Hills, il y a si longtemps, derrière le pub Rose and Crown, en lisière du golf municipal. Je crois que c'est ce que me rappelait ce rire, et peut-être était-ce aussi la raison pour laquelle cette petite Chinoise et sa mère me faisaient une telle impression, ce soir-là.) Je ne sais pas ce qui pouvait l'amuser autant : un détail de la partie de cartes, sans doute, qui n'était pas un jeu d'enfants comme la bataille, sans être non plus un jeu sérieux, ni un jeu d'adultes. Peut-être jouaient-elles à une forme de whist, quelque chose comme ça. Toujours est-il que ça amusait la petite fille, et que sa mère se prêtait au jeu de ce rire, l'encourageant, surfant sur ses vagues. Elles faisaient plaisir à voir, mais je devais me retenir de les regarder sans cesse, sinon la Chinoise risquait de s'en apercevoir et de me prendre pour un type louche. Une ou deux fois, elle m'avait surpris à l'observer, et elle avait soutenu mon regard un instant, pas assez longtemps pour que j'y lise une invite, après quoi elle avait détourné les yeux, et elle et sa fille s'étaient remises à parler et à rire, reconstruisant promptement le mur de leur intimité, cet écran protecteur.

Sur le moment, j'aurais aimé envoyer un texto à Stuart, mais je n'avais plus son numéro de mobile. J'aurais aimé lui dire que je comprenais à présent ce qu'il essayait de m'expliquer par rapport aux voitures. Les voitures, c'est comme les gens. On va, on vient dans le grouillement du quotidien, on passe à deux doigts les uns des autres, mais le vrai contact est très rare. Tous ces ratages de peu, tous ces possibles irréalisés, c'est effrayant, quand on y pense. Mieux vaut éviter soigneusement d'y penser.

Vous vous rappelez où vous étiez, vous, le jour où John Smith est mort ? Je doute fort que ce soit le cas de la plupart des gens. Je soupçonne même que la plupart des gens ne se rappellent pas qui était John Smith. Vous me direz, des John Smith, il y en a eu beaucoup au fil du temps, mais je vous parle du leader du Parti travailliste, mort d'une crise cardiaque en 1994. Je comprends bien que cette mort n'a pas eu le retentissement mondial de celle d'un John Kennedy ou d'une Lady Di, pourtant je me rappelle très exactement où j'étais. J'étais à la cantine du grand magasin d'Ealing et je déjeunais. Stuart était avec moi, ainsi que deux ou trois autres gars, dont celui qui s'appelait Dave, et que je trouvais chiant au possible. Il travaillait au rayon éclairage, c'était le genre qui m'insupporte. Le verbe haut, barbant, beaucoup trop sûr de lui. Et puis, à la table à côté, toute seule, il y avait une jolie jeune femme — guère plus de vingt ans, des cheveux châtain clair mi-longs — qui paraissait esseulée, pas à sa place, et qui ne cessait de jeter des coups d'œil dans notre direction. Elle s'appelait, je n'allais pas tarder à le découvrir, Caroline.

Je ne travaillais dans ce grand magasin que depuis un mois ou deux. Auparavant, j'avais passé deux ou trois ans sur les routes à vendre des jouets pour le compte d'une société basée à St Albans. C'était plutôt un bon boulot, en somme ; j'étais devenu très copain avec l'autre représentant pour la région Sud-Est, Trevor Paige, et on a eu des moments mémorables au cours de ces deux-trois ans. Seulement courir les routes ne m'a jamais amusé autant que lui, et le charme de la nouveauté s'est très vite émoussé pour moi. J'ai commencé à guetter l'occasion de me poser. Je venais de verser un acompte pour acheter une petite maison de ville à Watford, pas bien loin de chez Trevor, justement, et je gardais l'œil sur les offres d'emploi qui pourraient se présenter. Ce grand magasin d'Ealing était l'une de mes haltes, et j'avais opportunément sympathisé avec Stuart, qui dirigeait le rayon des jouets. Il y a sans doute toujours quelque chose d'artificiel dans ces amitiés nouées pour affaires ; mais Stuart et moi nous nous sommes plu sincèrement, et avec le temps je me suis arrangé pour finir ma journée sur la visite à Ealing, si bien qu'après avoir parlé affaires nous allions boire un verre vite fait. Et puis voilà qu'un soir Stuart m'a appelé chez moi en dehors des heures de travail ; il avait eu une promotion et travaillerait désormais « là-haut dans les bureaux » ; il me suggérait donc de candidater pour son poste de chef du rayon des jouets. Bon, j'ai quand même hésité, sur le moment, je ne savais pas comment Trevor allait prendre la chose ; mais en fait, il l'a prise du bon côté. Il savait bien que ce poste correspondait exactement à ce que je cherchais. Deux mois plus tard, je travaillais donc à plein temps au grand magasin d'Ealing et comme je déjeunais à la cantine avec Stuart et ses collègues j'ai remarqué cette jeune femme aux cheveux châtain clair, qui déjeunait apparemment toujours toute seule à la table voisine.

Ça paraît si loin, à présent. Tout semblait possible, à l'époque. Absolument tout. Je me demande si ça revient un jour, ce genre d'impression.

Mieux vaut ne pas s'engager sur cette voie.

Je disais donc : la mort de John Smith. On était toute une bande, ce jour-là, qui déjeunions à l'une des tables en formica. C'était le début de l'été 1994. Ne me demandez pas s'il faisait beau ou mauvais, par contre ; dans cet espace mal éclairé, on n'avait aucune perception du temps qu'il faisait dehors ; on mangeait dans un crépuscule perpétuel. Ce qu'il y avait de particulier ce jour-là, c'est que Dave (le type désagréable, du rayon éclairage, celui que je ne supportais pas) avait invité Caroline à notre table. Il était clair qu'il avait l'intention de la draguer, mais les bourdes qu'il accumulait faisaient peine à voir. N'ayant pas réussi à l'impressionner avec les descriptions de sa voiture de sport et de la stéréo dernier cri dans sa garçonnière chic de Hammersmith, il avait embrayé sur la mort de John Smith, annoncée le matin même à la radio, et il y trouvait prétexte à raconter toutes sortes de blagues d'un goût douteux autour des crises cardiaques. Par exemple : après la première crise cardiaque de Smith, vers la fin des années quatre-vingt, les médecins avaient réussi à faire repartir son cœur mais pas son cerveau, alors comment s'étonner qu'on l'ait bombardé chef de file du Parti travailliste ? Devant ces tentatives d'humour, Caroline persévérait dans le silence dédaigneux qu'elle observait depuis le début du repas et, mis à part quelques vagues de rires polis, la table ne réagissait pas, de sorte que je me suis entendu dire (à ma stupéfaction) : « C'est pas drôle, Dave, pas drôle du tout. » La plupart des gars avaient fini de manger, et bientôt ils se sont levés de table les uns après les autres. Mais pas Caroline et moi : sans avoir rien dit, comme par un accord tacite, nous avions décidé de traîner pour finir nos puddings. C'est ainsi que nous sommes restés dans une espèce d'attente muette et inconfortable, jusqu'à ce que je hasarde que le tact n'était pas la plus grande qualité de Dave ; et alors, pour la première fois, Caroline m'a adressé la parole.

C'est à ce moment-là, je crois, que je suis tombé amoureux d'elle. À cause de sa voix, figurez-vous. Je m'attendais à une voix un peu sèche et sophistiquée, qui s'accorde à son apparence, et voilà qu'elle parlait avec un bon gros accent du Lancashire, qui sentait son terroir. Ça m'a tellement cueilli par surprise, j'étais tellement sous le charme qu'au début j'en ai oublié d'écouter ce qu'elle disait, et que j'ai laissé sa voix jouer sur moi, comme si elle s'exprimait dans une langue étrangère mélodieuse. Très vite, cependant, pour ne pas lui faire une impression désastreuse, je me suis ressaisi et, en me concentrant, j'ai réalisé qu'elle me demandait pourquoi je ne m'étais pas associé à ces blagues. Elle voulait savoir si j'étais dans la mouvance travailliste, et j'ai dit que non, là n'était pas la question. Simplement, je ne trouvais pas convenable de tourner quelqu'un en dérision si tôt après sa mort, surtout qu'il avait toujours fait l'effet d'un type bien, et qu'il laissait femme et enfants derrière lui. Caroline était d'accord sur ce point, mais elle regrettait aussi sa mort pour une raison toute différente, à savoir qu'elle survenait à un très mauvais moment de la vie politique britannique, et que l'homme en question aurait sans doute remporté les élections suivantes, voire fait un grand Premier ministre.

Là, je dois dire que ce n'était pas le genre de conversations les plus courantes à la cantine du magasin, et encore moins le genre de conversations auxquelles je prenais part personnellement. La politique, ça ne m'a jamais tellement intéressé. (D'ailleurs, je n'ai même pas voté aux deux dernières élections, alors que j'avais voté pour Tony Blair en 1997 — surtout pour ne pas décevoir l'attente de Caroline, il est vrai.) Et quand j'ai découvert, peu après, que Caroline ne travaillait au rayon maternité que temporairement, tout en commençant son premier roman, je me suis senti en terrain encore moins familier. Je ne lisais presque jamais de romans, alors essayer d'en écrire... Mais d'une certaine façon, ça ne faisait qu'exciter ma curiosité. Vous comprenez, je n'arrivais pas à situer Caroline. Moi qui avais passé toutes ces années sur les routes, à visiter les gens pour leur vendre ma camelote, je me piquais de savoir les jauger et de trouver en quelques secondes les rouages de leur mental. Mais je n'en avais pas rencontré beaucoup comme Caroline. Je n'étais pas allé à la fac, et elle avait fait des études d'histoire à Manchester ; j'avais passé le plus clair de ma vie d'adulte dans la compagnie des hommes — et des professionnels, par-dessus le marché. Le genre de types qui ne livrent pas grand-chose d'eux-mêmes en parlant, et sont peu enclins à mettre en question l'ordre du monde. À côté d'eux, Caroline était l'inconnue X pour moi. Je n'imaginais même pas ce qui l'avait amenée ici.

Elle me l'expliqua le soir de notre première sortie, et c'était une histoire très triste. Nous étions en train de dîner dans un Spaghetti House (l'une de mes chaînes de restaurants préférées, à l'époque, mais on n'en voit plus beaucoup) et, tout en chipotant ses tagliatelles à la carbonara, Caroline me raconta qu'à l'université de Manchester elle s'était profondément investie dans une liaison avec un camarade d'études. Là-dessus, il avait trouvé un emploi à Londres, dans une société de production audiovisuelle, alors ils avaient quitté Manchester pour s'installer à Ealing. Caroline avait pour véritable ambition d'écrire — des romans et des nouvelles — si bien qu'elle avait temporairement pris cet emploi au grand magasin, en essayant d'écrire le soir et le week-end. Pendant ce temps-là, son fiancé avait entamé une histoire avec une femme de sa boîte de prod, il en était tombé follement amoureux, et en deux semaines il avait fait ses valises et largué Caroline, qui se retrouvait ainsi toute seule, dans un coin où elle n'avait pas d'amis, et avec un boulot sans intérêt pour elle.

Bon, la vérité, vous la voyez d'ici et à l'œil nu. Il y a une formule, un cliché pour décrire sa situation : elle était en train de rebondir. Je lui ai plu parce que j'étais gentil avec elle, et parce que je la cueillais au creux de la vague, et puis aussi parce que j'étais sans doute moins mal dégrossi, moins dépourvu de tact que les autres types à la cantine. N'empêche, avec le recul du temps, il est clair que nous ne boxions pas dans la même caté-gorie. Au fond, le plus étonnant, c'est que nous ayons tenu si longtemps. Mais bien sûr, on ne sait jamais ce que l'avenir nous réserve. En général, moi, j'ai du mal à voir au-delà de deux semaines, alors quinze ans... À l'époque, nous étions jeunes et naïfs, et à la fin de ce dîner au Spaghetti House, quand je lui ai demandé si elle voulait bien venir en balade à la campagne avec moi le week-end suivant, nous étions à cent lieues de nous douter où cela nous mènerait; tout ce que je me rap-pelle, c'est l'éclair de gratitude qui a illuminé son regard quand elle m'a dit oui.

Quinze ans. C'est long, quinze ans, ou c'est court? Tout est relatif, j'imagine. À l'échelle de l'histoire de l'huma-nité, quinze ans, c'est un battement de paupières; et en même temps, j'ai le sentiment d'avoir fait un sacré bout de chemin entre ce premier dîner si lointain au Spaghetti House, plein d'espoir et d'élan, et celui d'il y a quelques mois, le 14 février 2009, où, à l'âge de quarante-huit ans, je me retrouvais seul au restaurant, en Australie, les lumières miroitant sur les eaux du port de Sydney derrière moi qui ne quittais pas des yeux la belle Chinoise et sa petite fille, absorbées dans leur partie de cartes. Caroline était déjà partie de la maison, à cette époque-là ; elle m'avait déjà quitté, quoi. Elle était partie depuis six mois, emmenant notre fille Lucy avec elle. Elles s'étaient installées dans le Nord, à Kendal, dans la Région des Lacs. Au bout du compte, qu'est-ce qui l'avait décidée à partir ? Des congères de frustration accumulées de longue date, je suppose. Mis à part la naissance de Lucy, les quinze années écoulées ne semblaient pas avoir comblé un seul des espoirs de Caroline. Son grand roman restait à écrire. Elle n'avait même pas réussi à finir une nouvelle, à ma connaissance. L'arrivée de Lucy avait mis un point final à tout ça. C'est très exigeant, finalement, la maternité. Moi, je ne voyais certes pas pourquoi le fait d'être mariée avec moi devait l'empêcher d'écrire, si c'était vraiment ce qu'elle voulait faire. L'autre idée qui m'est venue, c'est qu'au fond d'elle-même (c'est une idée pénible, je dois dire) Caroline avait peut-être un peu honte de moi. De mon travail, pour être précis. J'avais fait mon chemin, j'étais désormais entré dans l'un des grands magasins les plus prestigieux du centre de Londres, où j'occupais les fonctions de responsable du service après-vente. C'était un job excellent, de mon point de vue. Mais il y avait peut-être quelque chose en elle qui lui soufflait que le mari d'un apprenti écrivain devrait exercer un métier plus tourné, je ne sais pas, vers l'art, ou l'intellect. On pourrait croire que nous avions abordé certaines de ces questions, mais le plus triste, dans notre couple, c'était le manque de communication quasi total des dernières années. Apparemment, nous avions désappris l'art de nous parler, sinon sous forme de scènes de ménage acerbes, accompagnées d'insultes pénibles et de lancers de projectiles domestiques. Sans vouloir ressasser les détails, je me rappelle l'un de ces échanges lors de notre avant-dernière querelle, ou de la précédente. Nous avions commencé par nous disputer pour savoir s'il valait mieux se servir d'une éponge abrasive ou d'une éponge souple pour nettoyer la cuisinière en inox et, au bout de trente secondes, je me suis entendu dire à Caroline qu'il était flagrant qu'elle ne m'aimait plus. Comme elle ne s'en défendait pas, j'ai ajouté : « Il m'arrive même de penser que tu n'as aucune affection pour moi »; et savez-vous ce qu'elle m'a répondu? « Comment avoir de l'affection pour un homme qui ne s'aime pas lui-même? »

Alors là, si elle se mettait à parler par énigmes, on n'irait nulle part.

La Chinoise et sa fille sont restées tard au restaurant. Si l'on pense à l'âge de la petite, il était curieux qu'elles soient encore là à dix heures et demie du soir. Elles avaient fini de manger depuis une éternité, et seule leur partie de cartes les retenait encore. La plupart des tables étaient vides, et il serait bientôt l'heure que je regagne l'appartement de Papa, moi aussi. Nous devions discuter de certaines choses avant que je prenne mon avion, le lendemain après-midi. Mais il fallait que j'aille faire pipi avant de quitter le restaurant, si bien que je me suis levé de table pour me diriger vers les toilettes des hommes, au sous-sol.

Moi, je n'aime pas pisser debout. Ne me demandez

pas pourquoi. Je ne crois pas avoir été traumatisé dans mon enfance ; je ne me suis pas fait agresser sexuellement dans des toilettes publiques, ni rien. En fait, je n'aime pas pisser debout même quand il n'y a personne dans les toilettes ; j'ai toujours peur qu'il entre un type avant que j'aie fini, auquel cas, la chique coupée, je n'aurais plus qu'à me fermer comme un robinet et m'en aller, honteux, fou de rage et de frustration, la vessie à moitié pleine. Je suis donc entré dans l'une des cabines où j'ai pris place après les précautions d'usage (essuyer le siège, etc.) et c'est là que l'évidence m'a frappé de plein fouet. La solitude. J'étais assis au sous-sol, dans cette boîte minuscule, à des milliers de kilomètres de chez moi. Si j'étais victime d'une crise cardiaque, subitement, quelles en seraient les conséquences ? Un membre du personnel me découvrirait sans doute juste avant la fermeture. On appellerait la police, qui examinerait mon passeport et mes cartes de crédit, et puis en passant par une quelconque base de données internationales, on finirait par remonter jusqu'à mon père et jusqu'à Caroline, à qui on téléphonerait pour leur annoncer la nouvelle. Comment Caroline la prendrait-elle ? Sur le moment, elle serait sans doute secouée, mais je n'étais pas certain que ce serait très profond : je ne jouais plus un grand rôle dans sa vie. Ce serait plus grave pour Lucy, évidemment, mais elle aussi prenait régulièrement ses distances : j'étais sans nouvelles d'elle depuis plus d'un mois. Qui d'autre, encore ? Il y aurait peut-être un ou deux frissons d'émotion chez mes amis ou mes collègues de travail, mais rien d'important. Chris, mon vieux camarade d'école, éprouverait peut-être, quoi ? un pincement de regret à l'idée que nous soyons restés brouillés si longtemps sans nous voir. Trevor Paige serait sincèrement navré, lui. Tout comme Janice, sa femme. Mais à part ça, mon passage de vie à trépas ne créerait pas d'onde de choc. Un compte Facebook désormais inactif, encore n'était-il pas dit que les amis de ma liste s'en aperçoivent. J'étais seul au monde, à présent, terriblement seul. J'allais rentrer chez moi le lendemain, et ce qui m'attendait se résumait essentiellement à un appartement inhabité avec meubles Ikea, trois semaines de factures, relevés bancaires et publicités pour pizzas livrées à domicile. Or pendant que j'étais là dans ma cabine, au sous-sol de ce restaurant sur le port de Sydney, en haut de l'escalier, à quelques dizaines de centimètres au-dessus de ma tête, se trouvaient deux personnes qui — fussent-elles seules au monde par ailleurs — étaient du moins riches l'une de l'autre, unies par un lien d'une force et d'une intensité qui sautaient aux yeux. Voilà pourquoi je les enviais farouchement. À cette pensée, je me suis senti submergé par le besoin soudain de faire la connaissance de la belle Chinoise et de sa belle enfant qui s'aimaient tant. La perspective de quitter le restaurant sans tenter de me présenter à elles, de leur faire prendre conscience que j'existais, en somme, m'était intolérable.

Chose étonnante, plus j'y réfléchissais plus je m'apercevais qu'il n'y avait aucune raison de m'en abstenir. À vrai dire, pourquoi même hésiter ? J'étais dans mon élément, en principe : avant que Caroline et Lucy me laissent sur le cul en me réduisant à l'état d'ermite involontaire, j'avais construit toute ma carrière sur ma facilité de contact avec les gens. En quoi croyez-vous que ça consiste d'être responsable du service après-vente ? C'est la définition même du job, en gros. Je savais être charmant quand je voulais. Je savais mettre une femme à l'aise. Je savais que la politesse, les bonnes manières, la voix où ne couve aucune menace suffisent en général à désarmer l'inconnu le plus circonspect.

Si bien que ce soir-là, pour la première fois depuis que Caroline m'avait quitté, six mois auparavant, j'ai fini par prendre une décision : une décision de poids. Sans même préparer ce que j'allais dire, j'ai quitté ma cabine, et je suis remonté d'un pas rapide et décidé. Le souffle court, les nerfs tendus, mais avec un sentiment de libération et de soulagement.

Seulement, la Chinoise et sa fille avaient réglé leur addition, et elles étaient parties.

## II

Mon père dormait lorsque je suis rentré du restaurant; il nous a fallu attendre le petit déjeuner pour reprendre notre différend à propos de son appartement de Lichfield.

« Différend », le mot est trop fort pour le genre de discussion que je peux avoir avec mon père. « Discussion » aussi, d'ailleurs. Mon père et moi ne nous sommes jamais dit un mot plus haut que l'autre. Que l'un de nous deux ne soit pas d'accord, qu'il se vexe, et nous nous retranchons tout bonnement dans un silence blessé, silence susceptible de durer plusieurs années. C'est un fonctionnement qui nous a toujours convenu, en somme, même si d'autres le trouvent singulier, je le sais. Caroline, par exemple, me le reprochait de manière chronique. « Pourquoi vous n'arrivez jamais à vous parler pour de bon, ton père et toi ? À quand remonte votre dernière vraie conversation ? » me demandait-elle. Je lui rappelais que c'était facile à dire, pour elle. Elle ne savait pas à quel point il avait un caractère difficile. Elle le connaissait à peine, ne l'ayant rencontré qu'une fois, celle où nous avions emmené Lucy en Australie, quand elle avait dans les deux ans. (Il n'était pas revenu d'Australie pour mon mariage, ni pour la naissance de sa petite-fille.) Le hasard faisait qu'ils étaient tous deux aspirants écrivains — même si mon père s'exprimait de préférence par la poésie, excusez du peu — et elle espérait que ce centre d'intérêt partagé leur ferait un terrain d'entente. Mais elle a dû reconnaître elle-même, au bout de quelques jours, qu'il n'était pas précisément d'un abord facile. Malgré ça, les années qui ont suivi, le fait que mes rapports avec mon père soient si grièvement détériorés a été une pierre d'achoppement entre nous. J'étais fils unique, ma mère était morte quand j'avais vingt-quatre ans, il représentait donc tout ce qui me restait de famille. Et lorsque Caroline a fini par me quitter, son cadeau d'adieu, si l'on peut dire, a été ce voyage en Australie qu'elle m'a offert sans m'en dire un mot. J'en ai pris connaissance par un courriel d'Expedia, arrivé la veille de Noël, et qui me rappelait de demander un visa touristique en ligne. Caroline m'avait pris un vol au départ d'Heathrow six mois jour pour jour après son départ — pressentant sans doute que je ne serais pas prêt avant, et qu'il ne fallait pas s'attendre que je sorte plus tôt de l'ornière dépressive où son départ me condamnait à tomber, elle en était consciente. À cet égard, son calcul (c'est bien le mot, en somme) s'était révélé exact. Ce qui prouve, je présume, qu'après toutes ces années elle me connaissait comme sa poche.

Ma foi, Caroline, requinquer ton mari abandonné en l'expédiant trois semaines chez son père avec qui il est en froid pour qu'ils reprennent le dialogue : délicate attention. Le hic, c'est que l'ingénierie d'un pareil miracle ne se borne pas à un zeste de bonne volonté doublé d'un vol à prix cassé. Le lendemain matin, tandis que nous prenions notre petit déjeuner en silence, je me rendais compte que nous étions aussi loin l'un de l'autre que jamais. Si la Chinoise et sa fille se situaient à une extrémité sur l'échelle de l'intimité, nous occupions l'autre. Pour tout dire, nous étions presque hors échelle. Rétrospectivement, il est clair que bien des choses auraient pu nous rapprocher, pourtant. Le fait que nos partenaires avaient comme l'habitude de nous planter là, par exemple. Depuis qu'il s'était installé en Australie, plus de vingt ans auparavant, mon père allait de liaison en liaison, sans que le cœur y soit jamais tout à fait : je n'avais rencontré qu'une seule de ses amies, et elle l'avait lâché cinq ou six ans plus tôt. Ensuite, il avait vécu avec une pharmacienne retraitée à Mosman, en banlieue, mais ils s'étaient séparés quelques semaines plus tôt, ce qui l'avait obligé à se trouver un appartement, lequel n'était pas encore vraiment meublé ni décoré. Nous aurions donc pu aborder ces questions, mais nous n'en avons rien fait, préférant reparler de son appartement de Lichfield. Il l'avait acheté vers le milieu des années quatre-vingt, immédiatement après la mort de Maman, sur un coup de tête, le désir informulé de revenir à sa ville natale ; j'étais persuadé qu'il l'avait revendu avant de partir pour l'Australie, mais il fallait croire que non. L'appartement semblait être resté inoccupé ces vingt dernières années. Je me doute que la plupart des fils se seraient fâchés contre leur père en apprenant qu'un bien de famille potentiellement rentable avait ainsi été laissé vingt ans à l'abandon sans le moindre entretien. Mais j'ai seulement dit : « C'est du gâchis, tout de même, non ? » À quoi il s'est borné à répondre :

« Oui, il faudrait sans doute que je m'en occupe. » Puis il m'a demandé si je voudrais bien aller y jeter un coup d'œil, à mon retour. Croyant qu'il me suggérait par là d'entreprendre les démarches nécessaires pour le mettre sur le marché, j'ai tenté de lui expliquer que le moment était mal choisi pour vendre, en Grande-Bretagne ; les taux de crédit grimpaient, les gens perdaient leur emploi et leurs économies, tout le monde nageait dans l'incertitude financière, et le prix de l'immobilier était en chute libre. À quoi mon père m'a répondu qu'il n'avait nulle intention de vendre cet appartement ; il voulait simplement que j'aille récupérer sur une étagère un certain classeur bleu portant le titre *Deux Duos* inscrit au dos, et que je le lui envoie. Je lui ai demandé pourquoi il tenait tellement à ce classeur bleu, et il m'a répondu qu'il contenait des poèmes et d'autres petits textes « importants » dont il avait besoin tout de suite car son seul autre exemplaire avait été jeté quelques semaines plus tôt par son ex-partenaire, la pharmacienne de Mosman, lors de leur rupture. Il a ajouté qu'il me faudrait le lire avant de le lui envoyer, parce que j'y trouverais expliquées entre autres choses les circonstances de ma naissance. Et voilà qu'il s'est lancé dans une longue digression passablement bizarre pour m'apprendre que je ne serais jamais né si, vers la fin des années cinquante, il n'y avait pas eu à Londres deux pubs proches l'un de l'autre, qui s'appelaient tous deux le Rising Sun, le Soleil Levant. Là encore, j'imagine que d'autres fils auraient sans doute essayé d'en savoir un peu plus, mais moi j'ai dû penser : « Allons bon, le voilà parti à élucubrer sur une tangente qui n'appartient qu'à lui. » Je lui ai donc demandé où se trouvait exactement le classeur, et de quel bleu il était au juste. L'occasion nous était donnée d'explorer ce chemin de traverse de notre histoire commune, et nous avons fini par nous livrer à des considérations de papetiers. RAS, situation classique entre nous. Après quoi je suis passé dans la chambre d'amis pour boucler ma valise.

Dans le taxi qui m'emmenait à l'aéroport, je n'ai pas pensé à mon père ; je me suis pris à penser à la Chinoise et à sa fille : quel dommage qu'elles aient quitté le restaurant avant que j'aie pu leur parler. Tout n'était pas perdu, il est vrai. En remontant des toilettes, j'avais réussi à coincer le serveur, et il m'avait dit quelque chose, quelque chose qui pourrait m'être utile. Il ne savait pas qui elles étaient ni d'où elles venaient mais il savait ceci : elles s'attablaient au restaurant le deuxième samedi du mois sans y manquer jamais ; et puis, elles venaient toujours seules, jamais elles n'amenaient un homme avec elles. Allez savoir pourquoi — ça peut paraître délirant, je l'admets —, ces deux détails me réconfortaient. Le restaurant pouvait bien être à quinze mille kilomètres de chez moi, le monde est petit, et il rapetisse tous les jours ; du moins savais-je que, quand je voudrais, je n'aurais qu'à sauter dans un avion à destination de Sydney et me rendre à ce restaurant le deuxième samedi de n'importe quel mois pour les trouver toutes deux en train de jouer aux cartes et de rire. En train de m'attendre. (Je sais bien que ça paraît farfelu, mais cette idée faisait déjà son chemin en moi.) Qui plus est, elles seraient seules. Aucun rival pour détourner l'attention qu'elles se portaient. Je l'avais d'ailleurs deviné rien qu'à observer leur comportement : il n'y avait pas de place pour une tierce personne dans cette relation. La présence d'un homme l'aurait polluée. Sauf si, bien entendu, cet homme c'était moi.

D'accord, je lâchais la bride à mon imagination; je cédais à mes fantasmes. Mais peut-être était-ce bon signe en soi. Depuis six mois, je ne parlais pour ainsi dire à personne. J'étais resté en congé presque tout ce temps, seul chez moi, essentiellement au lit, parfois devant ma télé ou mon ordinateur. Les contacts humains, j'en avais perdu le goût. L'humanité, vous l'aurez remarqué, multiplie désormais avec une grande ingéniosité les moyens d'éviter de se parler, et j'avais pleinement profité des plus récents. Au lieu de retrouver mes amis, je déposais des mises à jour ironiques et enjouées sur Facebook, histoire de montrer à tout le monde que ma vie était bien remplie. Il faut croire que ces messages plaisaient puisque j'avais désormais plus de soixante-dix amis sur mon compte, parfaits inconnus pour la plupart. Mais quant aux contacts de type tête-à-tête — on boit un café et on se met au courant des dernières — j'en avais apparemment perdu jusqu'au souvenir. Du moins l'avais-je perdu jusqu'à ce que la Chinoise et sa fille me rafraîchissent la mémoire. Ça peut paraître bizarre à dire, mais leur proximité, leur intimité était la première chose qui me procurait une lueur d'espoir depuis six mois. J'arrivais même à croire que ma chance puisse tourner.

Et puis, pas plus tard que le lendemain, à l'aéroport, il s'est produit un autre petit fait qui m'a mis dans des dispositions identiques. Je faisais la queue pour m'enregistrer, et j'espérais tomber sur un comptoir en particulier, où officiait une aimable brunette aux yeux noisette et au sourire spontané. J'aurais bien aimé tomber sur elle, parce qu'elle donnait l'impression qu'elle accepterait de surclasser son passager pourvu qu'il le lui demande gentiment. Seulement, je ne suis pas tombé sur elle, mais sur un type de mon âge, voire plus vieux, cheveux gris, bronzage agressif, qui n'avait pas la moindre envie de papoter et levait tout juste les yeux pour croiser mon regard. J'allais faire chou blanc, c'était couru d'avance. N'importe, je n'ai pas pu m'empêcher de tenter ma chance.

« Il y a du monde, sur ce vol ?

— Pas mal, oui.

— Pas la moindre chance de se faire surclasser alors ?

— Si je touchais un dollar chaque fois qu'on me demande ça !

— C'est souvent, hein ?

— Tout le temps, mon cher ami. Tout le temps.

— Mais alors, comment vous décidez ?

— Quoi donc ? m'a-t-il demandé en levant les yeux.

— Comment vous décidez qui surclasser et qui laisser où il est ?

— Bah, m'a-t-il lancé en me jaugeant d'un regard direct avant de baisser les yeux, à la tête du client. »

Il n'en a pas dit plus, c'était sans réplique. C'est seulement après avoir enregistré mes bagages, regardé ma valise basculer dans le néant et fait quelques pas que j'ai pensé à jeter un coup d'œil sur mes deux cartes d'embarquement (une pour chaque étape du voyage) : il m'avait bel et bien surclassé dans la zone Premium Economy. Je me suis retourné pour lui manifester ma gratitude. Il était en train de s'occuper du passager suivant, mais il a trouvé le temps de me regarder, une expression vide sur son visage, vide et même revêche. N'empêche qu'il m'a fait un clin d'œil avant que ses yeux se posent de nouveau sur l'écran de son ordinateur.

Deux heures plus tard, vers quatre heures et demie heure de Sydney, je sirotais mon deuxième verre de champagne en attendant le décollage, et je me représentais les délices du voyage à venir.

J'avais le siège côté couloir, celui côté hublot étant inoccupé pour l'instant. Les fauteuils étaient vastes et rembourrés, j'avais la place d'étendre mes jambes. Je me sentais illuminé d'un plaisir quasi sensuel à la perspective de me faire dorloter. Treize heures pour arriver à Singapour, avec dîner à la clef, arrosé de quelques autres verres de champagne, et un choix de plus de cinq cents films et émissions de télé sur la console divertissement installée dans le dossier du siège devant moi, avec petit somme en option tôt ou tard. Ensuite, escale de deux heures à Singapour, transfert sur un autre avion, whisky bien tassé, somnifères pour m'éteindre comme une ampoule jusqu'à l'atterrissage à Heathrow, le lendemain matin : le rêve, quoi.

C'était du moins ainsi que les choses auraient dû se passer. Sauf que l'ennui, comme je l'ai dit, c'est qu'avoir vu la Chinoise et sa fille avait réveillé inopinément mon besoin de contacts humains. J'avais envie de parler. Je mourais d'envie de parler.

Lorsqu'un homme d'affaires pâle et corpulent en costume gris clair s'est glissé devant moi en s'excusant d'un signe de tête minimal pour prendre la place voisine, comment s'étonner que j'aie été saisi du besoin impérieux d'engager la conversation avec lui ? Or je tombais mal, disons-le. Si mon expérience de la vente m'avait appris quelque chose, au fil des ans, c'était à déchiffrer le visage des gens. Il aurait donc dû m'apparaître sans équivoque que cet inconnu à l'expression lasse et distante n'avait pas la moindre envie de me parler, et préférait de loin qu'on lui fiche la paix avec ses journaux et son ordinateur portable. Pour tout dire, je m'en suis rendu compte, mais j'ai choisi de ne pas le voir.

L'homme d'affaires a mis une ou deux minutes à s'installer confortablement, pour s'apercevoir aussitôt qu'il avait laissé la sacoche de son ordinateur dans le coffre à bagages au-dessus de nos têtes ; il lui a donc fallu se lever de son siège et, suant et soufflant, se livrer à diverses contorsions et manipulations avant que nous puissions regagner nos places respectives. Aussitôt, il a ouvert son portable et s'est mis à taper furieusement. Au bout de quelques minutes, il s'est arrêté, il a jeté un coup d'œil aux mots sur l'écran ; il a fermé la session d'un geste ferme et presque théâtral ; il a soupiré et s'est calé dans son siège, vaguement essoufflé, le temps que l'ordinateur s'éteigne. Il s'est tourné vers moi sans me regarder vraiment ; il ne m'en a pas fallu davantage pour voir la porte ouverte à la conversation, même s'il n'avait rien voulu signifier de tel.

« Fini ? » j'ai lancé.

Il m'a regardé sans expression, visiblement surpris que je lui adresse la parole. Un instant j'ai cru qu'il n'allait pas répondre, mais il a lâché : « Hmm.

— Des courriels de dernière minute ?

— Ouaip. »

Il semblait avoir l'accent australien, encore qu'il soit difficile d'en juger sur les seuls « Hmm » et « ouaip ».

« Vous savez ce que j'adore, en avion ? j'ai dit, pas

découragé. C'est le dernier endroit où l'on soit vraiment injoignable. Totalement libre. Personne ne peut vous appeler au téléphone ou vous envoyer un texto. Une fois dans les airs, plus de courriels. Pendant quelques petites heures, on est loin de tout ça.

— C'est vrai, a dit l'homme, mais plus pour long-temps. Il y a déjà des compagnies aériennes où on peut envoyer des courriels et se connecter depuis son propre portable, et il est question de permettre aux passagers de se servir de leur mobile, aussi. Personnellement, j'ai hâte que ça arrive. Ce qui vous plaît en avion, c'est précisément ce que je déteste. Le vol est un temps mort, complètement mort.

— Pas vraiment; ça veut simplement dire que si on a envie de communiquer avec quelqu'un pendant le vol, il faut le faire directement. Il faut parler, quoi. C'est l'occasion de faire des rencontres. De nouvelles rencontres. »

Il m'a regardé de côté. Quelque chose me disait que cette occasion de faire ma connaissance, il l'aurait laissée passer allègrement. Mais la rebuffade que j'attendais n'est pas venue pour autant. Au contraire, il m'a tendu la main, en me disant sur un ton bourru : « M'appelle Charles, Charles Hayward. Charlie, pour mes amis.

— Maxwell, j'ai répondu, ou Max. Maxwell Sim. Sim comme l'humoriste. » Je disais toujours ça, quand je me présentais, mais d'habitude, sauf si je m'adressais à un Anglais d'un certain âge, l'allusion passait par-dessus la tête de mon interlocuteur, et il fallait que j'ajoute : « Ou comme la carte Sim. »

« Content de faire votre connaissance, Max », a dit Charlie. Là-dessus il s'est tourné, et il a pris son journal qu'il s'est mis à lire en commençant par les pages financières.

Il n'allait pas s'en tirer à si bon compte. On ne peut pas rester auprès de quelqu'un treize heures d'affilée en l'ignorant superbement. Que dis-je, treize heures, vingt-quatre — sa carte d'embarquement, sur la tablette, indiquait que nous serions de nouveau voisins pour la seconde partie du voyage. Il ne serait carrément pas humain de garder le silence sur une telle durée. Malgré tout, j'étais convaincu qu'au prix d'un gros effort je réussirais à le tirer de sa réserve. Maintenant que nous avions échangé quelques mots, j'avais cessé de le trouver antipathique ; il était plutôt stressé et surmené. Il devait avoir dans les cinquante-cinq ans. Pendant le dîner, il m'a dit qu'il avait grandi à Brisbane et occupait aujourd'hui un poste à hautes responsabilités dans la branche de Sydney d'une multinationale qui commençait à connaître des difficultés financières. (C'était sans doute pourquoi il ne voyageait pas en classe affaires.) Il allait à Londres tenir une cellule de crise avec d'autres décideurs de la firme ; il n'a pas précisé la nature de leurs difficultés financières, bien sûr (pourquoi l'aurait-il fait avec quelqu'un comme moi ?), mais apparemment elles étaient liées au levier financier. Sa société avait contracté des prêts qui étaient mal garantis, quelque chose comme ça. En se lançant dans ces explications, il s'animait à vue d'œil, et je me suis dit qu'il n'était pas exclu qu'il se fasse tout à fait causant ; mais quand il a compris que je ne connaissais rien au levier, et que mon entendement des rouages financiers ne dépassait pas le découvert ou le dépôt, j'ai eu l'impression qu'il perdait tout intérêt pour ma personne, et il m'est devenu de plus en plus difficile de lui tirer un mot. Ce qui n'arrangeait pas les choses, c'est qu'il avait bu quelques verres de champagne et plus d'une bière au cours du dîner, et qu'il avait l'air encore plus épuisé qu'à son arrivée. Autre problème, à mesure qu'il se retranchait dans le mutisme, moi au contraire, comme si l'éventualité du silence entre nous me terrifiait, je devenais volubile, intarissable, et cet homme dont je venais tout juste de faire la connaissance, voilà que je l'abreuvais de confessions et de confidences qu'il risquait fort de trouver barbantes, voire légèrement embarrassantes.

Tout a commencé quand je lui ai dit : « Vous ne connaissez pas votre bonheur, vous savez, de vivre à Sydney. Quelle ville époustouflante. Tellement différente de celle où j'habite... »

J'ai ménagé une courte pause, qu'il a fini par interrompre en saisissant dûment la perche tendue : « Vous n'habitez pas Londres, alors ?

— Non, non, pas Londres même. J'habite Watford.

— Ah, Watford, a-t-il répété, sans que je puisse déterminer si son intonation exprimait la curiosité, le dédain, la commisération ou tout autre chose.

— Vous êtes déjà allé à Watford ? »

Il a fait « non » de la tête. « Je ne crois pas. Je connais pas mal de grandes villes du monde, Paris, New York, Buenos Aires, Rome, Moscou. Watford, non. Allez savoir pourquoi.

— Watford a des tas d'atouts, ai-je dit, un peu piqué. Les gens ne le savent pas mais la ville est jumelée avec Pesaro, charmante ville italienne sur l'Adriatique...

— Un mariage de rêve.

— Il m'arrive de me demander comment j'ai atterri à

42

Watford. Parce que, vous comprenez, je suis de Birmingham, à l'origine. Ça s'est fait parce que, il y a quelques années, j'ai décroché ce job dans une société qui fabrique des jouets, et qui est basée à St Albans, or justement, Watford, c'est tout près, comme vous le savez sans doute. Enfin, peut-être pas, d'ailleurs. En tout cas, voilà, c'est juste à côté. Il n'y a pas plus pratique pour les déplacements. Attention, j'ai cessé de travailler pour cette société très peu de temps après m'être installé à Watford, c'est l'ironie des choses quand on y pense, parce que après j'ai travaillé dans un grand magasin d'Ealing, qui est justement plus loin de Watford que St Albans. Bon, pas tellement plus loin, disons, dix minutes un quart d'heure en voiture. En général j'y allais en voiture, parce que c'est très mal desservi par les transports en commun ; c'est même curieux quand on y pense. Mais je ne risque pas de regretter d'avoir pris cet emploi, celui à Ealing, je veux dire, parce que c'est comme ça que j'ai rencontré ma femme, Caroline, enfin mon ex-femme, je devrai bientôt dire, oui, parce qu'on s'est séparés il y a quelques mois. Enfin, quand je dis séparés, en fait, elle m'a annoncé qu'elle voulait me quitter. Très bien, en somme, c'est son droit, des décisions pareilles, il faut les respecter, n'est-ce pas, et... voilà, quoi, à présent, elle est très heureuse avec notre fille Lucy, elles sont retournées dans le Nord, elles ont l'air de s'y plaire, oui, parce que, j'ai jamais bien su pourquoi, Caroline ne s'y est jamais vraiment faite à Watford, elle ne s'y est jamais vraiment plu, et moi je dis c'est bien dommage, parce que, où qu'on vive, il y a toujours du bon, non ? ce qui ne veut pas dire que quand on habite Watford on se réveille tous les matins en pensant : La vie est peut-être merdique, mais au moins, le bon côté, c'est que j'habite Watford, non, ça fait pas une raison de vivre, n'exagérons rien, c'est pas ce genre d'endroit, n'empêche qu'il y a une très bonne bibliothèque publique, déjà, et puis il y a l'Harlequin, un grand centre commercial tout neuf, avec des soldeurs, des soldeurs carrément fantastiques, ah oui, et puis, tiens, ça va vous amuser (à voir son expression glaciale, j'en étais déjà moins sûr), oui, enfin, peut-être, il y a le Walkabout, un grand bar à thème, on va dire, avec un grand panneau devant qui vous propose "L'essence même de l'Australie"; bon, à bien y réfléchir, on n'a jamais vraiment l'impression d'être en Australie, on oublie jamais vraiment qu'on est à Watford, soyons honnêtes, mais pour quelqu'un comme moi, qui se plaît à Watford, c'est pas grave, hein? c'est vrai, quoi, il y a des gens qui sont toujours contents de ce qu'on leur donne, hein, et moi je ne vois pas de mal à ça, c'est vrai, hein, je ne vous dirais pas que j'ai toujours eu pour ambition d'habiter Watford, je me rappelle pas que mon père m'ait pris sur ses genoux pour me demander : Et toi, fiston, tu as réfléchi à ce que tu voudrais faire quand tu seras grand, je me rappelle pas lui avoir répondu : Ben moi ça m'est égal, Papa, du moment que j'habite Watford, non je me souviens pas d'une occasion comme ça, c'est vrai, mais enfin, déjà, mon père c'était pas son genre, il me prenait jamais sur ses genoux, du plus loin que je me souvienne, il a jamais été très tactile, comme type, ni même très affectueux, ni même très présent en fait, dans ma vie, je veux dire de façon significative, quoi, depuis l'âge, euh, enfin aussi loin que je me souvienne, non mais ce que je voulais dire, c'est que Watford c'est pas le genre d'endroit qu'on rêve toute sa vie d'habiter, mais en même temps, on n'est pas pressé de le quitter non plus, du reste, c'est un sujet qu'on avait abordé il y a quelques années avec mon ami Trevor, Trevor Paige, c'est un de mes plus vieux amis, ça remonte aux années quatre-vingt-dix, nous deux, à l'époque où j'étais VRP pour cette société de jouets dont je vous ai parlé, il couvrait l'Essex et la côte est et moi la région de Londres et les comtés environnants, mais j'ai quitté au bout d'un ou deux ans pour entrer dans ce grand magasin d'Ealing, et lui il a pas bougé, vous voyez, et on est restés amis, surtout qu'il vivait à deux rues de chez moi jusqu'à il y a deux ans, parce qu'il y a deux ans on était en train de boire un verre au Yates dans la galerie marchande, et le voilà qui me balance : Tu sais quoi, Max ? J'en ai ras le bol, ça me fait carrément chier, alors moi je dis : Quoi, ça te fait chier, qu'est-ce qui te fait chier ? Alors il me dit : Watford, mais je dis : Comment ça, Watford ? et il me fait : Oui, j'en ai carrément ras le bol de Watford, j'en ai ma claque, ça fait dix-huit ans que j'y habite et, pour ne rien te cacher, je crois que j'en ai fait le tour, Watford ne peut plus me surprendre ou m'enchanter, c'est clair, et je dirais même plus, si je me tire pas à la vitesse grand V, je crois que je vais me flinguer, ou alors mourir d'ennui ou d'exaspération, je sais pas, alors là, moi je n'en revenais pas, je dois dire, parce que j'avais toujours cru que Trevor et Janice, Janice, c'est sa femme, Watford leur allait comme un gant, d'ailleurs, c'était une des choses qu'on avait toujours partagées Trevor et moi, le fait de bien aimer Watford, d'adorer Watford même, parce que voilà on avait des tas de nos meilleurs souvenirs, de nos souvenirs les plus précieux, des grands moments de partage de notre amitié qui étaient attachés

45

à Watford, on s'était tous deux mariés à Watford, par exemple, nos enfants étaient nés à Watford, et pour ne rien vous cacher, sur le coup, j'ai pensé que c'étaient des propos d'ivrogne, je me souviens très bien de m'être dit : Il cause, il cause, mais il quittera jamais Watford, Trevor, il dit ça comme ça, il dit ça comme s'il allait, mais je veux dire il va jamais passer à l'acte, quoi, pourtant il faut être juste, je ne savais pas tout de Trevor, et c'était pas du blabla, il voulait vraiment tirer un trait sur Watford, et alors là, il a tiré un trait parce que, six mois plus tard, lui et Janice s'installaient à Reading où il avait trouvé un nouvel emploi, et un bon, si je comprends bien, dans une société qui fabrique des brosses à dents, ou qui en importe, je crois qu'ils les font venir d'outre-mer, mais ce sont eux qui les distribuent en Angleterre, et en plus c'est pas des brosses à dents ordinaires, c'est des brosses à dents profilées, elles ont un design euh high tech, et puis ils font aussi le fil dentaire et les bains de bouche, et des tas d'autres produits d'hygiène bucco-dentaire, et d'ailleurs ils sont en pleine expansion... euh, oui ? »

Je venais de me rendre compte qu'on me tapait légèrement sur l'épaule, et en me retournant j'ai vu une des hôtesses.

« Monsieur ? Monsieur, il faudrait qu'on vous dise un mot, à propos de votre ami.

— Mon ami ? »

Au départ, je ne voyais pas de qui ils parlaient, et puis j'ai compris qu'il s'agissait de Charlie Hayward. Une autre hôtesse accompagnait la première, ainsi qu'un steward. Ils faisaient une sale tête. Je me suis rappelé qu'il y avait eu un instant d'agitation, quelques minutes plus tôt, quand l'un d'entre eux était passé récupérer son plateau ; mais dans le flot de mes discours, je n'y avais pas prêté attention. N'empêche que, m'expliquaient-ils, sans qu'on soit en mesure de déterminer l'heure exacte tant qu'on n'aurait pas découvert s'il y avait un médecin à bord, mon ami était vraisemblablement mort depuis cinq, dix minutes.

Crise cardiaque. Classique.

La compagnie aérienne a fait preuve de beaucoup de tact. Une semaine après mon retour, on m'a envoyé une lettre pour me donner quelques détails et je dois dire qu'ils étaient réconfortants, très réconfortants, même. Charlie Hayward souffrait de troubles cardiaques depuis plusieurs années ; c'était sa troisième crise en dix ans ; la nouvelle n'avait donc pas pris sa femme par surprise, même si, bien sûr, elle était effondrée. Il laissait deux filles d'une vingtaine d'années. Son corps avait été rapatrié de Singapour à Sydney, où il avait été incinéré. Mais jusqu'à Singapour, le personnel de vol n'avait pas eu le choix : il avait fallu le laisser sur son siège, à côté de moi. Ils avaient jeté une couverture sur lui et m'avaient proposé de les rejoindre sur les sièges qui leur étaient réservés, devant la cuisine du bord, mais j'ai dit non merci, tout allait bien. J'aurais eu l'impression d'être grossier, de lui manquer de respect. Dites que je suis farfelu, mais je pensais qu'il ne serait pas fâché d'avoir un peu de compagnie.

Pauvre vieux Charlie Hayward ! C'était la première personne à qui je réussissais à parler depuis ma décision de renouer avec le monde : l'avenir ne se présentait pas sous les meilleurs auspices.

Mais tout allait s'arranger.

# III


J'ai été le dernier à quitter l'appareil, après l'atterrissage à Singapour. Pendant qu'on soulevait le corps de Charlie pour l'évacuer, je suis allé m'asseoir sur un autre siège, et j'y suis resté un moment après le départ des autres passagers. La dépression m'est tombée dessus. C'était palpable. Elle m'était familière désormais, je savais la reconnaître. Elle me rappelait un film d'horreur que j'avais vu à la télé quand j'étais petit. Le personnage était prisonnier d'une pièce dérobée dans un grand château antique et le méchant de l'histoire actionnait une manette qui faisait descendre le plafond sur lui, lentement, inexorablement, pour le broyer. C'était ce que je ressentais ; je n'étais jamais véritablement broyé, bien sûr, mais le plafond descendait assez bas pour que je le sente me peser sur l'échine, entraver ma liberté de mouvement, me paralyser. Chaque fois que la chose se produisait, je restais quelque temps dans l'incapacité physique de me lever, je n'avais plus le ressort pour me mettre en marche. Impossible de déterminer l'élément déclencheur, en plus. Ça pouvait être n'importe quoi. En l'occurrence, je crois que c'était le contrecoup d'avoir tant parlé à Charlie, de l'avoir pris pour déversoir sans la moindre vergogne; ce raz de marée verbal avait rompu les digues au bout de tant de mois de retrait du monde, des mois rendus plus interminables encore par le silence, le manque de contacts humains (de contacts non filtrés par la technologie, s'entend); avec, pour couronner le tout, le désastre qui s'était ensuivi, directement ou non. J'ai sombré dans la prostration, sans avoir conscience, si peu que ce soit, de ce qui se passait autour de moi. J'ai fini par m'apercevoir qu'une hôtesse, toujours la même, j'imagine, était en train de me secouer sans brutalité par l'épaule. « Monsieur? disait-elle gentiment d'une voix feutrée. Monsieur, nous sommes obligés de vous demander de quitter le bord; le personnel d'entretien attend... »

J'ai levé vers elle une tête somnolente, et lentement, dans un état second, j'ai longé le couloir central, traversé la classe affaires et débouché sur la passerelle. Je crois que l'hôtesse m'a fait un bout de conduite, en me disant quelque chose comme : « Ça va aller, monsieur? Vous voulez qu'on vous accompagne? », mais ma réponse a dû lui paraître assez rassurante pour qu'elle juge que j'allais m'en sortir tout seul.

Il s'est écoulé quelques minutes. Je ne saurais trop dire où je les ai passées, mais au bout d'un moment je me suis rendu compte que j'étais attablé dans un café, oppressé par une chaleur moite, au milieu de boutiques portant les noms de marques mondialement connues, où déambulaient d'autres passagers hébétés par le décalage horaire, l'œil vague et vitreux, chacun tâchant d'évoluer entre les présentoirs, les rayons et les tourniquets d'un pas absent de somnambule. En baissant les yeux, j'ai vu que ma tasse était pleine d'un liquide qui ressemblait fort à du cappuccino. Il faut croire que je l'avais commandé et payé. J'ai glissé un doigt dans mon col de chemise pour essuyer l'anneau de sueur qui s'y était déposé, et c'est alors que mon regard a été attiré par une silhouette dans la foule des acheteurs somnambules. C'était une jeune femme qui pouvait avoir vingt-cinq ans, et elle m'a fait une première impression singulière. Je ne suis pas particulièrement tourné vers la spiritualité, mais la première chose que j'ai remarquée chez elle, ou cru remarquer, c'est qu'elle portait un chemisier de couleur très vive. D'ailleurs, c'était sans doute l'éclat de cette couleur — elle lui donnait l'aspect d'un phare incandescent — qui avait attiré mon attention et m'avait sorti de mon ornière de déprime. Mais à mieux la regarder, j'ai vu que ses vêtements étaient de couleur tout à fait classique, et que ce que j'avais perçu, c'était autre chose, quelque chose qui venait de l'intérieur, comme une aura, un rayonnement. Est-ce que ça a un sens, ça ? Comme je gardais l'œil sur elle, l'aura s'est mise à trembloter et s'estomper ; mais il restait quelque chose de puissant, d'irrésistible, chez cette femme. D'abord, alors que la foule qui l'entourait semblait se déplacer de plus en plus lentement, comme sous hypnose profonde, elle avait manifestement un but, un propos. Un propos furtif, certes. Elle allait de seuil de boutique en seuil de boutique en se donnant un air de nonchalance, mais elle ne cessait de regarder autour d'elle si fréquemment et avec une telle circonspection que je me suis demandé si c'était une voleuse à l'étalage. Mais comme elle n'entrait jamais vraiment dans les boutiques, j'ai dû abandonner cette hypothèse. Elle était vêtue de façon assez masculine, un blouson en jean bien superflu par cette chaleur, et avec ses cheveux courts, elle avait l'allure garçonne que j'ai toujours trouvée particulièrement sexy. (Alison avait cette allure, par exemple, Alison Byrne, la sœur de Chris, quoique la dernière fois que je l'ai vue, il y a quinze ans, elle s'était laissé pousser les cheveux.) Des cheveux tirant sur le roux, ou blond vénitien. On aurait dit qu'elle s'était fait un reflet au henné. Mais c'est surtout le blouson qui m'intriguait : il m'est venu à l'idée qu'elle devait cacher quelque chose dessous. Pour en arriver à cette conclusion, j'ai dû la dévisager assez effrontément une bonne minute, ce qui lui a donné le temps de s'en apercevoir et de me lancer des coups d'œil anxieux et irrités. Embarrassé, j'ai détourné le regard, considérant ma tasse de café vide en essayant de me concentrer sur autre chose, en l'occurrence l'annonce faite dans les haut-parleurs : « *Mesdames et messieurs, bienvenue à Singapour. Nous rappelons aux passagers en transit qu'il est interdit de fumer dans l'enceinte de l'aéroport. Nous vous remercions de votre compréhension et vous souhaitons une agréable fin de voyage.* » Puis lorsque je l'ai regardée de nouveau, elle a croisé mon regard, et cette fois elle est venue vers moi en se faufilant dans la foule mouvante. Arrivée à ma table, elle m'a lancé de sa hauteur :

« Est-ce que vous seriez de la police, par hasard ? »

Elle avait l'accent britannique, un accent très snob, mais avec cette pointe pseudo-populo que la jeunesse dorée se croit obligée d'affecter, aujourd'hui.

« Non, j'ai dit, non, je ne suis pas de la police. » Et comme elle ne réagissait pas et continuait de me jeter des regards furieux, j'ai ajouté : « Qu'est-ce qui peut vous faire croire ça?

— Vous n'arrêtez pas de me regarder.

— C'est vrai, j'ai admis après un instant de réflexion, excusez-moi, je suis très fatigué, j'ai eu un voyage stressant et je n'en suis qu'à la moitié. Je vous regardais comme ça, rien de plus. »

Elle y a réfléchi avant de me dire « OK » d'un ton peu convaincu. « Et vous ne travaillez pas non plus pour l'aéroport, ni rien?

— Non, je ne travaille pas pour l'aéroport. »

Elle a hoché la tête, satisfaite, apparemment. Puis, avant de tourner les talons, elle a ajouté : « Vous savez, je ne fais rien d'illégal. »

Cette fois encore, elle avait parlé d'une voix mal assurée, comme si elle n'en était pas tout à fait certaine. « Ça ne m'était pas venu à l'esprit », j'ai dit, pour l'apaiser. J'essayais de voir ce qu'elle cachait sous son blouson, au niveau du renflement, mais impossible de deviner. Elle s'apprêtait de nouveau à partir mais quelque chose semblait la retenir. Je me suis dit qu'elle était peut-être fatiguée et qu'elle se serait volontiers assise.

« Puis-je vous offrir un café? » j'ai proposé.

Aussitôt, elle s'est laissée tomber sur le siège à côté de moi : « Ce serait génial, je suis vannée.

— Vous le voulez comment? »

Elle voulait un *latte* écrémé et édulcoré avec une dose de sirop d'érable et je suis allé le lui chercher. Quand je suis revenu avec nos deux cafés, son blouson n'accusait plus aucun renflement. Elle avait transféré l'objet qui en était la cause dans son sac, vaste cabas dont elle était en train de fermer le zip — de nouveau avec ces gestes légèrement furtifs qui la caractérisaient.

En tout état de cause, j'ai décidé de garder ma curiosité pour moi, et je me suis cantonné à des propos anodins.

« Je m'appelle Max, j'ai dit. Maxwell Sim, Sim comme... » Je lui ai jeté un coup d'œil, hésitant. « ... comme les cartes qu'on met dans les mobiles. »

Ayant fermé son sac, elle m'a tendu la main : « Moi c'est Poppy. Vous allez où ?

— Je rentre à Londres. Je ne fais qu'une escale, ici, une escale de deux heures. Je devrais être à Heathrow demain matin à la première heure. J'arrive d'Australie.

— Ça c'est un long voyage. Affaires ou plaisir ?

— Plaisir, théoriquement. » J'ai bu une gorgée de café en marmonnant « Les voies du Seigneur... » dans la mousse de mon breuvage. « Et vous ?

— Non, moi, je voyage pour raisons professionnelles.

— Ah bon ? » j'ai dit en tentant de dissimuler ma surprise. Depuis que nous parlions, elle me semblait plus jeune encore qu'au départ, étudiante, peut-être : j'avais du mal à me la représenter en femme d'affaires. Elle n'avait pas du tout la tête de l'emploi.

« Et comment ! a-t-elle dit. Je voyage beaucoup, dans mon métier. C'est même l'essentiel de mon métier, le voyage.

— Et... euh, là tout de suite, vous étiez en train de travailler ? » Allez savoir pourquoi j'ai posé cette question qui avait sûrement quelque chose d'impertinent. Toujours est-il qu'elle ne l'a pas mal prise.

« Pendant que vous me regardiez ? »

J'ai hoché la tête.

« Eh bien, oui, en fait. »

Elle semblait décidée à ne pas m'en dire davantage.

« Certes, ce que vous faites dans la vie ne me regarde nullement...

— Absolument pas, en effet. Nous venons tout juste de nous rencontrer, je ne sais rien de vous.

— Moi ? Je travaille pour...

— Ne me le dites pas, a-t-elle lancé en levant la main. Donnez-moi trois chances.

— OK. »

Elle s'est carrée dans son siège, bras croisés, et m'a regardé avec une lueur évaluatrice et malicieuse dans l'œil.

« Vous créez des logiciels de jeu pour une société qui a une terrible réputation de misogynie virulente.

— Non, non, pas du tout, vous êtes à des années-lumière.

— Bon, d'accord. Vous avez un élevage de poussins biologique sur une petite unité de production dans les Cotswolds.

— Pas du tout.

— Vous êtes coiffeur pour les stars ; c'est vous qui faites le balayage de Keira Knightley.

— Hélas non.

— Vous travaillez dans la confection pour homme à Cheltenham. Costumes trois-pièces, longueur de jambes au millimètre près.

— Non, et puis ça vous fait quatre chances, mais vous commencez à chauffer un peu.

— J'ai droit à une dernière tentative ?

— OK.

— Alors, disons professeur de mode contemporaine à l'université d'Ashby de la Zouch ? »

Pour tout dire, j'admets que je m'habille bien et, comme elle faisait cette hypothèse en s'attardant sur ma chemise Lacoste et mon jean Hugo Boss, j'ai été plutôt flatté. Mais j'ai secoué la tête. « Langue au chat ?

— Soit. »

Je lui ai dit la vérité, à savoir que j'étais responsable du service après-vente dans un grand magasin du centre de Londres. Aussitôt, elle m'a lancé :

« Et qu'est-ce que vous faites au juste ? »

Ce n'était pas le moment de l'abreuver de détails. « Je suis là pour aider les clients quand il y a des soucis avec leur achat : un grille-pain qui ne veut pas marcher, une paire de rideaux qui ne tombe pas comme il faut...

— Je vois. En somme vous travaillez au service des retours.

— Plus ou moins. » J'allais ajouter « travaillais » et lui expliquer pourquoi j'étais en arrêt depuis bientôt six mois, mais quelque chose m'a retenu. J'avais accablé Charlie de mes confidences, avec un résultat qui n'était pas des plus encourageants, somme toute. « Alors, à mon tour maintenant ? »

Elle a souri : « Ce ne serait pas juste, vous ne devinerez jamais ce que je fais, même si je vous laisse mille chances. »

Elle avait un joli sourire, qui découvrait ses dents blanches et soignées quoiqu'un peu irrégulières. Je me suis aperçu que je la dévisageais peut-être plus intensément et plus longtemps que ne le permettent les usages. Mais quel âge avait-elle au juste, cette fille ? Je me sentais déjà plus à l'aise en lui parlant que je ne m'étais senti depuis longtemps avec qui que ce soit. Et pourtant, elle avait bien vingt ans de moins que moi. Cette découverte m'inspirait un curieux sentiment, où l'embarras le disputait à l'allégresse.

Entre-temps, elle avait rouvert son sac juste assez pour que j'aperçoive quelque chose d'inattendu, un enregistreur numérique — professionnel, apparemment, de la taille d'un livre broché — et un gros micro, un vrai micro de pro, robuste, volumineux, gainé d'une bonnette en plastique gris. Je n'avais pas plus tôt repéré cet équipement qu'elle a refermé le zip.

« Et voilà, a-t-elle dit, ça vous fait un indice.

— Eh bien, vous devez être, euh, dans la prise de son. »

Elle a secoué la tête : « Ce n'est qu'une partie de mon travail. »

J'ai fait une moue perplexe, incapable de risquer une autre hypothèse.

« Vous dites que ça implique de voyager beaucoup? j'ai dit pour quêter des indications supplémentaires.

— Oui, dans le monde entier. La semaine dernière, j'étais à São Paulo.

— Et cette semaine à Singapour.

— Exact. Mais, là je vais vous donner un nouvel indice, dans un cas comme dans l'autre, je n'ai pas quitté l'aéroport.

— Je vois... donc vous faites de la prise de son dans les aéroports.

— Exact, une fois de plus. »

J'avais beau chercher, ça ne me mettait pas sur la piste. « Mais pourquoi? » j'ai fini par demander.

Poppy a posé sa tasse sur la table avec soin, et elle s'est penchée, menton sur ses deux mains.

« On va dire comme ça : je fais partie d'un organisme qui fournit un service précieux et discret à une clientèle choisie.

— Quel genre de service ?

— Eh bien, mon métier ne porte pas de nom officiel, parce que en temps normal je n'en parle pas aux gens. Mais puisque je fais une exception pour vous, disons simplement que je suis facilitatrice d'adultère, encore en début de carrière. »

J'ai été parcouru d'un frisson canaille à ces mots. « Facilitatrice d'adultère ? » Le seul fait de répéter la formule était excitant.

« Bon, je vais vous expliquer. Mon employeur, dont je suis censée taire le nom, a monté cette agence. Il l'a montée pour les gens qui ont des liaisons, des hommes surtout, mais pas exclusivement, loin de là, et qui ne veulent pas faire de vagues. Tout devient difficile dans l'adultère moderne, la technologie complique tout. Il y a de plus en plus de façons de joindre quelqu'un, mais tout laisse une trace. Dans le temps, quand on écrivait une lettre d'amour, le seul témoin, c'était celui qui vous avait vu la glisser dans la boîte. Aujourd'hui, vous envoyez deux textos et, crac, ils apparaissent sur votre facture de téléphone. Vous pouvez toujours effacer tous les courriels que vous voudrez sur votre ordinateur, ils vont rester archivés Dieu sait où sur un grand serveur dans le cyberespace. Si on ne veut pas se faire prendre, il faut des stratégies de plus en plus sophistiquées. Et ça », elle a tapoté son sac, « ça en fait partie.

— Alors, comment ça marche ?

— C'est très simple. D'abord, je voyage dans le monde entier, d'aéroport en aéroport, je fais des enregistrements, et puis je rentre chez moi, et je les compile sur un CD compris dans nos prestations. Supposons maintenant que vous comptiez parmi nos clients (même si je dois vous dire que vous n'avez pas tellement une tête de mari adultère). Officiellement, vous êtes parti en voyage d'affaires en Asie. Mais vous décidez de faire le voyage buissonnier et de passer une nuit ou deux à Paris avec votre maîtresse pendant ce temps-là. Il va de soi que vous ne voulez pas que votre femme le sache. Eh bien, voilà un bon moyen d'endormir ses inquiétudes. Juste avant de rentrer, vous l'appelez depuis votre suite à Paris. Votre chérie vient de passer à la salle de bains pour prendre sa douche, alors vous glissez le CD dans la stéréo, vous appelez votre femme et qu'est-ce qu'elle entend en bruit de fond ? » Poppy a ouvert le sac et appuyé sur « *play* » ; aussitôt le haut-parleur a diffusé l'annonce entendue quelques minutes auparavant : « *Mesdames et messieurs, bienvenue à Singapour. Nous rappelons aux passagers en transit qu'il est interdit de fumer dans l'enceinte de l'aéroport. Nous vous remercions de votre compréhension et vous souhaitons une agréable fin de voyage.* » Elle m'a souri d'un air de triomphe. « Et voilà votre alibi ; qui aurait l'idée de se poser des questions sur le lieu d'où vous appelez, après avoir entendu ça ? »

J'ai hoché la tête lentement, pour montrer que j'étais impressionné.

« Et il y a des gens qui paient pour ça ?

— Oh que oui, et trèèès cher », elle a fait durer la voyelle, « vous seriez surpris, croyez-moi.

— Quels gens ?

— Toutes sortes de gens. Des gens mal mariés, il y en a partout. Mais tout de même, nos services ne sont pas donnés, alors nous attirons surtout une certaine clientèle, des traders, des footballeurs professionnels, vous voyez le genre. »

J'étais frappé par l'insouciance avec laquelle elle me confiait tout cela. L'idée qu'elle soit « facilitatrice d'adultère » me titillait, mais elle me choquait, aussi.

« Et... j'ai dit en choisissant mes mots avec soin, et l'aspect moral ?

— Le quoi ?

— Je me demandais si vous n'aviez pas d'états d'âme, vous comprenez, du fait d'aider certaines personnes à en tromper d'autres. Ça ne vous... donne pas mauvaise conscience, du tout ?

— Ah, ça ? » Elle a remué la mousse déposée au fond de sa tasse et s'est mise à sucer nonchalamment sa cuillère en plastique. « Je n'en suis plus à m'inquiéter pour ce genre de choses. Je suis sortie d'Oxford avec un diplôme d'histoire mention très bien et vous savez quels boulots j'ai faits depuis ?... Les plus merdiques des merdiques. Le mieux, c'était assistante du directeur d'une boîte de lap-dancing. Le pire, bon, passons, ça vaudra mieux. Sans compter les mois de chômage entre deux boulots. Ce que je fais à présent paie bien, c'est un job régulier qui me laisse un maximum de loisirs pour lire, voir des films, aller à des expositions, tout ce que j'aime, quoi.

— Oui, je sais que les temps sont durs, mais je me disais...

— Vous savez que vous commencez à parler comme Clive, vous ? C'est exactement ce qu'il m'a dit quand je lui ai raconté que j'avais trouvé ce boulot. Et vous savez comment je lui ai rivé son clou ? »

Non, bien sûr, je n'en savais rien. Je ne connaissais même pas Clive. N'empêche que ma première pensée — la première et la seule, du reste — c'était que le nom d'un autre homme surgissait déjà dans notre conversation, et que ça ne me faisait pas plaisir.

« Eh bien, je me suis fâchée, ce qui m'arrive très rarement avec Clive. Je lui ai dit : Tu te rends compte que s'il y a une chose qui insupporte les gens de mon âge, c'est bien que les gens du vôtre leur fassent des sermons ? Regarde le monde autour de toi. Ce monde-là, c'est vous qui nous l'avez légué. Vous croyez qu'on peut se payer le luxe d'avoir des principes ? J'en ai marre d'entendre dire que ma génération a perdu ses repères, qu'elle est matérialiste, qu'elle n'a plus de projet politique. Tu sais pourquoi on en est là ? Vas-y, au hasard. Ben oui, c'est parce que vous nous avez élevés comme ça. Pour vous, nous sommes peut-être la génération Thatcher, mais ce qu'on voit, nous, c'est que c'est vous qui l'avez élue, et réélue, et qui avez élu après elle des gens qui marchaient sur ses traces. C'est la faute de votre éducation si nous sommes des zombies consuméristes. Vous avez bazardé toutes les autres valeurs, non ? Le christianisme, rien à foutre. La responsabilité collective, on voit où ça mène. Produire, fabriquer ? C'est bon pour les losers. Ouais, on n'a qu'à aller les chercher en Asie ; ils vont tout faire à notre place et on n'aura plus qu'à rester le cul devant la télé pour voir le monde partir en vrille, le tout sur grand écran et avec la HD, bien sûr. » Elle s'est reculée dans son siège, un peu gênée d'avoir parlé avec une telle véhémence. « Enfin voilà, elle a conclu, c'est ce que j'ai dit à Clive quand il m'a déconseillé de prendre ce boulot. »

Pour être intéressant, ça l'était. Elle venait de soulever des tas de problèmes, me donnant ample matière à réflexion. Elle avait même abordé tant de sujets majeurs qu'on ne savait pas trop par lequel commencer.

« Qui est Clive ? j'ai demandé.

— Clive ? C'est mon oncle, le frère de ma mère. »

J'ai fait ouf, en déclarant : « Vous m'en voyez ravi. » C'était sorti tout seul.

« Ravi ? s'est-elle étonnée. Et pourquoi ravi ? Vous êtes ravi que ma mère ait un frère ?

— Mais absolument, j'ai dit en m'enferrant, c'est tellement mieux que d'être fille unique. C'est vrai, moi par exemple, je suis fils unique, et c'est une expérience que je ne souhaite à personne... » Ridicule. Il fallait changer de sujet en vitesse. « Je veux bien croire que les tarifs de votre agence soient prohibitifs s'ils doivent couvrir vos frais de transport de semaine en semaine...

— Ce sont des tarifs élevés, mais pas pour cette raison. En fait, mes voyages ne coûtent pas grand-chose, je prends toujours des billets en stand-by, vous comprenez. C'est un peu aléatoire parce qu'on n'est jamais sûr de trouver une place ; il arrive qu'on soit obligé de dormir dans l'aéroport, ce qui n'est pas génial, mais en principe ça marche.

— Et cette fois-ci, vous avez eu de la chance ?

— Eh bien, de justesse. Je guignais ce vol British Airways...

— Le 7371 ? j'ai demandé.

— Celui-là, oui. C'est votre vol ?

— Oui. Vous avez pu avoir une place ?

— Je ne pensais pas que ce serait possible. On m'avait dit qu'il était plein, au départ, et puis, allez savoir comment, il s'est libéré une place. »

Tout à coup, j'étais saisi d'une certitude grandiose.

« On vous a mise en Premium Economy ?

— C'est exact. Pourquoi ?

— Je crois que nous allons être voisins.

— Qu'est-ce qui vous fait penser ça ? »

Fallait-il que je lui explique les circonstances du récent décès de Charlie Hayward ? Autant lui révéler qu'elle allait prendre la place d'un mort. Est-ce qu'elle avait l'air timoré ? C'est un risque que je n'allais pas prendre. Il était hors de question que je fasse quoi que ce soit qui jette une ombre sur ce trajet de retour dont nous allions profiter côte à côte. Quelle aubaine : le destin venait de jeter dans mes bras cette ravissante jeune femme, et voilà que nous nous préparions à resserrer nos liens. Pour parler crûment, au cours des douze prochaines heures, nous dormirions ensemble. Et dès le premier rendez-vous, encore !

# IV

Pour la seconde partie du voyage, Charlie avait été placé côté couloir, et moi côté hublot. Poppy m'a dit qu'elle n'avait pas de préférence, mais je ne l'ai pas crue. Tout le monde veut le hublot, non? J'ai donc insisté pour qu'elle prenne le siège fenêtre, bien décidé à lui rendre le voyage aussi confortable que possible; bien décidé à ne rien négliger pour lui faire la meilleure impression; bien décidé à me faire apprécier d'elle.

« Au fait, je souffre de dépression », j'ai dit, sitôt qu'on a été installés.

À mon grand soulagement, la chose n'a pas paru la perturber. Elle m'a simplement regardé quelques secondes puis elle a dit : « Oui, bah, je m'en doutais un peu.

— Ah bon? Ça se voit à ce point?

— Disons simplement que j'ai du nez pour ces choses-là. »

Et voilà, au moins c'était dit. C'était posé entre nous. Elle était la première personne (je veux dire à l'exception de mes employeurs, de mon généraliste et du médecin du travail), la première amie, avec qui je me sentais assez en confiance pour partager ce secret honteux. Et si je m'étais figuré qu'elle allait rentrer dans sa coquille, se retrancher dans un silence prudent ou appeler l'hôtesse pour changer de place, par exemple, je m'étais trompé. Apparemment, ça n'affectait en rien l'opinion qu'elle avait de moi. Je lui en ai été immensément reconnaissant, et aussitôt il s'est installé entre nous une curieuse intimité, une intimité bien établie, confortable, de sorte que la conversation, dont je craignais qu'elle soit nerveuse et contrainte, s'est déroulée sur un rythme parfaitement naturel, me semblait-il. Pour être honnête, les heures qui ont suivi, nous n'avons pas parlé autant que je l'aurais cru, loin de là. Nous avons passé le plus clair de notre temps dans la camaraderie du silence, tel un vieux couple, marié depuis trente ans, tel celui que j'avais vu au restaurant du port, à Sydney, l'homme et la femme assis côte à côte pour partager le panorama au lieu de se parler. Deux heures environ après le décollage (il pouvait être deux heures du matin heure de Singapour), voici quelles étaient nos attitudes respectives : je zappais d'un film à l'autre sur le petit écran devant moi, et je lui faisais un commentaire sur le film par-ci par-là, incapable de rester sur le même programme ; quant à elle, après avoir pris quelques minutes pour rédiger un court rapport sur son ordinateur portable, elle en exploitait à présent la fonction jeux, lancée dans un sudoku tridimensionnel d'une complexité inimaginable.

Mais surtout, pendant les pauses entre nos activités, nous parlions.

« Et le décalage horaire ? je lui ai demandé à un moment donné.

— Hmm ?

— Dans votre métier. Votre horloge biologique doit battre la breloque. Ça ne vous pose pas de problème ? »

Elle a haussé les épaules : « Pas trop, apparemment. Parfois, quand je suis chez moi, je me réveille un peu tôt ; parfois un peu tard. Rien de bien grave. »

J'ai soupiré avec envie : « Ça doit être ça, la jeunesse.

— Vous n'êtes pas encore en fauteuil roulant, papy.

— N'empêche qu'il va me falloir un jour ou deux pour me remettre de ce voyage, je le sais. Et il faut que je m'en remette au plus vite, parce que j'ai une décision à prendre dans la semaine.

— Ah oui ?

— Oui. Ça va faire six mois que je suis en congé. Il faut que j'aille au magasin voir le médecin du travail pour lui dire si je veux reprendre ou non. Et même si je lui dis que je veux reprendre, elle pourra très bien décider que je ne suis pas en état, ce qui leur donnerait sans doute un prétexte pour me... » Il m'a fallu un moment pour que l'euphémisme me revienne. « ... remercier. Et c'est peut-être ce qu'ils espèrent, d'ailleurs.

— Et vous ?

— Moi quoi ?

— Vous voulez reprendre ? »

J'y ai réfléchi quelques instants, mais la question était trop difficile pour répondre directement. Mes pensées m'entraînaient dans une autre direction : ce qui m'attendait au retour, le temps de février, sinistre, frigorifiant, l'appartement vide, la pile de courrier indésirable derrière la porte. Oh oui, ce serait rude. Pour l'instant, je n'avais guère l'impression que je serais de taille à affronter ce retour solitaire, et moins encore la décision qui devrait le suivre.

« Vous savez, je n'ai pas renoncé à ce fantasme, j'ai fini par dire, je rentre chez moi, et elle est là qui m'attend. Caroline. Elle a gardé sa clef, vous voyez, donc c'est chose possible. J'ouvre la porte et, aussitôt, je sais qu'elle est revenue. Au début, je ne la vois pas, mais je comprends qu'il y a quelqu'un à la maison : la radio est allumée, ça sent le café à la cuisine. Il fait bon, tout est propre et en ordre. Et puis je la vois sur le canapé, elle lit un livre en m'attendant... » Je me suis tourné vers Poppy : « Ça n'arrivera pas, hein ? »

Elle s'est contentée de me demander : « Écoutez, je me doute que vous voyez un thérapeute, mais il n'y a personne d'autre à qui vous puissiez en parler ? Quelqu'un de votre famille, disons ? »

J'ai secoué la tête : « Maman est morte. Elle est morte jeune — il y a plus de vingt ans. Avec mon père, c'est sans espoir. On n'a jamais pu parler tellement, lui et moi. Et je suis fils unique.

— Des amis ? »

J'ai pensé à mes soixante-dix amis Facebook. L'honnêteté m'a obligé à dire : « Pas vraiment, non. J'ai bien cet ami qui s'appelle Trevor et qui habitait à côté de chez moi, mais il a déménagé, et à part ça... » J'ai laissé ma phrase en suspens ; j'aurais bien voulu changer de sujet, ou en tout cas éviter de focaliser sur ce point précis. « Et vous, vous avez des frères et des sœurs ?

— Non. J'ai ma mère, mais elle est un peu... on va dire nombriliste. Les problèmes des autres, ça n'est pas son truc. Papa s'est tiré il y a pas mal de temps, le jour où elle a découvert qu'il avait une liaison. » Elle a ri de nouveau, avec une pointe de mélancolie, cette fois. « Quand j'y pense, un bon facilitateur d'adultère lui aurait été bien utile. Dommage que nous n'ayons pas encore été sur le marché.

— Alors vous êtes comme moi, j'ai dit avec peut-être un peu trop d'empressement, vous n'avez personne à qui parler, au fond ?

— Ce n'est pas tout à fait vrai, car j'ai mon oncle, mon oncle Clive, voyez-vous. »

Elle a abandonné son sudoku et fermé la session, ce qui m'a permis de voir le fond d'écran de son ordinateur. Assez bizarrement, il s'agissait de la photo d'un genre de catamaran, un très vieux modèle, réduit à l'état d'épave, plat-bord en lambeaux, peinture écaillée, abandonné sur une vague plage des tropiques. Mes yeux s'y sont arrêtés un instant avec curiosité tandis qu'elle me parlait de son oncle et m'expliquait pourquoi elle l'aimait tant. Quand elle avait treize ans, sa mère l'avait envoyée dans une pension chic du Surrey où elle était censée passer la semaine pour rentrer chez elle le vendredi soir ; sauf que sa mère partait si souvent à l'étranger qu'elle allait le week-end chez son oncle Clive à la place. Peu à peu ces week-ends ont fait ses délices, elle les attendait avec impatience. Clive (qui habitait Kew) l'emmenait presque chaque fois au cinéma, au théâtre, dans des galeries d'art, l'introduisant dans des mondes qui lui étaient fermés jusque-là. Les fins de semaine où il ne la voyait pas, il lui écrivait de longues lettres, pleines de nouvelles, d'humour, des lettres distrayantes, débordant d'informations, d'anecdotes, et surtout débordant d'affection.

« Et vous savez quoi? a-t-elle conclu. Je les relis encore, ces lettres. Elles me suivent partout.

— Partout? »

Elle tapota son ordinateur du bout de l'index : « Je les ai toutes scannées; avec les photos qu'il m'envoyait. Celle-ci par exemple, elle me vient de lui. » Elle désignait la photo du bateau échoué. « Bon, ce n'est pas lui qui l'a prise. C'est une artiste qui s'appelle Tacita Dean. Le bateau, c'est le *Teignmouth Electron*.

— Teignmouth, c'est dans le Devon, non?

— Tout à fait. C'est là que Clive et ma mère ont grandi.

— Et pourquoi est-ce que vous l'avez mise en fond d'écran?

— Parce qu'elle est liée à une histoire stupéfiante. L'histoire d'un type nommé Donald Crowhurst. » Elle a poussé un long bâillement incontrôlé avant de penser à mettre sa main devant sa bouche. « Pardon. Je tombe de sommeil, tout à coup. Son nom vous dit quelque chose? »

J'ai secoué la tête.

« C'est l'homme qui a fait le tour du monde à la voile, vers la fin des années soixante. Du moins, c'est ce qu'il a prétendu, mais c'était faux.

— Je vois, j'ai dit, complètement perdu.

— Je ne m'explique pas très bien, c'est ça?

— Vous êtes fatiguée, il va falloir dormir.

— Quand même, c'est une histoire fabuleuse, je trouve qu'il faut vous la faire connaître.

— Ne vous en faites pas pour moi. Je vais regarder un film. Vous êtes trop fatiguée pour parler. Vous me la raconterez demain matin.

— Je n'allais pas vous la raconter, j'allais simplement vous lire la lettre de Clive qui en parle.

— Ça peut attendre.

— Je vais vous dire ce qu'on va faire. » Elle a appuyé sur quelques touches du clavier, puis a fait passer l'ordinateur sur ma tablette, en suite de quoi elle a tendu la main sous son siège pour y récupérer l'oreiller et les couvertures qu'elle y avait rangés. « Vous pouvez lire sa lettre. La voilà. Elle est un peu longue, désolée, mais vous avez tout votre temps, et ça vous fera plus de bien que de regarder une comédie romantique débile pendant deux heures.

— Vous êtes sûre ? Je veux dire, je ne voudrais pas commettre d'indiscrétion... »

Mais elle m'a assuré que ça ne faisait rien. Alors, tandis qu'elle se blottissait sous les couvertures, j'ai pris l'ordinateur sur mes genoux, et j'ai regardé la première page de la lettre de son oncle. Elle l'avait ouverte dans Windows Picture and Fax Viewer, de sorte que je voyais encore très bien le jaune crémeux du papier à lettres, et même l'ombre d'une tache d'eau qui faisait gondoler l'écriture, cependant nette, bien formée, facile à lire. Il écrivait sûrement au stylo à encre, une encre bleu marine, tirant sur le noir. Tandis que je commençais à lire, j'ai senti une légère pression au niveau de mon épaule gauche. Poppy avait mis son oreiller tout contre, et elle y avait posé la tête. Elle a levé les yeux vers moi un instant, comme pour me demander la permission du regard, mais déjà ses paupières papillotaient et se fermaient ; elle a sombré dans un profond sommeil, un sommeil de plomb. Au bout de quelques secondes, quand j'ai compris que je pouvais le faire sans risque, je lui ai soufflé un baiser de bonsoir dans les cheveux, et j'ai senti tout mon corps fourmiller de bonheur.

# L'EAU

## Un homme singulier

12 mars 2001

Chère Poppy,

J'ai regretté de ne pas te voir ce week-end. Je me sens toujours un peu seul, les week-ends où tu n'es pas là. Tu as manqué un spectacle somptueux : le tapis de crocus est déjà tout en fleur, il est très en avance, cette année ; et à se promener dans l'Allée des Cerisiers, les yeux remplis de ces splendeurs dont le halo blanc ou mauve ondoie sous la brise, on réalise que le printemps est de retour — enfin ! Cela dit, j'espère que tu t'es bien amusée avec ta mère. Est-ce qu'elle t'a emmenée quelque part ? Au NFT, on passait *La Splendeur des Amberson* samedi soir, et j'aurais bien aimé t'y emmener. J'ai fini par y aller tout seul, et voilà que je suis tombé sur un ami à moi, Martin Wellbourne, et sa femme Elizabeth, qui ont eu la gentillesse de m'inviter à dîner avec eux après le spectacle. Alors finalement, ma soirée n'a nullement été solitaire.

Mais venons-en à nos projets pour samedi. Je crois

t'avoir dit qu'il y a en ce moment à la Tate une exposition qui pourrait t'intéresser tout particulièrement. On présente les œuvres d'une jeune artiste récemment découverte qui s'appelle Tacita Dean. Il se peut que tu aies déjà entendu parler d'elle. Il y a un an ou deux, elle était parmi les finalistes pour le prix Turner. Si ça ne te tente pas, tu n'as qu'à le dire, on trouvera certainement autre chose à faire, mais j'espère que tu seras d'accord. Il faut t'avouer que j'ai des raisons très particulières et très personnelles de vouloir aller à cette expo, car, vois-tu, elle propose un court métrage inspiré par la disparition en mer du navigateur solitaire Donald Crowhurst durant l'été 1969, et même, j'ai cru comprendre, quelques photos de son voilier tragique, le *Teignmouth Electron*, que Ms Dean a prises au cours des deux ans écoulés après s'être rendue dans ce but jusqu'à sa dernière demeure, à Cayman Brac, dans les Caraïbes.

Je commence à me dire que tu n'as peut-être pas la moindre idée de ce que je raconte. Il me semble aussi que, si je dois te parler un peu de ma fascination à l'égard de Donald Crowhurst, cette lettre menace d'être très longue. Mais peu importe. Nous sommes lundi matin, j'ai devant moi la perspective d'une journée vide, et je n'aime rien tant qu'écrire à ma nièce. Donc, excuse-moi un instant, je vais me verser une autre tasse de café et j'essaie de t'expliquer.

Voilà.

Pour te faire comprendre ce que le personnage de Donald Crowhurst représentait pour moi quand j'avais huit ans, il faut que je te ramène trente ans et plus en arrière, dans l'Angleterre de 1968, autant dire un espace-temps déjà incroyablement lointain à nos yeux. Je suis sûr que la simple date t'évoque toutes sortes d'associations : l'année de la contestation étudiante, la contre-culture, les meetings contre la guerre au Vietnam, l'Album blanc des Beatles, et j'en passe. L'Angleterre était, elle a toujours été, un territoire plus complexe qu'on voudrait nous le faire croire. Que dirais-tu si je te confiais que, dans mon souvenir, le grand héros, la figure emblématique de l'époque n'était pas John Lennon ou Che Guevara, mais un végétarien de soixante-six ans, conservateur et vieux jeu, avec l'allure et les manières d'un professeur de latin paternel ? Devines-tu même de qui je parle ? Est-ce que son nom évoque encore quelque chose ?

Je pense à Sir Francis Chichester.

Tu ne vois sans doute pas du tout qui il était. Eh bien, je vais te le dire. C'était un navigateur, un marin, l'un des plus brillants que l'Angleterre ait produits. Et en 1968, c'était une célébrité, l'un des hommes les plus fameux du pays, un de ceux qui faisaient le plus parler d'eux. S'il était aussi célèbre que David Beckham et Robbie Williams aujourd'hui ? Je dirais que oui. Et son exploit, qui peut sans doute paraître gratuit à la jeune génération, demeure aux yeux de beaucoup de gens bien plus extraordinaire que de jouer au football ou d'écrire des chansons pop. Il a atteint la célébrité pour avoir fait le tour du monde à la voile en solitaire sur son bateau, le *Gipsy Moth*. Il a mis 226 jours, et le plus incroyable est qu'il n'a fait qu'une escale, en Australie. C'était une magnifique prouesse de navigation, de courage et d'endurance, et son auteur le plus improbable des héros.

J'ai eu l'immense chance de grandir au bord de la

mer. Je crois que tu as visité le village où ta mère et moi avons grandi, n'est-ce pas ? Il s'appelle Shaldon, dans le Devon. Nous vivions dans une grande demeure géorgienne à proximité du rivage. Shaldon est construit autour d'une ria relativement modeste, et pour parvenir sur le front de mer, il faut marcher près d'un kilomètre jusqu'au village voisin de Teignmouth. Là, on trouve tout ce qu'on attend d'une station balnéaire : une jetée, des plages, des jeux d'arcade, un golf miniature, des douzaines de pensions de famille et, bien sûr, le long des docks, une marina animée où des marins et plaisanciers de tous bords se rassemblent jour après jour ; l'air bruisse en permanence du frémissement des mâts et des gréements qui craquent et oscillent dans la brise. Depuis l'âge le plus tendre, si loin que ma mémoire remonte, mon père et ma mère m'emmenaient à la marina observer les allées et venues, le flux et le reflux sans fin de la vie maritime. Sans naviguer nous-mêmes, nous connaissions des tas de plaisanciers, si bien qu'à l'âge de huit ans j'avais déjà à mon actif plusieurs périples modestes sur l'océan à bord de voiliers appartenant à des amis de mes parents ; et j'étais affecté d'une profonde fascination d'écolier pour tout l'univers nautique.

Il ne faut donc guère s'étonner que Francis Chichester et son exploit aient pris de telles proportions dans mon esprit. Si nous n'avons pas effectivement accompli le pèlerinage côtier jusqu'à Plymouth pour le voir toucher terre en mai 1967, je me rappelle très bien avoir suivi la couverture de l'événement — comme des millions d'autres téléspectateurs — en direct à la BBC. Si j'ai bonne mémoire, les mouvements du port avaient été interrompus pour la circonstance. Les docks de Plymouth et leurs environs grouillaient d'admirateurs ; ils se comptaient par centaines de milliers. Le *Gipsy Moth* est entré majestueusement dans le port au milieu de vedettes pleines de journalistes et de caméramen de télévision, sous les applaudissements et les ovations, la foule agitant des drapeaux anglais. Debout sur le pont de son bateau, Chichester répondait aux saluts, bronzé, serein, manifestement en pleine santé — qui aurait cru qu'il venait de passer sept mois et demi dans une forme de réclusion extrême ? En cette occasion, j'avais senti mon cœur se gonfler d'une fierté patriotique sans mélange — comme je ne me rappelle pas en avoir connu souvent depuis. Par la suite, j'ai commencé un album-souvenir où j'ai collé toutes sortes de coupures de journaux sur le voyage de Chichester et d'autres histoires de navigation que je pouvais trouver dans la presse préférée de mes parents.

Ces journaux, il me semble que c'était le *Daily Mail* pendant la semaine et, le dimanche, ainsi que la moitié de la nation au moins, à l'époque, le *Sunday Times*. Et c'est dans le *Sunday Times* que je lus, le 17 mars 1968, l'annonce électrisante :

*5 000 livres*

*Le prix du* Sunday Times, *soit 5 000 livres, récompensera le vainqueur du tour du monde à la voile en solitaire et sans escale ; les concurrents devront partir entre le 1ᵉʳ juin et le 31 octobre 1968 d'un port britannique, et ils devront doubler les trois caps (Bonne-Espérance, Leeuwin et Horn).*

Une course! Une course qui allait surpasser l'exploit de Chichester en soumettant les concurrents à un test de survie encore plus extrême — la circumnavigation sans escale. Tout à fait indépendamment de la prouesse technique, était-il possible de survivre à une telle épreuve psychologique? Comme je te l'ai dit, j'avais navigué sur un ou deux voiliers. Je savais à quoi ressemblaient les cabines, étonnamment douillettes parfois, étonnamment bien équipées, mais surtout minuscules; plus exiguës encore que ma petite chambre d'enfant. Le fait que Chichester ait réussi à vivre dans un espace aussi confiné pendant si longtemps était presque son plus grand titre de gloire à mes yeux. On avait du mal à croire que des hommes soient prêts à passer ainsi tous ces jours de claustration sur l'élément liquide.

Et au fait, qui étaient-ils, ces masochistes? Déjà, après avoir lu quelques reportages du *Sunday Times*, j'en avais conclu que le concurrent le plus sérieux était le Français Bernard Moitessier. C'était un fabuleux marin, mince, musclé et nerveux, qui se consacrait entièrement à sa vie d'explorateur solitaire. Il avait déjà entraîné son 12 mètres, le *Joshua*, dans les eaux redoutables de l'Atlantique Sud, où il avait doublé le cap Horn, non sans essuyer triomphalement des tempêtes terribles. Il hésitait à concourir, apprit-on, mais le règlement ne lui donnait pas le choix. Le *Sunday Times* avait eu l'astuce de stipuler que tout navigateur faisant la course autour du monde entre juin et octobre était susceptible de recevoir le prix, qu'il en veuille ou non. J'ai misé sur les couleurs de Moitessier, et j'ai même convaincu mes parents de m'offrir une luxueuse édition brochée de son livre

*Vagabond des mers du Sud* pour mon huitième anniversaire. L'écriture était trop touffue et trop poétique pour que je le lise avec plaisir, mais je m'attardais des heures sur les photos en noir et blanc de Moitessier, tous muscles saillants, en train de lancer son bateau à l'assaut des vagues, et de se balancer de bout en bout parmi les gréements, Tarzan nautique.

Les autres participants de la course, annoncés un par un, ne risquaient pas de me captiver autant. Il y avait Robin Knox-Johnston, un Anglais de vingt-huit ans, officier de la Marchande ; Chay Blyth, ancien sergent dans l'armée, d'un an son cadet ; Donald Crowhurst, trente-six ans, anglais, ingénieur et directeur d'une société d'électronique ; Nigel Tetley, capitaine de corvette dans la Royal Navy, et quatre autres. Aucun d'entre eux ne pouvait concourir dans la catégorie de Moitessier. Il y en avait même un ou deux qui, si j'avais bien compris, avaient à peine pris la mer jusque-là. Et puis voilà qu'il s'est produit quelque chose qui m'a fait changer d'avis et d'allégeance. Un jour, mon père est rentré du travail avec un exemplaire du *Teignmouth Post and Gazette*, et il m'a montré cette nouvelle stupéfiante qui faisait la une : l'un des concurrents, Donald Crowhurst, venait de décider que, outre le fait de partir de Teignmouth, il acceptait de baptiser son voilier le *Teignmouth Electron*. (En retour de divers parrainages locaux, comme il apparaîtrait plus tard.)

Celui qui avait persuadé Crowhurst d'accorder cette faveur à un village auquel il n'était aucunement lié par ailleurs se nommait Rodney Hallworth : jadis chroniqueur judiciaire à Fleet Street, aujourd'hui correspondant dans le Devon, et promoteur opiniâtre de tout ce qui était susceptible de faire briller Teignmouth aux yeux du vaste monde. À partir des articles dont il abreuvait désormais la presse locale autant que nationale, je me suis construit de Donald Crowhurst une image de superhéros de la navigation en solitaire : outsider dans cette course, il en devenait donc le concurrent qui m'intriguait le plus, me séduisait le plus. Non seulement il y avait lieu de croire que c'était un marin accompli, mais c'était aussi un magicien de l'électronique et un designer de génie ; et s'il avait fait une entrée tardive dans la course, il n'en allait pas moins ravir le trophée au nez et à la barbe de ses rivaux car il piloterait un vaisseau aérodynamique, moderne, résolument innovant qu'on avait construit selon ses indications précises, un trimaran, rien que ça, doté d'un système de balancier unique en son genre qui se déclencherait en cas de naufrage et que contrôlait (c'était là le gimmick, le mot qui nous mettait en effervescence) un ordinateur.

Aussitôt, Donald Crowhurst est devenu l'unique objet de mon attention et de mon admiration. Il arriverait à Teignmouth dans quelques semaines — et moi, en tout cas, je trépignais d'impatience.

Un comité de soutien s'était formé, dont l'un des amis plaisanciers de mon père était membre enthousiaste. C'est ainsi que nous obtenions des nouvelles au compte-gouttes : le bateau de Crowhurst était achevé, l'homme avait quitté les chantiers navals du Norfolk à son bord, et il longeait déjà notre côte. Il serait parmi nous d'ici quelques jours. Prévision optimiste, on allait le voir. Ce premier voyage s'est accompagné d'incessants problèmes de rodage, de sorte qu'il a duré quatre fois plus longtemps que prévu, et on était à la mi-octobre lorsque

Crowhurst et son équipe ont touché Teignmouth. Le vendredi après-midi suivant son arrivée, ma mère est venue me chercher à l'école pour m'emmener jusqu'au port afin d'apercevoir mon héros sans plus tarder et d'observer quelques-uns de ses préparatifs.

Dans la vie de tout enfant, je présume, il vient un jour où le mot « déception » prend toute la cruauté de son sens. L'instant où il comprend que ce monde, qu'il avait jusque-là cru porteur de toutes les promesses, riche de possibilités infinies, n'est en fait qu'une vulgaire boule affligée d'un vice de fabrication. Cet instant est parfois dévastateur, et il peut laisser des séquelles psychiques pendant des années, tant il est plus fort que le souvenir des premières joies et des premiers enthousiasmes de l'enfance. Pour moi, le choc s'est produit dans la grisaille de ce vendredi après-midi de la mi-octobre, où j'ai vu pour la première fois Donald Crowhurst.

C'était donc là l'homme qui allait remporter la course autour du monde du *Sunday Times* ? Celui qui allait triompher de Moitessier, le brillant Français si expert ? C'était donc là le *Teignmouth Electron*, dernier cri du design, qui effleurerait à peine les vagues massives de l'Atlantique Sud, celui dont une technologie de pointe régulerait le moindre essor ?

Franchement, j'avais du mal à le croire. Crowhurst lui-même faisait piètre et chétive figure : après tout le panache qui caractérisait ses interviews dans les journaux, je m'attendais à trouver un homme dégageant une aura de confiance en soi, une intrépidité — une présence, quoi. Et voilà qu'il paraissait au contraire inefficace et inquiet. Rétrospectivement, je me dis qu'il devait être alarmé, atterré peut-être par les feux de la rampe braqués sur lui, et plombé par l'attente ainsi suscitée dans le public. Quant au *Teignmouth Electron* tant vanté, non seulement il faisait l'effet d'un frêle esquif, mais la pagaille régnait autour des derniers préparatifs. On aurait dit que le bateau n'était pas achevé ; des artisans s'y succédaient en cohortes jour après jour, pour des réparations sans fin, tandis que, sur le quai, une invraisemblable quantité de fournitures en tout genre s'accumulaient régulièrement en tas hétéroclites — ça allait des outils de charpentier à l'équipement radio, sans parler des boîtes de conserve, soupe et corned-beef. Tantôt au centre et tantôt à la marge de ce capharnaüm, Crowhurst lui-même déambulait sans but, posant pour les photographes omniprésents, se disputant avec ses charpentiers, fonçant dans des cabines téléphoniques pour ramener à la raison des fournisseurs éventuels, paraissant chaque jour un peu plus miné par l'appréhension.

Enfin vint le grand jour, 31 octobre 1968. Il bruinait en ce jeudi après-midi couvert et parfaitement sinistre. Sur le quai, ce n'était pas la cohue ; on était incontestablement bien loin des foules venues accueillir Chichester à Plymouth l'année précédente, nous pouvions être soixante, soixante-dix en tout et pour tout. L'instituteur avait libéré la classe en avance, pour ceux qui voudraient assister au départ, et naturellement tous les enfants en avaient profité. J'ignore où étaient passés mes camarades, mais une chose est sûre, ils n'étaient pas venus saluer Donald Crowhurst au départ de sa course. J'étais le seul enfant d'âge scolaire à avoir fait cet effort, j'en suis à peu près certain. Ma mère m'accompagnait ; mon père devait être encore au travail, quant à ta mère, je ne sais pas où elle se trouvait; il faudra que tu le lui demandes. Quoique festive, l'humeur était au scepticisme. Au cours des semaines précédentes, Crowhurst s'était fait un certain nombre d'ennemis à Teignmouth, et il n'arrangea pas ses affaires en paraissant pour l'occasion dans un pull beige à encolure en V sous lequel il portait chemise et cravate. Ce n'était guère la tenue que Moitessier aurait choisie pour appareiller, pensai-je malgré moi. Il y eut pis encore : à trois heures précises, Crowhurst leva l'ancre, mais il rencontra des difficultés presque aussitôt; pas moyen de hisser les voiles, il fallut le remorquer jusqu'au rivage. La foule s'était faite encore plus goguenarde; bien des gens rentrèrent chez eux. Ma mère et moi sommes restés observer la suite des événements. Il fallut deux heures pour résoudre le problème, et le crépuscule tombait. Le bateau finit par se remettre en route vers cinq heures, escorté de trois vedettes, l'une transportant sa femme et ses quatre enfants emmitouflés dans leurs duffle-coats, alors incontournables de la mode junior. Malgré le caractère anodin du personnage de Crowhurst, je me rappelle les avoir enviés d'être ses enfants : avec tous ces regards braqués sur eux, ils devaient se sentir uniques. Les vedettes ont escorté son bateau sur un ou deux milles, après quoi elles ont fait demi-tour, leurs passagers le saluant de la main. Crowhurst s'est éloigné, il a disparu à l'horizon, pour affronter des mois de solitude et de dangers. Ma mère m'a pris par la main, et nous sommes rentrés tous deux, pressés de retrouver le cocon du jeudi soir : tiédeur, thé, télévision.

Quelles étaient donc les forces qui régissaient Donald Crowhurst ? Qu'est-ce qui a pu le pousser à agir comme il l'a fait ?

Ce que je sais de cette histoire — au-delà du souvenir de son appareillage à Teignmouth —, je le tiens de l'excellent livre de Nicholas Tomalin et de Ron Hall, journalistes au *Sunday Times*, qui ont pu consulter quelques mois après sa mort en mer ses journaux de bord et ses bandes magnétiques. Ils ont intitulé leur ouvrage *L'Étrange Voyage de Donald Crowhurst*, et ils y citent un propos confié par le navigateur à son magnétophone peu après le départ : « La navigation en solitaire a ceci de particulier qu'elle exerce une pression très forte sur l'homme, dont elle révèle les faiblesses comme peu d'autres activités. »

En l'occurrence, il y avait manifestement les pressions liées au fait d'être seul en mer — l'exiguïté du bateau, avec en permanence le bruit, le mouvement et l'humidité, la terrible intimité de sa minuscule cabine — mais il y avait aussi des facteurs extérieurs. Deux, pour être précis. Le premier, c'était son attaché de presse, Rodney Hallworth ; le second, son sponsor, homme d'affaires de la région nommé Stanley Best, qui avait financé la construction de son trimaran et en était propriétaire, tout en ayant stipulé par contrat que si, pour une raison ou pour une autre, le voyage tournait court, Crowhurst devrait lui racheter le bateau. En pratique, cela revenait à dire que Crowhurst était dans l'obligation de terminer sa circumnavigation s'il ne voulait pas être réduit à la faillite.

La pression exercée par Hallworth, pour être un peu plus subtile, n'en était pas moins insistante. L'homme avait passé ces derniers mois à faire de lui un héros. Celui qui n'était hier qu'un plaisancier du dimanche avait été élu pour représenter aux yeux des lecteurs le hardi challenger solitaire, parfaite incarnation de la solidité et de l'endurance anglaises ancestrales, David pugnace venu défier les Goliath de la voile. Hallworth avait accompli et continuait d'accomplir de véritables prouesses médiatiques sans le moindre scrupule moral. On est tenté de voir en lui le prototype du « docteur Folimage » avant la lettre ; quoi qu'il en soit, Crowhurst avait lieu de penser qu'il ne pouvait laisser en plan ni son public ni son attaché de presse, après tout le travail accompli. Conclusion : impossible de faire demi-tour.

Il n'était pas encore très loin dans son voyage qu'une autre réalité s'imposait à lui : tout aussi impossible d'aller de l'avant. En guère plus de deux semaines, il avait compris que son tour du monde en solitaire n'était qu'une chimère.

« De plus en plus conscient qu'il va falloir décider si oui ou non je peux continuer dans la situation actuelle. Fichue décision, jeter l'éponge à ce stade, c'est affreux, fichue décision », écrivit-il le vendredi 15 novembre. Le système électrique du *Teignmouth Electron* était tombé en panne, ses écoutilles prenaient l'eau (près de 500 litres en cinq jours pour celle de bâbord avant). Crowhurst avait laissé à Teignmouth des longueurs vitales de tuyaux ; écoper par pompe devenait donc impossible. Ses voiles s'effrangeaient, les boulons se dévissaient dans le système de pilotage, quant à l'« ordinateur » qui devait gouverner le bateau et réagir au moindre de ses mouvements avec une sensibilité aiguë, il ne s'était jamais résolu à le dessiner, moins encore à l'installer. L'imbroglio des fils multicolores répandus avec ostentation dans la cabine n'était relié à rien ; or tel était bel et bien le vaisseau à bord duquel il se proposait de traverser l'Atlantique Sud, le passage maritime le plus dangereux du globe. « Avec un bateau dans un état pareil, confiait-il à son journal, j'ai une chance sur deux de m'en sortir. » La plupart des gens auraient tenu cette estimation pour optimiste.

Impossible de faire demi-tour, et tout aussi impossible d'aller de l'avant. En pareilles circonstances, quelle issue restait-il à Donald Crowhurst ?

Voici en tout cas celle qu'il a trouvée — digne de... notre Premier ministre, mettons. Parce qu'à l'instar de Mr Blair, pris entre les deux feux du libéralisme et de l'étatisme, il a décidé qu'il y avait un troisième terme. Une troisième voie, rien que ça. Et cette troisième voie, ses détracteurs eux-mêmes ont bien dû l'admettre, était aussi audacieuse qu'ingénieuse. Il s'est dit que, s'il ne pouvait plus accomplir son tour du monde en solitaire et sans escale, il prendrait le parti à peine moins prestigieux de simuler cet exploit.

Ne perds pas de vue que nous sommes à la fin des années soixante, Poppy. Toutes les technologies auxquelles nous avons accès aujourd'hui, les courriels, les téléphones satellites, le GPS, n'avaient pas encore été inventées. Une fois quitté le port de Teignmouth, en haute mer, Crowhurst fut aussi seul qu'un humain peut l'être. Ses uniques moyens de communication avec le vaste monde se limitaient à une radio désespérément capricieuse. Des semaines durant, il était fort probable qu'il n'aurait pas le moindre contact avec le reste de l'humanité. Et, dans le même temps, il était non moins probable que le reste de l'humanité n'aurait pas la moindre idée d'où il était censé se trouver. Le seul tracé de son itinéraire serait celui qu'il établirait dans son journal de bord, de sa propre main, en déterminant sa position avec ses propres instruments. Dans ces conditions, qu'est-ce qui l'empêcherait de truquer son voyage de A à Z? Il n'avait nul besoin de passer les trois caps. Il pouvait longer au hasard la côte africaine, puis cingler vers l'ouest, traîner quelques mois au milieu de l'Atlantique, et s'intercaler bien tranquillement entre les vrais concurrents qui auraient doublé le cap Horn et rentreraient en Grande-Bretagne. Il arriverait ainsi dignement quatrième ou cinquième, auquel cas personne n'irait passer au crible ses journaux de bord, et l'honneur serait sauf.

Tenir ainsi double registre de son périple — l'un truqué, l'autre exact — allait requérir une ingéniosité, une habileté hors du commun, mais il en était capable. Du moins jugea-t-il ce subterfuge préférable à la perspective de l'humiliation et de la faillite. C'est ainsi qu'il se décida, et que commença la grande supercherie.

Une fois rentré à Shaldon, je n'avais pas tellement repensé à Crowhurst. Le caractère prosaïque et désorganisé de son départ avait quelque peu ébranlé ma foi en mon héros. Qui plus est, les reportages couvrant les premières semaines de la course faisaient à peine mention de lui. Plusieurs concurrents avaient d'ores et déjà déclaré forfait, et parmi ceux qui restaient, c'étaient Robin Knox-Johnston, Bernard Moitessier et Nigel Tetley qui mobilisaient l'imagination des journalistes. N'empêche, je me rappelle mon effervescence le jour de décembre où Crowhurst refit surface dans les journaux — dont il domina les manchettes en ce week-end sportif — avec un reportage du *Sunday Times* où il déclarait vouloir faire homologuer le record de distance parcourue en solitaire pendant une journée — dans les deux cent quarante milles, je crois. Bien entendu, cette posture devait être liée à sa décision de truquer son parcours.

Par la suite, j'ai suivi la course du mieux que j'ai pu, en découpant les reportages du journal du dimanche, et en les collant dans le nouvel album-souvenir que ma mère m'avait acheté tout spécialement à la poste de Teignmouth; mais voilà que, de nouveau, il ne se passait plus grand-chose sur le front Crowhurst. Ce printemps-là, quand j'ai été sélectionné comme gardien de but dans l'équipe de foot de l'école, mon obsession footballistique a supplanté mon obsession nautique. Et puis mon père et ma mère ont acheté leur première caravane, et nous sommes partis avec dans la New Forest pour les vacances de Pâques. Je me souviens de ma frustration parce que ta mère, qui pouvait avoir dix ans, a passé toute la semaine à lire des histoires de Malory Towers au lieu de jouer avec moi. Je me souviens que Top of the Pops passait les Move, avec *Blackberry Way*, et Peter Sarstedt, avec son interminable *Where Do You Go To (My Lovely)?*. Tels sont les détails de ce premier trimestre 1969 que ma mémoire a retenus. La vie de famille, la vie ordinaire. Une vie au sein de la communauté humaine.

Pendant ce temps-là, au milieu de l'Atlantique, quelque part, Donald Crowhurst sombrait lentement dans la folie.

Détail qui fait froid dans le dos, les progrès de cette démence se lisent au jour le jour dans ses carnets de bord. Sans la moindre compagnie humaine, sans possibilité de communiquer avec sa femme et ses enfants par radio pour ne pas trahir ses positions, il n'est guère surprenant qu'il ait tenté de trouver une consolation, durant ces longs mois solitaires, dans la communion muette du stylo avec le papier. Au début, outre les détails (exacts et truqués) de sa position, il jetait épars des considérations sur la situation qui était la sienne, des réflexions sur la vie en mer, et même un poème par-ci par-là. Ainsi celui-ci, écrit en voyant un hibou malmené par la tempête se percher tout frissonnant dans ses gréements : l'oiseau n'était-il pas le maillon faible d'un vol migratoire, un « spécimen à part », fort probablement destiné comme nombre de ses homologues humains « à mourir seul et anonyme, à l'insu de ses congénères » ?

*Pitié pour l'oiseau singulier, celui qui lutte à s'en faire crever le*
  *cœur ;*
*Pas une ombre de sens commun, il ne vole pas comme le commun*
  *de ses frères.*
*Gardez-lui, gardez-lui un peu de pitié, mais surtout gardez-en*
*Pour celui qui est aveugle à la lumière qui guide l'oiseau*
  *singulier.*

Mais plus tard, à mesure que l'horreur de sa situation le plombait, les entrées du journal se firent encore plus singulières. Indépendamment de l'isolement farouche auquel il se contraignait, des mois d'absolue solitude, sans rien d'autre pour distraire son regard que l'immensité de l'océan roulant sur ses bords, il s'apercevait qu'à supposer que sa supercherie ne soit pas éventée, il lui faudrait vivre un énorme mensonge pour le restant de ses jours. Or c'était une chose de donner le frisson aux journalistes, et même à ses amis des bars nautiques, en leur contant des prouesses sur fond d'Atlantique Sud perfide, ou l'allégresse éprouvée à doubler le cap Horn, des histoires comme il saurait en inventer des douzaines, mais que dirait-il à sa femme, par exemple ? Comment lui mentir, allongé auprès d'elle au fil des nuits, sachant que l'amour et l'admiration qu'elle lui portait reposaient en partie sur des actes héroïques dont il était bien incapable ? Pourrait-il lui cacher cette vérité pendant les quarante, cinquante années à venir ? J'ai parlé de la « terrible intimité » de sa cabine, mais ses mensonges allaient-ils survivre à l'intimité plus redoutable encore de la vie de famille ?

Et puis, quelques mois plus tard, vers la fin de la course, sa situation se fit plus désespérée encore. Son stratagème outrancier fut sa ruine. Car quand il rejoignit les autres concurrents, et qu'il télégraphia sa position à Rodney Hallworth (lequel, ne sachant plus rien de lui, le tenait pour mort), la nouvelle de son avancée supposée fut aussitôt annoncée par radio à Nigel Tetley, désormais seul navigateur en lice avec Robin Knox-Johnston puisque Moitessier, ce phénomène, avait doublé le cap Horn dans un bon temps pour abandonner ensuite la course avec ostentation en protestant que le prix en argent et le tapage publicitaire insultaient ses valeurs spirituelles. Knox-Johnston serait sans aucun doute le premier à toucher terre, seulement il était parti des mois avant les autres ; il ne pouvait donc pas remporter les cinq mille livres couronnant le record de vitesse. Tout allait se jouer entre Tetley et Crowhurst. Tetley menait encore mais, apparemment, Crowhurst le rattrapait à vive allure. Tetley décida de jouer le tout pour le tout. Il se mit à pousser son trimaran avec l'énergie du désespoir sur la dernière ligne droite. Or le bateau (nommé — ironie du sort — *The Victress*, La Victorieuse) avait déjà beaucoup souffert dans l'Atlantique Sud et il était en train de craquer aux coutures. Un soir tard, alors que le marin dormait, le bossoir de bâbord se détacha et fit un trou dans celui de la coque principale. Le bateau se mit à prendre l'eau en abondance. Tetley vit qu'il n'y avait plus qu'à envoyer un SOS et abandonner son bord. Il monta dans son canot de sauvetage pneumatique, emportant son film, ses journaux de bord et son transmetteur radio d'urgence, et il passa une journée ou presque dans l'angoisse, à la dérive au beau milieu de l'Atlantique, avant d'apercevoir l'avion du salut en fin d'après-midi. Pour lui, la course était finie, et ses rêves brisés.

Mais pour Crowhurst aussi, c'était catastrophique. Car il devenait de facto le détenteur incontestable du record de vitesse, et les médias allaient s'intéresser de très près à son cas. Déjà Rodney Hallworth avait télégraphié pour annoncer qu'il serait accueilli en héros avec des essaims d'hélicoptères, des cohortes de cameramen de télé, des bateaux entiers de journalistes. Ses carnets de bord seraient bientôt décortiqués dans les moindres détails ; or il devait savoir, dans le fond de son cœur, qu'ils ne tiendraient pas la route. Son imposture démasquée, comment survivre ? Stanley Best voudrait récupérer son argent. Hallworth lui-même serait la risée de tous. Quant à lui, qui sait si son couple résisterait à pareille épreuve ?

Le dos au mur, conscient que son audacieuse Troisième Voie s'était transformée en cul-de-sac, elle aussi, il jeta l'éponge. Au lieu de faire de la vitesse, il se mit à caboter. Il se laissa happer par les grands calmes et se désintéressa de son voilier prisonnier des eaux infestées d'algues ; nu dans la chaleur étouffante de la cale, il tentait méthodiquement de réparer le transmetteur tombé en panne, qu'il dut remonter entièrement, au risque de recevoir des décharges électriques ou de se blesser avec le fer à souder ; la tâche lui prit près de deux semaines, mais l'empêcha cependant de s'adonner à trop d'introspection. Quand il eut fini, pendant les chaudes journées solitaires qui suivirent, il s'interdit de penser à l'accueil qu'il allait recevoir à son arrivée et se retrancha dans un monde irréel de spéculations pseudo-philosophiques. Inspiré par le seul livre qu'il avait pensé à emporter dans son périple, *La Théorie de la relativité* d'Einstein, il se mit à noircir les pages de son journal, en appuyant si fort sur le crayon qu'il transperçait souvent le papier. Des milliers et des milliers de mots dont le détail nous montre aujourd'hui sous un jour cru le délabrement rapide d'un esprit sous pression. Crowhurst commence par aborder une des plus grandes énigmes des mathématiques, le nombre impossible, à savoir : la racine carrée de moins un.

*J'introduis cette idée de $\sqrt{-1}$ parce qu'elle mène directement au tunnel noir du continuum espace-temps ; lorsque la technologie émergera de ce tunnel, ce sera la « fin » du « monde » (qui se produira selon moi autour de l'an 2000, comme on l'a souvent prédit) en ce sens que nous aurons* *alors accès à une existence extra-physique, qui nous dispensera du besoin d'exister physiquement.*

Continuant sur le même thème mais en faisant encore davantage abstraction des contingences du réel, il se persuada que la race humaine était à la veille d'un bouleversement immense, que quelques élus, dont lui, allaient bientôt se muer en « êtres cosmiques de la deuxième génération », qui existeraient totalement hors du monde, pensant et communiquant d'une façon parfaitement abstraite et éthérée, affranchie des contraintes de l'espace, de sorte qu'il ne leur serait plus nécessaire d'avoir une relation corporelle, physique avec leurs semblables. Messager de cette nouvelle primordiale, il se voyait désormais comme une personnalité de la plus haute importance, une sorte de messie, tout en restant conscient que le reste du monde ne lui accorderait jamais cette stature : il se résignait à passer pour un « homme singulier », « le singulier exclu du système — la liberté de quitter le système ». Enfin, les derniers jours de sa vie, ses gribouillis se firent plus incohérents et abstrus encore (« Il ne saurait y avoir qu'une seule beauté parfaite / Telle est la grande beauté de la vérité »), et le sentiment d'avoir péché, d'avoir menti, d'avoir déçu tout le monde, devint écrasant.

*Je suis ce que je suis et je*
*vois la nature de ma faute*

Dans ses derniers écrits, le temps l'obsédait — après tous ces mois passés à noter sa vraie position et sa position fictive à la surface du globe, il était peut-être las de penser en termes d'espace. Il s'était mis à consigner au début de chaque phrase l'heure exacte à laquelle il l'écrivait. C'est ainsi que nous savons qu'il était entre 10 h 29 et 11 h 15, le 1ᵉʳ juillet 1969, lorsqu'il a écrit ces lignes qui étaient presque les dernières :

*C'est fini*

*C'est fini*

*C'EST LA MISÉRICORDE*

Ensuite, après avoir griffonné quelques bribes de phrases torturées, il prit son chronomètre et le carnet de bord truqué, monta à la poupe du *Teignmouth Electron*, et disparut à tout jamais.

Nous n'étions pas à court de vrais héros, en cet été 1969. La nouvelle que le voilier de Crowhurst avait été retrouvé au beau milieu de l'océan, et qu'il était porté disparu, tenu pour mort, a paru dans les journaux du dimanche, le 13 juillet. Deux semaines plus tard, le 27, il faisait de nouveau la une, mais entre-temps ses carnets avaient été lus, et sa supercherie éventée ; tous les articles roulaient sur le canular hors pair qu'il avait voulu monter au *Sunday Times* et au public anglais. Je les ai lus avec stupéfaction, je m'en souviens, et peut-être avec le sentiment qu'on avait floué mon jeune âge. Mais alors, entre ces deux dimanches, celui du 20 juillet 1969 fut marqué par un autre événement, non sans rapport avec la soif humaine d'exploration, de prouesses héroïques, la soif de se redéfinir dans l'espace : Neil Armstrong fut le premier homme à marcher sur la Lune.

Autrement dit, c'était un été de prodiges. Mais curieusement, c'est le prodige de mon ex-héros, Donald Crowhurst, et sa chute tragique qui me sont restés et m'ont hanté avec le plus d'insistance pendant toutes ces années. Ce qui explique ma fascination quand je constate que d'autres, dont Tacita Dean, en ont été hantés aussi. Quels sont les ressorts de cette résonance, je me le demande. Car en somme Crowhurst n'est guère une figure admirable. Les hommes qui émergent grandis de cette saga du Golden Globe, ce sont Knox-Johnston et Moitessier. L'histoire la plus navrante, d'une certaine façon, c'est celle de Nigel Tetley, le « grand oublié » de la course, qui a failli empocher les cinq mille livres du prix et qui, sur la pointe des pieds, sans laisser le moindre message, ni faire la une des journaux, s'est suicidé dans un bois, près de Douvres, deux ans plus tard.

Alors... pourquoi Donald Crowhurst ? Ou, pour le dire autrement, qu'est-ce que ça nous apprend sur notre temps, sur l'époque actuelle, pour que nous trouvions plus facile de nous identifier non pas à Robin Knox-Johnston, sportif patriote à l'opiniâtreté et au courage quasi comiques, mais à une figure de bien moindre stature, celle d'un homme qui s'est menti et qui a menti à son entourage, un petit homme dans les affres d'une crise existentielle désespérée, un tricheur tourmenté ?

Eh bien, Poppy, nous ne trouverons certes pas la réponse à ces questions en visitant l'exposition, samedi. Et tu voudras bien m'excuser de t'avoir écrit une lettre aussi longue sur un sujet qui, tout en ayant beaucoup compté pour moi, peut difficilement te toucher de la même façon, ni toi ni peut-être personne de ta génération. Mais je me dis que nous passerons tout de même une matinée intéressante suivie, j'espère, d'un bon déjeuner. On annonce une chute de la température pour la fin de la semaine, par contre; nous ne dînerons donc pas *al fresco* — n'oublie pas de prendre ton écharpe et tes gants!

J'ai hâte de te voir.

Ton oncle toujours affectionné,

Clive

# V

J'avais fini de lire la lettre une première fois et mon épaule s'engourdissait sous le poids de la tête de Poppy. J'ai repoussé la jeune femme avec douceur, et instinctivement elle a fait porter le poids de son corps sur l'autre côté du siège, se détournant de moi. J'ai pris l'oreiller et, soulevant délicatement sa nuque, je l'ai glissé dessous, jusqu'à ce qu'elle y appuie la tête. Elle avait la bouche entrouverte, avec une bulle de salive à la commissure. J'ai remonté la couverture sur ses épaules, et puis je l'ai bordée. Avec un petit soupir elle s'est enfoncée plus profond encore dans un sommeil paisible.

Je me suis redressé sur mon siège en me frottant les yeux, et j'ai écouté un moment le ronron régulier des moteurs de l'avion. La plupart des passagers dormaient, et les lampes diffusaient une étrange lueur sourde, crépusculaire. Sur l'écran, devant moi, une carte en évolution permanente montrait l'avance de l'appareil vers Londres : elle m'apprenait que nous étions pour l'heure à quelques centaines de kilomètres à l'ouest de Bangalore, au-dessus de la mer d'Arabie. Comme pour tout ce qui concerne la technologie, je n'avais pas la moindre idée des ressorts de ce miracle. Il y a quarante ans, Donald Crowhurst avait apparemment pu se cacher au cœur de l'Atlantique, grain de poussière dans l'océan, entouré par l'infini de la haute mer et dérobé aux yeux de tous les habitants de la planète. De nos jours, une quantité de satellites en orbite étaient braqués sur nous en permanence et pouvaient établir nos coordonnées avec une rapidité et une précision inimaginables. L'intimité, ça n'existait plus. Nous n'étions plus jamais seuls. À vrai dire, l'idée aurait dû être réconfortante : la solitude, j'en avais eu ma dose et au-delà, ces derniers mois ; et pourtant, il n'en était rien. En somme, même à des milliers de milles en mer, séparé de sa femme par des océans entiers, Crowhurst demeurait lié à elle par les attaches invisibles du sentiment. Il pouvait être certain qu'à toute heure du jour et de la nuit ou presque elle était en train de penser à lui. Tandis que moi j'étais là, une jeune femme gentille et affectueuse endormie à mes côtés (attitude qui dénote le dernier degré de la confiance et de l'intimité, je me le dis souvent), et la triste vérité, c'est que ce sentiment de proximité entre nous serait de courte durée, et s'évanouirait au terme du vol.

J'ai relu la lettre de l'oncle de Poppy, une deuxième puis une troisième fois ; elle m'inspirait plus de questions qu'elle ne me donnait de réponses. Donald Crowhurst s'était-il conduit en lâche ? J'avais du mal à voir les choses sous cet angle. Il n'avait que trente-six ans lorsqu'il s'était embarqué dans son périple ; je me faisais l'effet d'un enfant, par comparaison, avec mes quarante-huit ans (j'avais fêté mon anniversaire à Sydney deux semaines plus tôt, dans un modeste restaurant grec, où j'avais dû déployer mes efforts habituels pour éviter que la conversation languisse trop entre mon père et moi). Être le seul maître à bord d'un bateau comme celui-là et, qui plus est, se convaincre et convaincre les autres qu'on est capable de faire le tour du monde en solitaire sur les mers les plus dangereuses du globe, ça dénote... quoi, d'ailleurs ? La faculté de se leurrer ? Non, je ne croyais pas que Crowhurst s'était leurré. Au contraire : selon nos critères actuels, il semblait incroyablement mûr et sûr de lui. Trente-six ans ! À cet âge-là, moi, comme la plupart de mes amis, j'en étais encore à me demander, états d'âme à l'appui, si j'étais prêt à faire des enfants. Crowhurst avait résolu cette question depuis longtemps : il en avait quatre ! Qu'est-ce qu'elle avait, ma génération ? Pourquoi mettait-elle si longtemps à grandir ? Pour nous, la petite enfance s'étirait jusque vers l'âge de vingt-cinq ans, et à quarante ans nous n'étions pas encore sortis de l'adolescence. Pourquoi mettions-nous si longtemps à assumer nos responsabilités personnelles — et a fortiori nos responsabilités familiales ?

J'ai bâillé ; mes paupières s'alourdissaient. Les batteries de l'ordinateur étaient presque épuisées, elles aussi ; il lui restait huit minutes d'autonomie, selon l'indicateur. J'ai appuyé sur « page suivante » dans le logiciel Picture and Fax Viewer, et j'ai regardé une dernière fois les photos de Donald Crowhurst scannées par Poppy. Sans que je puisse dire quoi au juste, elles avaient quelque chose qui me dérangeait ; quelque chose qui me causait un frisson d'agitation. Outre le cliché du voilier abandonné, il y avait celui de Crowhurst en ciré, en train d'appareiller à Teignmouth — scène dont l'oncle de Poppy avait été le témoin direct. Puis un autoportrait en fin de voyage ; il arborait la moustache, et une expression inconnue, durcie par le soleil. Enfin, il y avait Crowhurst sur la terre ferme, paraissant singulièrement plus jeune devant les caméras de la BBC lors de l'interview qui précédait son départ.

Cette dernière photo, un gros plan, me perturbait plus que les autres. Légèrement de trois quarts, il avait les yeux baissés, perdu dans des pensées inquiètes, et mordillait nerveusement la jointure de son pouce. Il avait déjà l'air d'un homme tourmenté, trop conscient que l'image qu'il présentait au monde était fausse, et la vérité ainsi masquée plus sombre, plus menaçante, trop pénible à affronter. C'était incontestablement le cliché qui me procurait le malaise le plus marqué. Mais pourquoi m'affectait-il ainsi ?

Et puis, la lumière s'est faite. Bon sang, c'était bien sûr !

Crowhurst était le portrait craché de mon père.

WATFORD-READING

# VI

Elle me manquait
Déjà, elle me manquait.
Poppy était partie depuis un quart d'heure et, déjà,
elle me manquait affreusement.
Fallait-il lire un signe dans le fait qu'elle n'ait pas
voulu prendre un café avec moi ? Non, bien sûr. Le vol
était long, elle était fatiguée, pressée d'arriver chez elle.
Nous nous sommes dit au revoir devant le tourniquet
des bagages. Ce n'est pas le lieu idéal. Le bruit, la
pagaille : oppressant. Mais elle n'avait qu'un bagage à
main, et moi il me fallait attendre de voir surgir ma valise
sur le tapis ; le lieu de notre au revoir ne pouvait être
que celui-là. Ensuite, j'ai récupéré ma valise, je suis sorti
en la faisant rouler, mais en voyant la queue aux taxis
(au moins cinquante personnes) je suis rentré aussitôt
dans l'aéroport.
J'ai pris l'escalator pour monter dans le hall des
départs, et je me suis offert un cappuccino. Je crois bien
que c'est la boisson la plus chaude qu'on m'ait servie
dans ma vie. Il a dû s'écouler vingt minutes avant que je
tente d'y porter les lèvres. En attendant, j'ai observé les

allées et venues des autres passagers. Personne, à part moi, ne semblait voyager seul. Objectivement, ça ne pouvait pas être vrai, mais c'est l'impression que j'ai eue ce matin-là. Au bout d'une dizaine de minutes, un homme s'est assis à la table à côté. Il paraissait à peu près mon âge, sauf qu'il avait les cheveux gris, presque blancs. Lui, il était seul, et j'étais sur le point de lui adresser la parole, pour le simple soulagement de parler de nouveau à quelqu'un, quand sa femme et ses deux filles sont arrivées. Les deux enfants étaient très jolies. La plus petite pouvait avoir huit ans, et la grande douze ou treize, à peu près l'âge de Lucy. Elles étaient très pâles, ses filles, d'ailleurs, toute la famille était très pâle. J'ai écouté leur conversation un petit moment. Il partait quelques jours à Moscou, et elles étaient venues le mettre à l'avion. Il avait l'air d'appréhender ce voyage, Dieu sait pourquoi, mais sa femme lui tenait des propos rassurants : « Tu l'as déjà fait des dizaines de fois... » Il disait qu'il allait devoir donner des tas d'interviews, et je me suis demandé s'il était célèbre, mais son visage ne me rappelait rien. Ils sont partis au bout d'une dizaine de minutes.

Mon cappuccino était toujours trop chaud. J'ai pris mon mobile et j'ai cherché le numéro de Poppy dans la mémoire, pour le regarder. Je regrettais de ne pas l'avoir prise en photo avant qu'elle parte, mais je savais que demander cette faveur lui aurait paru bizarre ; ça l'aurait rebutée. Il ne me restait donc que son numéro de portable. Un visage, une personnalité, une paire d'yeux vifs, un corps, un être humain, le tout réduit à un numéro de onze chiffres. Le tout contenu par magie dans une combinaison de chiffres. Toujours mieux que rien. Du moins avais-je les moyens de la joindre ; du moins Poppy était-elle dans ma vie, à présent.

J'ai bu une gorgée, pour voir, de ce cappuccino qui m'avait été servi vingt-cinq minutes plus tôt, et j'ai frémi : le liquide encore brûlant m'a décoché de cruelles aiguilles incandescentes dans les lèvres, la langue et le palais ; mauvaise pioche, j'abandonnais. J'ai tiré ma valise de sous la table, et je suis retourné tenter ma chance aux taxis.

Il était environ neuf heures du matin, j'approchais de chez moi. Avachi au fond du taxi, je posais un œil somnolent sur la morosité monochrome du Hertfordshire urbain. C'était la troisième semaine du mois de février 2009 ; les cieux étaient engorgés de nuages, et le monde ne m'avait jamais paru plus gris ni plus glacé que ce matin-là. Je pensais au pays que j'avais laissé derrière moi, débordant de chaleur, de couleur, de vitalité. Le bleu intense des ciels d'été au-dessus de Sydney, le miroitement des lumières sur les eaux du port. Et maintenant : Watford en pluie, balayé par le vent.

« Déposez-moi ici, si vous voulez bien », j'ai dit au taxi.

Il m'a regardé, passablement surpris, sortir ma valise et payer ma course (cinquante livres, plus le pourboire). Mais, même si c'était reculer pour mieux sauter, je ne me trouvais pas en état de rentrer chez moi tout de suite. Il me fallait encore un peu de temps pour rassembler mes forces. Alors, tirant ma valise derrière moi, j'ai tourné à gauche au niveau de Lower High Street, et j'ai remonté Watford Field Road. Une fois au parc, je me suis affalé sur un banc. Les lattes de bois étaient mouillées, et j'ai senti l'humidité transpercer mon pantalon et mon slip pour pénétrer ma peau. Peu m'importait. J'étais à un kilomètre à peine de chez moi, je me remettrais en route dans quelques minutes ; mais en attendant, il me fallait me poser, réfléchir, regarder passer les gens qui partaient au travail — histoire de vérifier, sans doute, qu'il me restait une manière de lien avec eux, mes congénères, mes compatriotes, mes co-watfordiens.

Ça n'était pas gagné.

Il devait passer une personne toutes les trente secondes, devant mon banc, et aucune qui me dise bonjour, me fasse un signe de tête ou qui croise seulement mon regard. Même, chaque fois que je tentais de croiser le leur, les gens se détournaient promptement et sciemment, et ils pressaient le pas. Vous pensez peut-être que c'était surtout le cas pour les femmes, mais pas du tout — les hommes avaient l'air tout aussi effarés à l'idée qu'un inconnu tente d'engager un rapport quelconque avec eux, ne serait-ce qu'un instant. Quelle douche froide : sitôt que je tentais de faire jaillir entre nous une étincelle d'humanité partagée, ils paniquaient, ils tournaient les talons, ils fuyaient.

Pour ceux qui ne connaissent pas Watford Field, c'est un lambeau de parc qui fait à peine deux cents mètres de côté, à proximité des grandes artères de Waterfields Way et Wiggenhall Road, ce qui explique que le bruit de la circulation y soit à peu près constant. Ce n'est donc pas exactement une oasis, mais il faut croire que tout espace vert où se replier devient précieux de nos jours. Au bout d'un moment, contre toute attente, je me suis senti curieusement bien installé ; et, malgré le froid et l'humidité, j'y suis resté beaucoup plus longtemps que prévu. L'heure tournant, bien entendu, il passait de moins en moins de monde, et bientôt il s'est écoulé dix minutes sans que je voie âme qui vive. Cela faisait plus d'une heure que je n'avais pas parlé à quelqu'un, et encore, à condition de compter l'au revoir marmonné au taxi comme une parole dotée de sens. Sans doute était-il temps de me rendre à l'évidence, et d'affronter le vide redoutable de mon chez-moi.

C'est alors qu'un homme est apparu ; il venait de tourner le coin de Farthing Close et se dirigeait vers moi. Il y avait dans sa démarche hésitante, son avance incertaine, quelque chose qui m'a fait penser que cet homme était peut-être le bon. Une vingtaine d'années, doudoune bleu marine, jean cigarette délavé, il avait une tignasse noire bouclée, et une moustache naissante, indécise comme le reste de sa personne. Il regardait autour de lui, apparemment désorienté, et avant de parvenir jusqu'à mon banc, il s'est arrêté par deux fois ; il s'est retourné, il a regardé au loin, comme pour repérer les autres itinéraires possibles. Il était manifestement perdu. Oui, voilà, il était perdu ! Et qu'est-ce qu'ils font, les gens, quand ils sont perdus ? Ils s'arrêtent demander leur chemin. C'était ce qu'il allait faire. Il voulait sans doute se rendre à la gare de chemin de fer de High Street, ou alors au General Hospital. L'un comme l'autre étaient proches. Il allait me demander comment y aller, et nous allions échanger quelques mots. Je m'imaginais le tour de la conversation. Avant même qu'il m'ait adressé la parole, je la préparais dans ma tête. « Vous allez où, comme ça, mon gars ? À la gare ? Alors la gare de High Street, c'est juste en tournant le coin, mais si vous allez à Londres, il vaudrait mieux marcher jusqu'à

Watford Junction, il y en a pour dix minutes, un quart d'heure. Vous continuez tout droit, jusqu'au grand carrefour, avec le rond-point... »

J'entendais son pas s'accélérer, et son souffle se faire irrégulier, urgent. J'ai vu qu'il arrivait à ma hauteur, et qu'il n'avait pas une expression aussi avenante que j'aurais cru.

« Et puis vous traversez le rond-point », j'ai continué dans ma tête, malgré tout, « et vous passez devant l'Harlequin, à droite, et la librairie Waterstone... »

« File-moi ton téléphone. »

La voix qui parlait dans ma tête s'est tue illico.

« Quoi ? »

En levant les yeux, je l'ai vu me lancer un regard mauvais, où l'hostilité le disputait à la panique.

« File-moi ton téléphone, putain, vite ! »

Sans un mot, j'ai plongé la main dans ma poche de pantalon, et j'ai essayé d'en extirper mon mobile. Ce n'était pas commode : mon pantalon était serré.

« Désolé, j'ai dit en me tortillant comme un ver, on dirait qu'il veut pas sortir.

— Me regarde pas ! » a braillé le type. Il avait plutôt l'air d'un gosse, à vrai dire. « Regarde pas ma figure ! »

J'avais presque réussi à extraire le téléphone de ma poche. Ironie des choses, mon mobile précédent était un Nokia extra-plat qui serait sorti sans problème. J'avais choisi ce Sony Ericsson plus volumineux parce qu'il était meilleur pour écouter des MP3. Mais je n'ai pas jugé opportun d'entrer dans ces détails en la circonstance.

« Et voilà, j'ai dit en lui tendant le mobile, qu'il m'a arraché. Il vous aurait fallu autre chose, argent liquide, cartes de crédit ?

— Va te faire foutre ! » il m'a crié en s'enfuyant vers Farthing Close, d'où il était venu.

L'incident n'avait duré que quelques secondes. Je me suis laissé tomber sur mon banc, et j'ai regardé s'éloigner sa silhouette. Je tremblais légèrement, mais je n'ai pas mis longtemps à recouvrer mon calme. Mon premier mouvement a été de composer le 999 pour appeler la police, et puis je me suis souvenu que je n'avais plus de téléphone. Mon second mouvement a été de partir vers chez moi en tirant ma valise : je m'arrêterais à la supérette acheter du lait, pour me faire une tasse de thé en arrivant. Curieusement, au lieu de me miner pour le téléphone — de toute façon assuré contre le vol —, j'étais déçu que cet instant de contact humain tant attendu n'ait pas vraiment comblé mes espérances.

C'est alors que j'ai de nouveau entendu des pas qui approchaient. L'homme courait, cette fois. C'était toujours le même souffle irrégulier, haletant. C'était mon voleur. Il est passé devant mon banc, sans faire attention à moi, et puis tout à coup il s'est arrêté, il a regardé à droite et à gauche en fourrageant dans sa tignasse.

« Et merde ! il disait. Merde !

— Qu'est-ce qui vous arrive ? » j'ai demandé.

Il s'est retourné aussitôt.

« Hein ? »

Il m'a regardé de plus près, et il a percuté, pour la première fois sans doute, que j'étais le type dont il venait de voler le mobile.

« Qu'est-ce qui vous arrive ? » j'ai répété.

Il lui a fallu encore quelques secondes pour évaluer la situation et décider que je n'étais pas en train d'essayer de l'embrouiller. Et puis, il a dit : «Je suis paumé, mec, putain, je suis grave paumé. C'est où, la gare ? »

Mon cœur s'est gonflé d'émotion à ces mots.

« C'est-à-dire, il y en a deux. C'est pour aller où ?

— Dans le centre de Londres, mec. Il faut que je retourne à Londres vite fait.

— Alors le mieux, c'est de prendre par Watford Junction, vous y serez en dix minutes, un quart d'heure. Vous prenez tout droit, vous retournez vers Lower High Street, et puis vous tournez à gauche et vous allez tout droit jusqu'au grand carrefour, avec le rond-point...

— Le rond-point, là où il y a tous les feux rouges ?

— C'est ça. Il faut traverser le rond-point, et passer devant l'Harlequin, à droite, et la librairie Waterstone...

— OK, OK, l'Harlequin, je connais ; à partir de là, je sais me repérer. C'est bon, mec, c'est super. Je suis sauvé !

— Ravi d'avoir pu vous être utile », j'ai dit en lui souriant bien en face — mais ça, c'était une erreur, parce qu'il a hurlé aussitôt : «Et me regarde pas, mec, jamais tu regardes ma gueule, putain ! » avant de tourner les talons et de piquer un sprint athlétique vers la lisière du parc et la route qui menait à Lower High Street.

Il faut croire que je souffrais d'un sacré décalage horaire ; je n'avais plus les idées en place. Je me traînais jusqu'à la supérette, et tout ce que m'inspirait cette agression, c'était : « Je vais avoir un truc génial à raconter à Poppy. » À vrai dire, j'étais tellement content d'avoir une histoire à lui raconter, un prétexte tout trouvé pour la contacter dès ce matin-là, que je me suis mis à composer dans ma tête un texto cool et tonique sur cet épisode. Il m'a fallu arriver à la supérette et poser ma valise dehors pour m'apercevoir que je ne pouvais pas lui envoyer le texto en question puisque je n'avais plus de téléphone. Du reste, n'ayant plus de téléphone, je n'avais plus son numéro non plus, et donc aucun moyen de la contacter.

Et voilà.

Je suis entré acheter mon lait.

# VII

En poussant la porte de chez moi, je m'attendais à sentir le poids d'un monceau de paperasses derrière. Mais il n'y en avait pas tellement. Une douzaine d'enveloppes, peut-être. Honnêtement, après trois semaines d'absence, je m'attendais à plus.

J'ai laissé ma valise dans le couloir, j'ai ramassé les lettres, et les ai emportées dans le séjour. Il faisait glacial. Inutile de dire qu'on n'entendait pas la radio à la cuisine, et qu'aucune odeur de café frais ne se répandait dans le couloir. Caroline et Lucy, je le savais bien, se trouvaient dans le Nord, à trois cents kilomètres. Malgré tout, elles m'avaient peut-être écrit. Quand elles sont parties, au début, Lucy m'écrivait assez souvent, tous les quinze jours, à peu près, et en général elle joignait un dessin, un collage, une rédaction faite à l'école. Mais ces temps-ci, les lettres s'étaient espacées, et il me semble que j'avais reçu la dernière en novembre. Voyons voir... j'ai survolé du regard les enveloppes et j'ai tout de suite vu qu'il n'y avait rien de sa main. Trois relevés de cartes de crédit, des lettres d'un fournisseur de gaz et d'électricité qui faisait de la retape, des relevés bancaires, des factures de téléphone mobile. Les conneries habituelles. Aucun intérêt.

Je suis entré dans la cuisine pour allumer le chauffage et mettre la bouilloire en marche ; j'en ai profité pour jeter un coup d'œil au répondeur, qui me clignotait le chiffre 5. Cinq messages, au bout de presque un mois d'absence ! Dérisoire ! Est-ce que j'allais avoir le cran de les écouter ?

Tout en rassemblant mon courage, je suis monté au premier brancher mon ordinateur dans la chambre du fond. Comme toujours, l'astuce consistait à entrer dans la pièce et faire ce que j'avais à faire sans regarder autour de moi. J'étais passé maître en la matière. Il le fallait, car cette pièce était l'ancienne chambre de ma fille. Une personne de bon sens aurait changé la déco après le départ de Caroline et Lucy, mais je n'avais pas pu m'y résoudre — pas tout de suite. En attendant, les murs étaient toujours tapissés du papier rose Barbie qui plaisait à ma fille, avec les marques de punaises aux endroits où elle affichait les posters trouvés dans des magazines animaliers, énormes gros plans de hamsters endormis, de wombats croquignolets, etc. Heureusement, les affiches avaient disparu. Mais le papier restait un douloureux aide-mémoire. Cette semaine, il serait peut-être temps que je m'en occupe. Il n'était même pas nécessaire de l'arracher, je pouvais très bien peindre par-dessus — trois ou quatre couches de blanc brillant devraient suffire à cacher le motif floral. En attendant, je regardais droit devant moi, limitant mon champ visuel aux choses sur lesquelles je souhaitais me concentrer. C'était plus facile.

Redescendu à la cuisine, je me suis fait un mug de thé

fort, et j'en ai bu deux gorgées avant d'appuyer sur le bouton « *play* » du répondeur. Mais mes palpitations d'espoir ont été de courte durée. Il y avait un message de mon employeur, qui me rappelait de me présenter à un dernier rendez-vous avec le médecin du travail dans quelques jours. Il y avait deux messages de mon dentiste ; le premier, alerte automatique, me rappelant de me présenter à mon check-up deux semaines plus tôt, le second, articulé par une voix humaine, celui-là, me demandant pourquoi je n'étais pas venu, et me signalant qu'il faudrait payer le check-up quand même. Ensuite venaient deux messages blancs, deux longs bips, suivis du déclic indiquant que le correspondant avait raccroché. L'un des deux pouvait tout à fait émaner de Caroline, bien sûr, mais impossible de composer le 1471 pour le savoir, parce que ces deux appels étaient antérieurs au message de mon dentiste.

Et voilà pour le téléphone.

Bon, peut-être que Facebook me remonterait le moral. J'y avais plus de soixante-dix amis, après tout. Il avait bien dû y avoir un peu d'activité, en mon absence. J'ai emporté mon thé au premier, je me suis installé devant l'ordinateur, et je suis allé sur ma page d'accueil.

Rien.

Je suis resté là, à fixer l'écran, sous le choc. Pas un seul ami ne m'avait envoyé de message, personne n'avait posté quoi que ce soit sur mon mur depuis le mois dernier. S'il fallait en croire cet indice, en d'autres termes, personne n'avait pensé à moi une seule fois en mon absence.

J'ai senti un gouffre se creuser dans mon estomac, tout à coup. Les yeux me piquaient ; les larmes montaient. C'était encore pire que tout ce que j'aurais pu imaginer.

Il ne me restait plus qu'un espoir, les mails. Mais est-ce que j'étais en état d'ouvrir Outlook Express ? Et si ma boîte de réception me racontait la même chose ?

Mes doigts se sont déplacés sur le clavier, mécaniquement, comme ceux d'un robot ; je serrais la souris dans ma main droite sans jamais quitter des yeux l'écran qui s'est rempli tout d'abord du message de bienvenue, puis des objets de mails reçus à ce jour. Lentement, le cœur cognant dans ma poitrine, un abîme d'appréhension s'ouvrant dans mon ventre, j'ai déplacé la flèche sur l'écran, et j'ai cliqué sur le fatidique « Envoyer/ Recevoir ».

La boîte de dialogue s'est affichée, le déroulement du processus indiquait : Recherche de l'hôte, connecté, autorisation, connecté. Puis il y a eu quelques secondes de pause, comme si l'ordinateur me narguait, se repaissait de mes tourments, et tout à coup, OUI ! — joie, ô joie —, « liste de messages du serveur » et, j'avais du mal à y croire, le premier d'entre eux est arrivé avec cette nouvelle sensationnelle : Message 1 sur 137.

Cent trente-sept messages ! Qu'est-ce que vous en dites ? Alors comme ça plus personne ne s'intéressait à Maxwell Sim ? Comme ça je n'avais pas de vrais amis ?

À côté de l'icône, les numéros augmentaient rapidement : vingt messages, soixante, soixante-quinze ; ils s'accumulaient. Il me faudrait la journée pour les lire tous. De qui pouvaient-ils bien émaner ? De Chris, de Caroline, de Lucy ? Ou encore, de mon père, peut-être, désireux de faire amende honorable, mon séjour en Australie s'étant terminé en queue-de-poisson ?

J'ai fermé les yeux un instant, j'ai inspiré profondément, et puis j'ai pris connaissance des premiers messages, qui disaient ceci :

Votre virilité est encore en chantier ? Essayez la pilule bleue magique
Vigueur béton dans le pantalon
Avec un gros engin, le reste du monde paraît tout petit
Trique en majesté, femelles excitées
Tout va vraiment très mal quand votre meilleur pote est mort
Un vrai monstre, dur comme le roc
Le pouvoir est au bout du braquemart
À fabuleux engin, réputation fabuleuse
Prenez une longueur d'avance sur les autres hommes
Rentrez dans la dame sabre au clair

Bon, pas grave, ce n'étaient que les dix premiers. Apparemment, le filtre antispams avait été désactivé, allez savoir pourquoi. Mais il devait tout de même bien y avoir quelques messages personnels, dans la quantité. Ensuite ?

Ça va être la fête du slip
Voilà qui va vous aider à oublier le drame d'en avoir une petite
Votre magnum se dresse et elles sont toutes sous le choc
Votre joystick se change en boa
Retrouver la gaule de votre jeunesse, c'est possible
La vérité sur 22 cm
Vous ne la décevrez plus jamais
Donnez du calibre à votre matraque
Vous allez l'appeler Pierre le Grand

114

Participez à un marathon du sexe avec le soutien de nos
spécialistes
Votre meilleur ami durcit et lève le nez vers les étoiles
Faites réviser le matériel
Votre fusée mérite du super


Oh mon Dieu! Il ne pouvait plus y en avoir beaucoup
d'autres, si?

Avec un engin trop petit, la vie est triste, pathétique

Ça, c'était vraiment vache. Parmi les nombreux problèmes que je rencontrais dans ma vie, je n'avais jamais
pensé que mon engin était petit; je m'étais toujours
implicitement considéré comme dans la moyenne. Or à
présent, confronté à cet assaut, mon « meilleur pote »,
comme je le nommerais désormais intérieurement, commençait à me faire l'effet d'être chétif et rabougri
comme un champignon de Paris.

Marre que votre meilleur pote baisse le nez?
Marre de finir la nuit en vous contentant d'un bisou?
Forniquez en vrai macho!
À présent, plus la peine d'éteindre la lumière avant de baisser
votre slip
Les femmes donneront la lune pour coucher avec vous
Apprenez à la connaître sexuellement, au plus profond
d'elle-même
Les femmes veulent être pénétrées en force
Seuls les gros braquemarts atteignent le point G
Vrai Mâle, dignité colossale
C'est vous qui aurez la plus longue

Aidez-la à trouver le bonheur, mettez un terme à sa douleur!

Mettez un terme à sa douleur...? Intéressant, comme slogan. À mesure qu'ils défilaient dans une sorte de flou, et qu'il devenait évident que c'étaient les seuls messages qu'on m'ait envoyés en trois semaines, mon esprit prenait la tangente; je me demandais si ces expéditeurs étaient des inconnus, si j'étais le destinataire aléatoire de ces labos pharmaceutiques et de ces sites pornos. Je commençais à trouver une résonance quasi philosophique à certaines de ces formules, et je me suis même surpris à penser qu'elles recelaient peut-être un fond de sagesse — réservé à mon seul usage.

Retrouvez un peu de votre jeunesse

Oui, certes, je n'avais rien contre.

Qu'est-ce qui vous manque pour être un homme parfait?

Ça, c'était une question que je m'étais maintes fois posée. Ces gens auraient-ils la réponse?

Apprenez à être vraiment en elle

Justement, je n'ai jamais appris, avec Caroline. Comme c'était vrai. Comme ça aurait été mieux, si j'avais su être vraiment en elle.

Donnez-lui une fermeté concrète

Là encore, était-ce précisément mon erreur? Était-ce la raison pour laquelle je l'avais laissée me quitter? Par manque de fermeté concrète?

J'en étais au centième message, à peu près, et il en arrivait encore.

Votre pote l'inflexible va garder la tête haute
Les femmes se prosterneront devant Sa Majesté le Monstre dans votre slip
Oubliez le passé, regardez vers l'avenir — un gros calibre sans plus attendre
Aucune femme n'osera plus vous tourner le dos
Vous en avez une toute petite, ça n'est la faute de personne, à vous de changer ça
Salut max
Votre gaule ne connaîtra pas les coups de mou
Le plus gros calibre a le dernier mot
La taille ça compte, dans la vraie vie

Attendez voir, « Salut max », ça ne ressemblait pas à un spam, ça.

Je suis redescendu frénétiquement jusqu'à ce message égaré et je l'ai repris. Il venait de Trevor — Trevor Paige. C'était un vrai courriel, envoyé par une vraie personne. J'ai cliqué dessus, et j'ai été submergé par une vague de soulagement et de bonheur en lisant ces mots qui, sur le moment, m'ont paru aussi éloquents, aussi émouvants, aussi empreints de grâce et de sens que des vers de Shakespeare ou de tout autre poète universel.

117

salut max serai à watford mercredi. on boit une bière ? bien à toi trev

Après avoir lu et relu ce message jusqu'à ce que les mots s'impriment en lettres de feu dans ma mémoire, j'ai posé les avant-bras sur le clavier, et la tête sur les avant-bras, en poussant un soupir de gratitude qui venait du cœur.

# VIII

Quelques minutes plus tard, je suis allé me coucher. J'avais prévu de lutter contre le décalage horaire si possible, mais j'étais beaucoup trop fatigué. J'ai sombré tout de suite, pour dormir par à-coups d'un sommeil agité.

Vous connaissez cet état à mi-chemin entre le rêve et on ne sait quoi de proche? Comme si l'esprit refusait de rendre les armes et, malgré la fatigue, de passer la main à l'inconscient. Eh bien, voilà ce qui s'est produit tout d'abord. Je voyais des images de Chris Byrne, mon vieux camarade de classe, et de sa sœur Alison, mais je n'aurais pas pu dire si ces images provenaient du rêve ou du souvenir. Nous étions adolescents, et je me trouvais avec eux dans un endroit que je ne reconnaissais pas, quelque part à la campagne, au milieu des bois; Chris portait les cheveux longs, comme on le faisait à l'époque, dans les années soixante-dix, et il commençait à avoir de la barbe au menton, une barbe maigre et clairsemée. Il était assis en tailleur sur un tapis de feuilles, et il jouait de la guitare sans s'occuper d'Alison ou de moi. Une nappe d'eau miroitait à l'orée du bois, et Alison et moi nous y dirigions. Tout en marchant devant moi, elle a attrapé le bas de son T-shirt, et elle l'a retiré par la tête, lentement, d'un geste aguichant, en se retournant pour me lancer un coup d'œil provocant. Dessous, elle portait un soutien-gorge de maillot orange ; sa peau était lisse, parfaitement unie, couleur pain d'épices.

À ce moment-là, ma voisine est sortie jeter des ordures dans sa poubelle, et le choc métallique du couvercle m'a réveillé en sursaut. Je me suis dressé dans mon lit, et j'ai regardé l'heure : deux heures et demie de l'après-midi. Je me suis rallongé contre les oreillers et j'ai regardé le plafond, soudain bien éveillé. Pourquoi avais-je rêvé — ou pensé — à Chris et Alison ? Sans doute parce que au cours des trois dernières semaines mon père, entre autres travers agaçants, m'avait abreuvé de questions sur Chris, est-ce qu'il allait bien, est-ce qu'on se voyait souvent. C'était tout lui, d'insister là-dessus. C'était tout lui, de tomber pile — en toute innocence ? — sur une plaie mal refermée et de retourner le fer dedans au point que le seul nom me fasse bondir. Au fait, j'aurais dû en parler plus tôt, mais Chris était mon plus vieil ami ; on s'était connus à l'école primaire, du temps de Birmingham. Depuis, nous avions gardé des contacts tout à fait réguliers, jusqu'à ce que, cinq ans plus tôt, nous partions en vacances ensemble à Cahirciveen, dans le comté de Kerry en Irlande, Caroline, Lucy et moi, lui, sa femme et leurs enfants. Des vacances désastreuses, désastreuses à cause d'un accident arrivé à leur fils, Joe, qui s'était fait assez mal. On s'était beaucoup rejeté la faute, de part et d'autre, il s'était dit des choses regrettables, tant et si bien que Chris et sa famille, écourtant leur séjour, avaient repris l'avion pour l'Angleterre. Il ne m'avait plus jamais fait signe depuis. Sans doute attendait-il que je lui fasse signe moi-même, mais j'en étais incapable parce que... bon, enfin, ce n'est pas le moment que je m'en explique. Tout se complique terriblement. Mais en quoi les intermittences de mon amitié avec Chris pouvaient bien intéresser mon père (« Comment va-t-il ? », me demandait-il sans cesse. « Quand l'as-tu vu pour la dernière fois ? » « Quelle fille a-t-il épousée ? »), voilà qui resterait au chapitre des énigmes de l'existence.

Je suis resté couché encore un petit moment, repensant à cette image de nous trois dans les bois. Et puis je me suis souvenu d'où elle venait : au cours du long été caniculaire 1976 — l'été de la sécheresse, pour tous mes contemporains — nos deux familles étaient parties camper ensemble en forêt dans la Région des Lacs, du côté de Coniston Water. Ça ne me rappelait pas grand-chose de plus, sinon que mon père avait pris des tas de photos cette semaine-là, et que je les avais encore quelque part dans un album. Oui, dans la pièce du fond tant redoutée, sauf erreur de ma part.

Je suis allé chercher l'album, je me suis recouché, j'ai allumé la lampe de chevet et je me suis calé contre les oreillers. L'album était relié de similicuir bleu foncé et les clichés qu'il contenait avaient connu des jours meilleurs ; leurs couleurs vives avaient tristement pâli. En outre, j'avais oublié que mon père était un piètre photographe. Enfin, disons que ses photos pouvaient plaire à qui aime les clichés de nature ou les gros plans de drôles de cailloux dont la texture à nu avait tenté son objectif. Mais pour qui recherchait un souvenir de ses vacances en famille, les regarder était peine perdue. J'ai feuilleté les pages avec impatience, me demandant pourquoi il n'avait pas jugé opportun de prendre une seule photo de moi ou de ma mère. Ou de tout autre être humain, d'ailleurs. Mais je savais qu'il y en avait au moins une de Chris et d'Alison — une qui m'était familière, même si je n'avais pas posé les yeux dessus depuis dix ans au moins ; et quand j'ai fini par la trouver, sur la toute dernière page de l'album, j'ai compris que les images qui m'étaient venues au lit étaient de curieuses hybridations : mi-rêve mi-souvenir. Chris et sa sœur étaient dans l'eau jusqu'au genou, par un après-midi gris et voilé. Ils venaient de se baigner, ils avaient encore la tête mouillée, et semblaient transis, surtout Alison. Elle portait ce bikini orange et son jeune corps au bronzage uniforme était couronné d'une chevelure auburn coupée à la garçonne, court devant et sur les côtés.

Dans un bâillement sonore, j'ai laissé glisser l'album sur le couvre-lit. Du coup, la lampe de chevet a éclairé la photo sous un autre angle, et j'ai remarqué quelque chose d'insolite : en y regardant de près, on voyait que la photo de Chris et Alison avait été pliée en deux ; il restait un pli vertical à peine visible au milieu, sur toute la hauteur. Pourquoi donc ? J'ai bâillé de nouveau, je me suis tourné de l'autre côté et j'ai tendu la main pour éteindre la lumière. Dans mon état, tenter de rassembler mes idées ne servait à rien. Je sentais que je n'avais pas mon compte de sommeil. Ma dernière pensée n'a pas été pour mon amitié brisée avec Chris Byrne, ni pour mes sentiments jadis confus envers sa sœur, mais pour Poppy. Je n'arrivais pas à admettre que je n'avais plus son numéro. Dire qu'elle ne m'avait même pas donné son nom de famille !

Je me suis réveillé sur le coup de sept heures, et peu après, je suis allé sur Internet faire quelque chose dont j'ai un peu honte. Je n'ai pas trop envie d'en parler, mais enfin, bon, l'idée c'est quand même que je vous raconte toute l'histoire, y compris sous ses aspects peu ragoûtants, alors je ne peux guère passer la chose sous silence.

Comment dire... ?

C'est une pratique liée à Caroline. À Caroline, et au fait qu'elle me manquait encore terriblement.

Disons donc qu'outre les mails et le téléphone j'avais un moyen de la joindre ; un moyen dont je ne me servais que très rarement, parce que alors je me faisais l'effet d'être un peu minable, un peu voyeur, je m'en voulais. Néanmoins, certaines fois, quand elle me manquait trop, quand je ne pouvais pas me contenter d'une conversation polie et rapidement écourtée, ou de deux ou trois phrases strictement factuelles sur les progrès de Lucy à l'école, je n'avais guère d'autre ressource.

Tout avait commencé comme ceci :

Quand nous étions mariés et que Lucy avait cinq ou six ans, Caroline s'est mise à passer beaucoup plus de temps qu'avant sur Internet. Je crois qu'à l'origine c'était parce que Lucy avait eu un vilain eczéma dans la nuque. Caroline était allée sur Internet pour y glaner des infos. C'est ainsi qu'elle est arrivée sur un site nommé mamans. net, où des mères discutaient précisément de ce genre de problèmes, en comparant leurs expériences, et en proposant des solutions. Quoi qu'il en soit, une fois la crise d'eczéma finie, j'ai compris qu'on discutait aussi de tout autre chose sur mamans.net puisque Caroline y passait désormais la moitié de ses journées. Au bout d'un moment, je me souviens de lui avoir demandé avec une pointe d'ironie combien d'heures par jour on pouvait consacrer à discuter en ligne de la triple vaccination pour les petits ou des bienfaits du tire-lait. Et elle m'a répondu qu'en fait elle parlait de livres, de politique, de musique, d'économie, etc., qu'elle s'était fait des tas d'amies sur le site ces derniers temps. « Comment ça, des amies ? j'ai dit. Tu ne les as jamais vues. » Elle m'a expliqué que ma remarque était très rétrograde et que, si je voulais m'adapter au vingt et unième siècle, il me faudrait me tenir au courant de l'évolution du concept d'amitié à la lumière des nouvelles technologies. Je n'ai pas su quoi répondre, je l'avoue.

Bah, il y avait peut-être du vrai dans ce qu'elle disait, après tout. C'est-à-dire, rétrospectivement, je vois pourquoi il lui fallait surfer sur Internet pour rencontrer toutes ces amies, et avoir toutes ces discussions. Elle ne risquait pas de trouver ça chez nous. Elle avait bien essayé de nouer des relations parmi les mères d'élèves, à l'école de Lucy, elle avait même tenté, à un moment donné, de monter un groupe d'écriture, mais pour une raison ou pour une autre, au bout du compte, rien n'avait marché. Oui, elle devait se sentir vraiment seule. J'avais toujours espéré qu'elle se lie d'amitié avec Janice, la femme de Trevor, mais ces choses-là, je le sais, ça ne se commande pas. Ça aurait été bien qu'on puisse faire ceci ou cela ensemble, à quatre, mais Caroline n'en a jamais manifesté une envie folle. Et moi, je ne l'aidais pas beaucoup, il faut l'avouer. Je sais parfaitement que je n'étais pas à sa hauteur, intellectuellement. Par exemple, je n'ai jamais lu autant qu'elle ; elle passait sa vie à lire. Attention, j'aime les livres, moi aussi. Quand on est en vacances, par exemple, et qu'on se fait rôtir au soleil au bord de la piscine, s'il y a une chose que j'adore, c'est bien bouquiner. Mais pour Caroline, ça allait plus loin. On aurait dit que la lecture était devenue une obsession, chez elle. Elle dévorait régulièrement deux ou trois livres par semaine ; des romans, surtout ; des romans « littéraires » ou « sérieux », comme on dit (je crois). « C'est pas un peu répétitif, au bout d'un moment ? Ils se mélangent pas tous dans ta tête ? » je lui ai demandé, une fois. Mais elle m'a répondu que je parlais sans savoir. « Tu es le genre de personne qui ne verra jamais un livre changer sa vie », disait-elle. « Pourquoi veux-tu qu'un livre change ma vie ? Ce qui change ta vie, c'est la réalité, c'est se marier, avoir des enfants. — Moi, je te parle d'élargir son horizon, d'élever son niveau de conscience. » C'était un point sur lequel nous ne serions jamais d'accord. Une ou deux fois, j'ai tenté plus sérieusement de m'y mettre, mais je n'ai jamais vraiment compris où elle voulait en venir. Je me souviens de lui avoir demandé de me conseiller des livres, des livres susceptibles de changer ma vie. Elle m'a dit d'essayer le roman américain contemporain. « Quoi, par exemple ? — Essaie un des Rabbit », m'a-t-elle dit, et quelques heures plus tard je suis rentré de la librairie en lui montrant ce que j'avais acheté. « Tu plaisantes ? » elle m'a lancé. C'était *Les Garennes de Watership Down**.

(Un sacré bon bouquin, du reste, si vous voulez savoir. De là à dire qu'il a changé ma vie, non.)

---

* Le malentendu repose sur le nom du héros d'Updike, Rabbit, « lapin » en anglais. *Les Garennes de Watership Down* est un roman pour la jeunesse, qui met en scène des lapins. *(N.d.T.)*

Je vais de digression en digression, et c'est sûrement pour retarder le moment de vous raconter l'affaire dont j'ai honte et qui est celle-ci. Après notre séparation, lorsque Caroline et Lucy sont parties s'installer dans le comté de Cumbria, je suis allé sur mamans.net à mon tour. J'y ai pris le pseudo « SouthCoastLizzie » et me suis fait passer pour une mère célibataire ayant monté sa petite entreprise de bijoux et autres babioles. Bien entendu, je connaissais le pseudo de Caroline, et je tâchais de m'introduire dans la discussion chaque fois que je la trouvais sur le site. Peu à peu, j'ai pris soin de poster derrière elle, je suivais son idée, parfois j'ajoutais une nuance, je rectifiais pour la forme, mais en principe j'étais d'accord avec elle. C'était parfois ardu, surtout lorsqu'il était question, comme souvent, d'un livre ou d'un écrivain en particulier. Dans ces cas-là, je me limitais à des généralités, et j'essayais de m'en sortir au bluff. Après avoir fonctionné de cette façon quelques semaines, histoire que Caroline repère l'existence de SouthCoast-Lizzie et soit même un peu curieuse de la connaître, je lui ai envoyé un message personnel disant que je m'appelais Liz Hammond, et que j'appréciais beaucoup ses posts ; il me semblait qu'on avait des tas d'intérêts communs, est-ce que ça lui dirait qu'on s'écrive directement à nos adresses électroniques respectives ? Je n'étais même pas sûr qu'elle me répondrait. Mais elle l'a fait, et sa réponse m'a laissé baba.

Caroline et moi avons vécu ensemble quatorze ans. Et pendant ces années, je peux affirmer en toute honnêteté qu'elle ne m'a jamais, mais alors jamais écrit — ni parlé — avec l'affection qu'elle témoignait à « Liz Hammond » dès son premier mail. Je ne veux pas le citer —

encore que je l'aie retenu presque intégralement par cœur — mais, croyez-moi, vous n'en reviendriez pas de la chaleur, de l'amitié, de l'affection, oui, qu'elle mettait dans ces mots adressés à une étrangère, une parfaite inconnue qui n'existait même pas, bon Dieu de bon Dieu! Pourquoi ne m'avait-elle jamais écrit, jamais parlé, comme ça? J'étais tellement sous le choc, tellement... meurtri, aussi, que j'ai mis quelques jours à lui répondre. Quand j'ai fini par lui écrire, je dois avouer que j'avais un peu peur. Il était clair que j'allais découvrir une nouvelle facette d'elle si nous poursuivions cette correspondance, une facette à laquelle je n'avais jamais eu accès pendant notre mariage. Il faudrait que je m'y fasse. En tout état de cause, j'ai décidé de ne pas brusquer les choses. Si Caroline et cette Liz Hammond qui n'existait pas devenaient trop proches trop vite, tout allait se compliquer singulièrement à brève échéance. Je n'avais pas l'intention de devenir sa meilleure amie, ou quoi que ce soit de ce genre, je voulais simplement me tenir au courant des petits faits et gestes auxquels mon statut d'ex-mari ne m'aurait jamais donné accès. Et c'est à peu près ce qui s'est produit. J'ai appris à faire abstraction de la jalousie que j'éprouvais chaque fois qu'elle m'envoyait un message — de son point de vue, c'était moi l'étranger, moi qui avais été marié douze ans avec elle — pour m'intéresser exclusivement aux menues nouvelles obtenues par ce biais : Lucy avait commencé la clarinette, on découvrait qu'elle était bonne en géographie, etc. En retour, je dispensais quelques informations parcimonieuses sur mon personnage d'emprunt, tout en regrettant à moitié d'avoir mis le doigt dans cet engrenage. Plusieurs fois nous avons échangé des photos, et en retour de la sienne avec Lucy devant leur sapin (je l'ai encadrée, du reste, et posée sur la cheminée) je suis allé sur Internet prendre la photo de deux enfants appartenant à je ne sais qui, et je lui ai dit que c'étaient mon fils et ma fille. Elle n'avait aucune raison de ne pas me croire.

Dit comme ça, toute l'affaire paraît bien triste, hein? Mais soyons juste, je ne m'adonnais à cette correspondance que les jours où j'étais au bout du rouleau, et ce soir-là c'était le cas. N'avoir fait la connaissance de Poppy que pour perdre tout contact avec elle aussitôt, avoir troqué Sydney contre Watford, me rendre compte que je n'étais toujours pas plus proche de mon père qu'au départ, assister à la mort de ce pauvre vieux Charlie Hayward, il y avait de quoi me tournebouler et, avec le décalage horaire en prime, me faire couler à pic. J'avais besoin d'entrer en contact avec quelqu'un, et que ce quelqu'un soit Caroline; je ne pourrais pas accepter qu'elle m'expédie si je l'appelais pour lui demander des nouvelles.

D'ailleurs, je ne me suis pas étendu, dans ce courriel. Je m'y excusais simplement de mes trois semaines de silence, disant que mon disque dur avait crashé, et qu'on avait mis un temps fou à me le réparer. Je lui expliquais aussi que ma prétendue affaire de bijoux à Brighton commençait à battre de l'aile, les conséquences du relèvement des taux de crédit se faisant sentir. Là-dessus je me suis offert une brève incursion sur le site du *Daily Telegraph* pour jeter un coup d'œil aux dernières infos, et je lui ai demandé si elle pensait qu'il fallait prendre au sérieux les déclarations du gouvernement sur la suppression des bonus aux cadres de la banque. En tout et pour tout, trois ou quatre paragraphes, je n'étais pas en état d'en écrire plus long pour l'instant. J'ai terminé par la formule « Prends soin de toi, on reste en contact » en ajoutant un smiley.

Caroline a répondu une heure plus tard. Un de ses mails habituels : chaleureux, ouvert, plein de nouvelles, une touche d'humour par-ci par-là, des tas de questions vibrantes de sincérité sur le moral de Liz, si elle pensait pouvoir s'en sortir dans son affaire, etc. Quand je l'ai imprimé, il faisait à peu près deux pages. C'était le deuxième trimestre de Lucy dans son nouveau collège, et elle semblait bien s'acclimater. Son nouveau prof de sciences était « éminemment désirable », apparemment. Caroline parlait un peu d'elle dans le dernier paragraphe ; elle avait fini par trouver son rythme dans ce qu'elle écrivait ; elle avait intégré un bon groupe d'écriture qui se réunissait le mardi soir ; si elle avait décollé, c'est qu'elle avait exploité sa propre expérience — des épisodes de sa vie de couple, essentiellement — mais elle écrivait à la troisième personne pour donner au texte une forme de « distance objective ». Justement, elle venait de finir une nouvelle, est-ce que Liz voudrait la lire, et lui faire des remarques constructives ?

Ma supercherie me donnait un peu la nausée, je l'avoue. J'avais l'impression de fouiller dans le tiroir à lingerie de Caroline, ou dans son panier à linge sale. Mais une fascination morbide m'empêchait d'arrêter. J'étais intrigué qu'elle puisse éprouver des sentiments aussi chaleureux pour une personne imaginaire (Liz), et aussi tièdes pour une bien réelle (moi). D'un coup d'aile, ma mémoire a fait retour sur la lettre de l'oncle de Poppy, avec le passage où il racontait comment

Donald Crowhurst avait sombré dans la folie. Qu'est-ce qu'il écrivait dans ses carnets de bord ? Il avait commencé par tenter de trouver la racine carrée de moins un, et ça l'avait mené à des spéculations délirantes sur la transmutation des humains en « êtres cosmiques de la deuxième génération », entretenant les uns avec les autres des rapports affranchis du physique et du matériel. Bah, peut-être n'était-il pas fou, après tout. Ça se passerait autour de l'an 2000, selon ses prédictions, non ? C'était bien à peu près à ce moment-là que tout le monde s'était mis à fréquenter la toile. Cette invention qui permettait présentement à une femme comme Caroline d'entretenir sa relation la plus étroite avec quelqu'un qui n'était que le produit de mon imagination.

J'ai rangé son mail, je me suis frotté les yeux, j'ai secoué la tête vigoureusement. En voilà des pensées absurdes. Je n'avais pas envie de suivre Donald Crowhurst dans ce tunnel noir, très peu pour moi. J'allais descendre me faire une tasse de thé. Et mettre un terme à ce canular ridicule avant qu'il aille trop loin. Ce mail était mon dernier. Finis les subterfuges. Finis les faux-semblants.

N'empêche, j'étais curieux de la lire, cette nouvelle.

# IX

« Je sais ce que tu es en train de penser, a dit Trevor,
tu penses qu'on est potentiellement à la veille d'une
catastrophe économique, qu'on est au bord du
gouffre. »
Mais non, ce n'était pas du tout ce que j'étais en train
de penser. Je pensais : Quel plaisir de revoir Trevor. Je
pensais : Son énergie et son enthousiasme sont toujours
aussi communicatifs. Je pensais : C'est bien agréable
d'être assis à côté de Lindsay Ashworth, élément surprise
de notre trio, qu'il m'avait présentée comme une « collègue ». Je me disais aussi que je n'aurais jamais cru possible que qui que ce soit — pas même Trevor — puisse
discourir aussi longtemps et avec une telle animation
sur le sujet exclusif des brosses à dents, sujet dont il
n'avait pas dévié d'un iota depuis l'instant où nous nous
étions assis au bar de l'hôtel, une demi-heure plus tôt.
 « Certes, la situation économique nous préoccupe
tous, a-t-il poursuivi. Un peu partout, on voit la petite
entreprise aller dans le mur. Mais je dois dire que nous,
les Brosses à Dents Guest, on est bien placés. La capitali-
sation est bonne. Les liquidités sont bonnes. On est

confiants, on a les moyens de surmonter la récession. Je parle de confiance, pas de complaisance, attention. Je n'ai jamais parlé de complaisance. Confiants, discrètement confiants. N'est-ce pas, Lindsay?

— Tout à fait, a dit Lindsay, avec une pointe d'accent écossais maîtrisé. D'ailleurs, Max, Trevor a fait une démonstration très juste, aujourd'hui, lors de notre réunion de stratégie. Ça t'ennuie pas que je te paraphrase, Trevor?

— Paraphrase tant que tu veux.

— Bon, voilà sa remarque, qui est d'ailleurs formulée comme une question. Enfin, comme trois questions. On va droit vers une récession mondiale majeure, Max. Alors, vous permettez que je vous pose une question : est-ce que vous allez changer de voiture, cette année?

— Ça m'étonnerait, je me sers déjà très peu de la mienne, en ce moment.

— Soit. Et est-ce que vous avez l'intention d'emmener votre petite famille en vacances à l'étranger, cet été, Max?

— C'est-à-dire, euh, ma femme et ma fille... ne vivent plus avec moi. Je pense qu'elles vont prendre leurs vacances de leur côté.

— Message reçu. Mais est-ce que vous les emmèneriez à l'étranger si elles vivaient encore avec vous?

— Non, ça m'étonnerait.

— Exactement. Donc, compte tenu de nos problèmes économiques, vous n'allez pas changer de voiture, et vous n'allez pas partir en vacances à l'étranger cette année. Dites-moi, Max. » Elle s'est penchée vers moi, comme pour me porter l'estocade : « Est-ce que vous projetez de faire des économies sur votre brossage de dents ? »

J'ai dû reconnaître que je ne projetais nullement de moins me laver les dents. Je constituais donc la preuve par neuf de sa démonstration.

« Et voilà ! a-t-elle dit. Les gens se laveront toujours les dents, et ils auront toujours besoin de brosses. Telle est la beauté de l'humble brosse à dents : c'est un produit à l'épreuve de la récession.

— Mais, a repris Trevor, index levé, comme je viens de le dire, ça ne nous autorise pas à la complaisance. L'hygiène bucco-dentaire est un marché très disputé.

— Très disputé, a approuvé Lindsay.

— Disputé de haute lutte. Plein de très gros joueurs. Vous avez Oral-B, vous avez Colgate, vous avez Glaxo-SmithKline.

— Des grosses pointures, a dit Lindsay.

— Des pointures gigantesques, a souligné Trevor. Ce sont les Goliath de la brosse à dents.

— Très bien, l'image, Trevor.

— Elle est d'Alan, en fait.

— C'est qui, Alan ? j'ai demandé.

— Alan Guest, a expliqué Trevor. C'est le fondateur, le propriétaire et le P-DG des Brosses à Dents Guest. Toute l'affaire est son bébé. Il travaillait pour une des majors, mais au bout d'un temps il a décidé : "Maintenant ça suffit, il doit y avoir une alternative." Il ne voulait plus rien avoir à faire avec les géants ou leur modèle d'entreprise. Il voulait être David.

— David qui ? a demandé Lindsay.

— David, le petit qui s'est battu contre Goliath, a expliqué Trevor, légèrement agacé par cette interruption. Je connais pas son nom de famille. L'histoire ne le dit pas.

— Ah, d'accord, je te suis.

— Alan a compris qu'il ne pourrait pas défier les majors sur leur propre terrain. Il n'était pas plan, ce terrain-là. Alors il a décidé de faire bouger les lignes. Il avait une vision, il voyait l'avenir. Comme Lazare sur le chemin de Damas.

— Non, celui-là, il est ressuscité d'entre les morts, a dit Lindsay.

— Quoi?

— Lazare, il est ressuscité d'entre les morts. C'était pas lui, sur le chemin de Damas. Lazare, il n'y est jamais allé à Damas, que je sache.

— Tu es sûre de ça?

— Écoute, il y est peut-être allé, va savoir. Peut-être qu'il y faisait un saut de temps en temps. Il y avait sans doute des parents, quoi.

— Non, je te demande si tu es sûre que c'est pas Lazare qui a eu une vision.

— Sûre à quatre-vingt-dix pour cent, quatre-vingt-quinze, peut-être même.

— Bon, peu importe. Comme j'ai dit, Alan voyait l'erreur des majors, il a vu où était l'avenir, dans la brosse à dents verte.

— Verte? j'ai répété, ahuri.

— Pas verte de couleur, verte par rapport à l'environnement, Max. Nous parlons d'énergie durable, de matériaux renouvelables. Permets-moi de te poser une question : où crois-tu que les brosses à dents sont fabriquées?

— En Chine?

— Exact. Et en quoi sont-elles ?

— En plastique ?

— Toujours exact. Et les poils, en quoi sont-ils ? »

Je n'ai jamais su répondre à ces questions-là. « Je sais pas... un truc synthétique...

— Exact. En nylon, plus précisément. Alors qu'est-ce que tu en dis ? Moi, je dis que c'est une recette infaillible pour aller à la catastrophe écologique. Les dentistes recommandent de changer de brosse à dents tous les trois mois. Il en faut quatre par an. Ça veut dire qu'on en use environ trois cents au cours de sa vie. Pire encore, ça veut dire que dans le seul Royaume-Uni on en jette sans doute dans les deux cents millions par an. Ça ne gêne pas les grandes sociétés, naturellement, ça veut dire que les gens sont obligés d'en acheter des neuves. Mais c'est un raisonnement à l'ancienne, Max. On peut plus faire passer les ventes avant l'environnement, c'est fini. Pour le bien de l'humanité, il faut changer de rengaine. Le profit doit devenir deuxième violon. À quoi ça sert que l'orchestre joue pendant que le *Titanic* sombre ? Il faut que quelqu'un remette les transats en ordre. »

J'ai hoché la tête d'un air entendu, je m'appliquais à suivre.

« Bon, alors Alan savait qu'il n'était pas difficile de trouver des solutions. Il les avait sur le pas de sa porte, elles lui crevaient les yeux. Il savait qu'on était à un carrefour. Il y avait deux itinéraires possibles, mais ils allaient tous deux dans la même direction, et les panneaux étaient très clairs. » Trevor a plongé la main dans sa poche pour en tirer quelque chose. Je m'attendais à voir un stylo, mais c'était une brosse à dents. « Option un, brosse à manche en bois. Superbe, hein ? C'est un de nos modèles vedettes. Fait main par une société de Market Rasen, dans le Lincolnshire. En bois durable, bien sûr — du pin cent pour cent européen. On n'abîme pas la forêt pluviale. Et quand la brosse est usée, on la jette au feu, ou bien on la taille en copeaux pour en faire du compost. »

J'ai pris la brosse, je l'ai soupesée d'un air approbateur, et j'ai suivi du doigt ses courbes élégantes. C'était un bel objet, incontestablement.

« Et les poils, ils sont en quoi ? j'ai demandé.

— C'est du sanglier », a dit Trevor. Il a remarqué mon léger mouvement de recul. « Ta réaction est intéressante, Max, et pas du tout inhabituelle. Qu'est-ce qui te gêne, en fait ? C'est bien mieux que du nylon. C'est très bien pour l'environnement, de prendre des soies de sanglier.

— Sauf du point de vue du sanglier, a fait remarquer Lindsay.

— Je sais pas, j'ai dit, ça fait un peu drôle de se mettre des poils de porc dans la bouche quand on se lave les dents... ça paraît un peu... impur, non ?

— Tu n'es pas le seul à réagir comme ça, Max, a répondu Trevor. Et on peut pas demander aux gens de changer du jour au lendemain. On ne prêche que des convertis, il faut laisser du temps au temps. Tous les chemins mènent à Rome, mais Rome ne s'est pas bâtie en un jour. Alors, pour les plus conservateurs, on a... ceci. »

Il a dégainé une autre brosse à dents de la même poche. Elle était d'un rouge dilué, presque transparent. « Avec un bon vieux manche en plastique à l'ancienne et des poils de nylon. Mais... » Il a dévissé le haut de la brosse, et la tête s'est détachée net. « Entièrement détachable, tu vois ? Tu jettes la tête une fois qu'elle est usée, et le manche te dure une vie. Dégâts minimaux sur l'environnement.

— Et bénéfices minimaux », j'ai dit. Trevor a secoué la tête avec un rire de pitié. « Oui, mais voilà, Max, on raisonne pas comme ça, chez Guest. Ça, c'est un raisonnement à court terme. C'est pour ceux qui pensent à l'intérieur de la boîte. Nous, on est à l'extérieur de la boîte. On est même tellement à l'extérieur que la boîte est dans une autre pièce, on a oublié laquelle, et quand bien même on s'en souviendrait, il y a une éternité qu'on a rendu les clefs, si ça se trouve, les serrures ont été changées, de toute façon. Ça n'a aucune importance, tout ça, tu vois ?

— Oui, j'ai dit, j'entrevois...

— Nous ne sommes pas en train de dire que la rentabilité ne nous concerne pas, a glissé Lindsay, la rentabilité nous intéresse au premier chef. Il nous faut rester en pole position.

— Lindsay a raison. De fait, nous ne sommes pas les seuls en lice.

— Ah bon ?

— Tu comprends, quand on est comme Alan, qu'on a des idées authentiquement originales, il est inévitable que d'autres les aient aussi. Des brosses à dents à manche de bois, il y en a des tas sur le marché. Il y en a même des tas à tête détachable. Mais ça, par contre, c'est notre botte secrète. Des comme ça, personne n'en a. »

De sa poche, il a tiré une nouvelle brosse à dents, la plus insolite des trois. Certes, elle était en bois, mais la tête, qui paraissait détachable, comportait une brosse synthétique extraordinairement longue et fine, qui pivotait avec le mouvement du poignet. C'était un objet d'une esthétique admirable.

« Je vois que ça t'impressionne, a dit Trevor avec un sourire satisfait. Je te laisse à ta contemplation un instant. La même chose pour vous deux ? »

Trevor parti au bar, on aurait dit que Lindsay et moi avions décidé d'un accord tacite de ne plus parler de brosses à dents. Malheureusement, nous savions si peu de choses l'un de l'autre que trouver un sujet de rechange n'allait pas de soi. En temps normal, ce type de situation m'aurait mis mal à l'aise. Mais aujourd'hui, j'étais de trop belle humeur pour m'en soucier. Car, voyez-vous, ma tête bourdonnait de pensées liées à Poppy, qui m'avait appelé l'après-midi même. On m'avait déjà remplacé mon téléphone sans que j'aie besoin de changer de numéro, de sorte qu'elle avait pu m'appeler pour m'inviter à dîner : à dîner le vendredi soir, chez sa mère, rien que ça, où j'aurais l'occasion de rencontrer (entre autres personnes, sans doute) le fameux oncle Clive. Du coup, toute la journée, le monde m'avait paru meilleur, plus favorable, plus propice — ce qui explique que je me trouvais sourire à Lindsay avec une expression — espérais-je — d'authentique chaleur humaine. Elle pouvait avoir un peu moins de quarante ans, des cheveux platine coupés à la Louise Brooks. À présent qu'elle avait retiré sa veste de femme d'affaires, grise à fines rayures, son haut blanc sans manches mettait en valeur ses bras pâles et graciles. Je me demandais si Trevor lui avait parlé de moi, genre : un type bien, fiable, sociable, honnête.

« Trevor me dit que vous êtes en dépression nerveuse,

elle a commencé en liquidant le fond de son verre de gin-tonic.

— Ah, il vous l'a dit? Euh, oui, c'est vrai; je suis en congé maladie depuis des mois.

— C'est ce que j'avais compris. Je dois dire que ça m'a étonnée, vous ne me faites pas l'effet d'un type déprimé.»

C'était déjà une bonne nouvelle. «Je pense que le pire est derrière moi, j'ai dit. D'ailleurs, il faut que je retourne au boulot demain, pour voir le médecin du travail, ils veulent savoir si je reviens ou s'ils peuvent, euh, enfin, me remercier.»

Lindsay a sorti la tranche de citron de son verre et elle a mordu dedans. «Et alors?

— Et alors quoi?

— Vous allez y retourner?

— Je ne sais pas trop, j'ai dit en toute honnêteté, je n'y tiens pas tellement. J'ai plutôt envie de repartir de zéro, de faire quelque chose de complètement différent Le moment est plutôt mal choisi, je sais bien, hein? Vu l'état du marché du travail...

— On ne sait jamais, a dit Lindsay, il se peut qu'il vous tombe quelque chose du ciel.

— Je ne crois pas aux miracles.

— Moi non plus, n'empêche que les coups de chance, ça existe.» Elle a mordu dans la pulpe de l'autre moitié de la rondelle de citron et remis l'écorce dans son verre. «Trevor ne vous avait pas dit que je l'accompagnerais ce soir?

— Non, j'aurais sans doute dû me douter qu'il y avait anguille sous roche quand il m'a demandé qu'on se retrouve ici. Normalement, on va au pub.»

J'étais content qu'on ne soit pas allés au pub, je dois dire. C'était bien plus chic ici. Nous étions au bar du Park Inn Hotel, fauteuils profonds et moelleux, décor apaisant, pas foule, un filet de musique douce et jazzy à peine audible : un endroit sans caractère particulier, impersonnel au bon sens du mot, si vous voyez ce que je veux dire.

« Qu'est-ce qui vous fait penser qu'il y a anguille sous roche ? a dit Lindsay.

— Je ne sais pas, je me trompe peut-être, mais j'ai l'impression que tout ça veut déboucher sur quelque chose, sans que je sache quoi au juste. »

Lindsay s'est penchée vers moi, et elle a baissé la voix pour me susurrer : « Il ne tient sans doute qu'à vous que ça débouche sur quelque chose. »

Ses yeux ont croisé les miens, l'espace d'un instant lourd de sens. Je cherchais une repartie opportune quand son mobile a sonné. Elle a jeté un coup d'œil à l'écran : « Mon mari, elle a dit. Excusez-moi une minute, je vous prie. »

Elle s'est levée pour prendre l'appel à l'autre bout de la salle. Je l'ai entendue dire : « Salut, chéri, qu'est-ce que tu racontes de beau ? » et là-dessus, Trevor est arrivé avec nos verres.

« Une pinte de Carlsberg pour toi, vieille branche, m'a-t-il lancé. Ils la servent bien fraîche, je dois dire. À la tienne. » On a tous deux bu une longue gorgée, et puis il m'a demandé des nouvelles de mon voyage en Australie, dont on a parlé un instant. « Ça a l'air de t'avoir réussi, il a conclu, tu as bien meilleure mine que j'aurais cru. »

Je lui étais reconnaissant de dire ça, mais sans me

laisser le temps de le remercier il avait déjà changé de sujet.

« Alors, comment tu trouves Lindsay ?

— Elle a l'air tout à fait charmante.

— Elle est beaucoup mieux que ça. Elle est fantastique. C'est la meilleure de la maison. »

J'ai approuvé de la tête mais je me suis senti obligé de demander : « La meilleure quoi, au juste ?

— Je te l'ai pas dit ? C'est notre chargée des relations publiques. Elle est sous mes ordres en qualité de Directrice du Marketing et de la Stratégie, et c'est elle qui gère nos campagnes. Et sa dernière... » Trevor a posé son verre de lager ; il a regardé à droite et à gauche, pour le cas où il y aurait aux tables voisines des espions industriels inféodés à des sociétés rivales. « Sa dernière trouvaille, c'est un petit bijou. Un vrai travail d'artiste. Ça va nous faire grimper... tout là-haut. » Il a levé la main en direction du plafond, comme pour figurer une ascension vers la stratosphère.

« Excusez-moi, messieurs, a dit Lindsay en revenant, petit problème domestique. Ma moitié râle parce que je ne suis pas là pour lui préparer son dîner, je lui avais pourtant dit que je venais ici ce soir. Hélas, j'ai eu beau faire, il en est resté au stade de Cro-Magnon.

— J'étais en train de raconter à Max que tu viens de concevoir une campagne en or massif pour l'IP 009.

— L'IP 009 ? » j'ai demandé.

Trevor a pris la brosse à dents sur la table. « Ce magnifique spécimen, il a roucoulé, en la regardant tendrement. Le numéro 9 de notre gamme interdentaire, la star incontestée du catalogue Guest. »

Le design du manche et la texture du bois me rappe-

laient la première brosse qu'il m'avait montrée, mais il s'agissait de toute évidence d'un modèle supérieur. « Elle est fabriquée au même endroit ? j'ai demandé.
— En fait, non. On les importe de Suisse. Malheureusement, il n'y a pas un seul fabricant capable de faire ça, en Angleterre, à l'heure actuelle. Ils arriveraient sans doute à fabriquer le manche, mais ça », il désignait la tête rotative, « c'est le coup de génie. On peut y fixer trois brosses différentes ; une pour le brossage ordinaire, l'autre pour l'hygiène interdentaire quotidienne, et celle-ci, dont nous pouvons affirmer qu'elle est la brossette interdentaire la plus longue sur le marché britannique actuel, celle qui va le plus loin. Quinze millimètres, mélange nylon-polyester souple mais solide, produite par des artisans suisses d'une habileté incroyable de sorte qu'elle pivote sur trois axes quel que soit l'angle envisagé. Cette brosse-là, elle va partout dans la bouche, absolument partout, et sans qu'on ait à se contorsionner et à grimacer devant la glace. Elle peut même aller chercher la plaque dans la crevasse gingivale entre les deuxième et troisième molaires supérieures. Et ça, n'importe quel spécialiste te dira que c'est le Graal de l'hygiène bucco-dentaire. On est immensément fiers de ce produit, et c'est pour ça qu'on va le lancer le mois prochain, en grande pompe, au Salon de la British Dental Trade Association. C'est pour cette occasion que Lindsay a trouvé un fabuleux slogan, qui résume non seulement le produit mais toute la philosophie des Brosses à Dents Guest, dans une formule simple, élégante, et pertinente. Lindsay ? » Il lui a jeté un coup d'œil plein d'attente, en secouant la tête pour l'encourager. « Vas-y, dis-lui. »
Lindsay a eu un sourire modeste. « Ça n'est rien d'ex-

traordinaire, en fait. Il n'y a que Trevor qui ait l'air emballé. Bon, alors voilà. » Elle a fermé les yeux et pris une inspiration : « *Nous allons jusqu'au bout.* »

Il y a eu un bref silence, pour permettre à la formule de faire son chemin. On est restés là, assis, à la savourer, comme un bon vin qui diffuserait tout à loisir ses secrets sur nos papilles.

« C'est très bon, j'ai fini par dire. J'aime ça. Ça ne manque pas de... je ne sais pas au juste...

— *Je ne sais quoi,* a suggéré Trevor en français.

— Oui, c'est ça.

— C'est pas fini, a repris Trevor. Tu n'en sais pas la moitié. Lindsay cache bien son jeu. Allez, Lindsay, raconte-lui la campagne. Dis-lui ton coup de maître.

— OK. »

Lindsay a plongé la main dans son sac, et elle en a sorti un notebook blanc, incroyablement compact et brillant. Il lui a suffi d'effleurer la barre d'espacement pour que, quelques secondes plus tard, il s'éveille à la vie dans un miroitement — elle était sur la première page d'une présentation PowerPoint. Apparemment, il s'agissait d'une carte des îles Britanniques.

« Ce qu'il faut que vous compreniez, Max, c'est qu'on a déjà un produit formidable, là, et qu'on a un slogan puissant. Dans un environnement économique à peine moins tendu, ça suffirait, d'ordinaire. Mais vu la conjoncture, il va falloir faire un effort supplémentaire. C'est mon boulot, sur le fond ; c'est ça, le job d'un responsable des relations publiques. Il faut se saisir du conditionnement, qui est parfois aussi terne qu'une vieille boîte en fer-blanc, et il faut l'habiller, lui mettre des paillettes, il faut le rendre attractif.

143

— Trouver un gimmick, quoi.

— Hmm... » Lindsay semblait dubitative. « Le mot ne m'emballe pas.

— Moi non plus, a dit Trevor.

— Ce que je cherchais, a repris Lindsay, c'est une façon de nous emparer de la formule "Nous allons jusqu'au bout" et d'en maximiser le potentiel. D'en tirer tout le parti possible. Il faut voir les choses en face, l'hygiène bucco-dentaire, c'est pas très vendeur. Nous, on a une brosse à dents bluffante, une brosse à dents révolutionnaire, mais pour amener les gens à la voir du même œil que nous, c'est pas gagné. Pour le grand public, une brosse à dents, c'est une brosse à dents, point barre. C'est un objet utile, certes, mais quand même, les objets, ça ne les passionne pas. Si on veut vendre, il faut mettre en scène. Il faut produire un récit. Qui plus est, si on veut vendre un objet qui représente le top de sa catégorie, il faut une histoire qui soit le top du récit. C'est bien le moins. Or à votre avis, Max, le top du récit, qu'est-ce que c'est ? »

Je ne m'attendais pas à ça. « Un homme et une femme, chabada ? j'ai tenté.

— Pas mal, c'est sans aucun doute une des meilleures intrigues. Mais tâchez de trouver quelque chose d'un peu plus archétypal. Pensez à l'*Odyssée,* pensez au Roi Arthur et au Graal, pensez au *Seigneur des Anneaux.* »

Là, j'étais coincé. L'*Odyssée* et *Le Seigneur des Anneaux,* je ne les avais pas lus. Le Roi Arthur et le Graal, ça me faisait penser aux Monty Python.

« La quête, a soufflé Lindsay quand il lui est apparu que je séchais. Le voyage, le voyage de découverte. » Elle a désigné l'écran de son ordinateur portable en poin-

144

tant successivement le doigt sur quatre croix rouges aux quatre points cardinaux. « Vous savez ce que c'est, Max ? Ce sont les lieux habités les plus extrêmes au Royaume-Uni. Les établissements humains les plus loin au nord, au sud, à l'est et à l'ouest. Tenez, regardez, voilà Unst, dans les Shetlands, au nord de l'Écosse. Voilà St Agnes, l'une des îles Scilly, au large de la Cornouaille. Manger Beg, dans le comté de Fermanagh, en Irlande du Nord, et enfin Lowestoft, à la pointe est du Suffolk, en Angleterre. Nos recherches nous ont permis d'établir qu'aucun de nos concurrents, aucune des grandes sociétés, n'a réussi à s'implanter sur ces sites. Sur certains, oui, mais pas sur les quatre. Mais si on y parvenait, nous ? Si on était en mesure de revendiquer, au salon du mois prochain, que nous sommes la seule société qui vende ses produits dans ces quatre sites ? Vous voyez ce que ça nous habiliterait à dire ? »

Trevor et Lindsay me regardaient, penchés en avant dans leurs fauteuils, le souffle suspendu à ma réponse. Mon regard passait de l'un à l'autre, leur bouche formait le premier mot, le début du slogan qu'ils voulaient m'entendre prononcer ; on aurait dit un « n ».

« N... n... nous ? » j'ai tenté, sur le mode interrogatif, puis les voyant hocher la tête vigoureusement, j'ai pris confiance en moi et j'ai pu achever la formule : « *Nous allons jusqu'au bout !* »

Trevor s'est carré dans son fauteuil en tendant les mains devant lui ; un sourire d'extrême fierté illuminait son visage charnu et bonhomme. « Simple, non ? Mais beau dans sa simplicité. L'IP 009 va jusqu'au bout, et la société aussi. Produit et distributeur travaillent en parfaite synergie. »

Il a entrepris de m'en dire davantage sur la campagne qu'ils avaient en tête. Une équipe de quatre vendeurs partirait chacun dans sa voiture le même lundi à midi, des bureaux de la société à Reading. Chacun emporterait un carton d'échantillons et une caméra vidéo numérique, pour pouvoir tenir un journal de voyage. Ils partiraient aux quatre points cardinaux, chacun visant le site le plus extrême du Royaume-Uni. Un prix récompenserait le premier rentré aux bureaux après avoir atteint sa destination (encore qu'à cet égard c'était joué d'avance puisque Lowestoft était beaucoup plus proche que les trois autres sites) mais surtout, on souhaitait qu'ils prennent leur temps, dans des limites raisonnables. En effet, cinq nuits d'hôtel leur seraient allouées, le but du jeu étant de rapporter les vidéos les plus intéressantes possible : quand l'équipe serait rentrée au complet, on monterait les reportages avant le salon, de sorte qu'un film de vingt minutes passerait en boucle sur un écran, au stand des Brosses à Dents Guest.

« Ça a l'air génial ! j'ai approuvé.

— Ça va l'être, a répondu Trevor. Les gens en auront le souffle coupé. Tu imagines, l'impact du film ? Une avancée révolutionnaire dans le design du produit, associée à des prises de vues époustouflantes de la campagne britannique dans ce qu'elle a de plus sauvage, de plus reculé. J'en bande d'avance. Seulement le hic, c'est qu'il nous reste un problème... il nous manque un gars. »

Il m'a regardé, et j'ai fini par percuter.

« Les Brosses à Dents Guest, m'a expliqué Lindsay, sont une petite structure. C'est comme ça qu'Alan l'a rêvée, et il ne veut pas grossir. On n'est que dix, et l'équipe de vente se réduit à une seule personne.

— Il s'agit de David Webster, a complété Trevor, il est excellent, top niveau, et c'est lui qui va partir en Irlande du Nord.

— Et pour les autres sites ?

— Deux d'entre nous vont aller au charbon. Moi, je descends dans les îles Scilly, et notre chef comptable va partir pour Lowestoft deux jours. Seulement, pour les Shetlands, il va nous falloir engager quelqu'un pendant une semaine. Quelqu'un qui ait l'expérience de la vente, ça va de soi, et quelqu'un qui ne soit pas en activité en ce moment. Et c'est pour ça, Max, mon vieux pote... » Il a posé affectueusement la main sur mon genou. «... c'est pour ça que j'ai tout de suite pensé à toi. »

Mon regard est passé de Trevor à Lindsay pour revenir sur Trevor. Il me faisait des yeux de cocker en manque de promenade. Ceux de Lindsay, bleu cobalt, étaient braqués sur moi avec plus d'insistance : derrière leur transparence impassible, je détectais autre chose, de plus aigu, de plus urgent, comme une soif, un appel désespéré à ma collaboration. Sans que je puisse démêler les mobiles complexes de cette expression, j'y trouvais quelque chose de dangereusement impérieux.

« Ma voiture n'est pas très fiable », j'ai dit.

Trevor s'est mis à rire, d'un rire détendu, comme soulagé que ce soit la seule objection. « Nous louons quatre voitures tout spécialement pour l'événement. Quatre Toyota Prius noires identiques. Tu en as déjà conduit une ? »

J'ai fait « non » de la tête.

« C'est des voitures superbes, Max, superbes. Un plaisir à conduire.

— La Toyota Prius, a ajouté Lindsay plus sérieusement, est en cohérence parfaite avec la philosophie que nous nous efforçons de promouvoir chez Guest. C'est un véhicule hybride, ce qui veut dire qu'il roule à la fois à l'essence sans plomb et à l'électricité, les deux sources d'énergie étant synchronisées par l'ordinateur de bord pour maximiser l'efficacité. C'est une voiture aérodynamique, compacte, moderne, résolument innovante. Et merveilleusement respectueuse de l'environnement, bien sûr.

— Exactement comme nos brosses à dents, a dit Trevor. On pourrait même dire que la Toyota Prius est une forme de... brosse à dents sur roues, tu ne penses pas, Lindsay ? »

Lindsay y a réfléchi. « Non, elle a dit en secouant la tête.

— Non, non, tu as raison, allez, on efface. » Il a posé la main sur mon genou, de nouveau. « Alors, Max, qu'est-ce que tu en dis ?

— Je sais pas, Trev... il y a un moment que j'ai pas pris la route. Vous pensiez faire ça quand ?

— Le coup d'envoi c'est lundi en huit. Et on te paierait mille livres, ce qui, quand on réfléchit au prorata, est quand même foutrement généreux. Tu travailles pas au magasin, en ce moment, si ?

— Non, plus depuis des mois.

— Eh bien alors ! Qu'est-ce qui te retient ? »

Qu'est-ce qui me retenait, en effet ? J'ai fait valoir à Trevor et Lindsay que la nuit portait conseil, mais à dire le vrai, je n'avais pas tellement besoin de conseil. Du reste, encore sous l'effet du décalage horaire, je ne dormais pas beaucoup la nuit. Cette nuit-là, les yeux grands ouverts dans mon lit, je pensais à Poppy, et au fait que j'allais la revoir dans deux jours ; mais je me suis surpris à penser aussi aux yeux bleu vif et aux bras graciles de Lindsay Ashworth. Et puis je me suis mis à penser à diverses choses sans lien, comme sa description de la Toyota Prius, compacte, moderne et résolument innovante, en me demandant pourquoi cette formule me semblait curieusement familière. Je n'ai pas tellement réfléchi à la proposition elle-même, par contre, parce que ma décision était prise. Le lendemain matin, dans un Starbucks, j'ai appelé Trevor depuis mon portable et je lui ai dit que je marchais. L'euphorie et le soulagement qui passaient dans sa voix m'ont fait plaisir à entendre. Et moi-même, je n'ai pu réprimer un petit frisson d'excitation à l'idée que, deux semaines plus tard, je serais sur le ferry pour les Shetlands.

# X

Le vendredi avait commencé dans un élan d'euphorie et d'optimisme rare ; il s'est achevé sur un cruel camouflet.

J'avais rendez-vous avec le médecin du travail à 10 h 30. J'ai pris le train de 8 h 19 à Watford Junction, et je suis arrivé en gare de Euston à 8 h 49, avec sept minutes de retard. J'avais choisi ce train parce que Trevor venait à Londres, lui aussi, et qu'il m'avait proposé qu'on prenne le petit déjeuner ensemble.

Nous nous sommes retrouvés dans un Caffè Nero de Wigmore Street. J'ai pris un panini œufs au bacon-champignons. Quand je l'ai commandé, le type du comptoir, qui était italien, m'a fait remarquer que « panini » était un pluriel, et que si je n'en voulais qu'un, alors il fallait dire « panino ». Il avait l'air d'y tenir, mais comme il me paraissait un peu dérangé, j'ai laissé glisser.

Pendant que nous mangions nos paninis, Trevor m'a appris une nouvelle intéressante et non sans incidence directe sur mon rendez-vous avec le médecin du travail.

Il se passait des choses chez Guest. David Webster, leur seul VRP à plein temps, allait prochainement donner sa démission, ayant été approché par un chasseur de têtes pour le compte de GlaxoSmithKline. Guest devrait donc bientôt passer une offre d'emploi pour le remplacer ; pourvu que je sache tirer mon épingle du jeu lors de mon voyage aux Shetlands, Trevor ne voyait pas pourquoi le poste ne me reviendrait pas de plein droit. Si j'ai bien compris, la décision finale leur reviendrait, à lui et à Alan Guest : que je fasse bonne impression sur Alan, et l'affaire était dans le sac.

De mieux en mieux, vraiment.

J'ai ruminé ces nouvelles sur les quelques centaines de mètres me séparant du magasin qui, six mois plus tôt encore, était mon lieu de travail. Le soleil avait fini par faire son apparition, et il ne semblait pas trop chimérique de croire le printemps au coin de la rue. Je me sentais marcher d'un pas plus léger, que je n'associais pas à nos latitudes. Non pas que j'appréhendais particulièrement de voir le médecin du travail, une dame avenante et policée, qui ne m'avait jamais traité autrement qu'avec sympathie et gentillesse. Nous nous étions rencontrés trois fois auparavant, la première vers la mi-août de l'année précédente. Quelques semaines plus tôt, Caroline était partie en emmenant Lucy. La chose couvait depuis longtemps, sans doute, mais quand même : le choc, la certitude abominable que ce que je redoutais le plus au monde s'était effectivement produit... enfin, ça m'a fichu à plat, mais alors complètement, avant qu'il soit longtemps. Je me suis battu une ou deux semaines, et puis un matin, au réveil, quand j'ai voulu me lever pour aller travailler, mon corps a tout bonnement refusé de bouger. J'éprouvais l'impression que je vous ai déjà décrite, comme dans ce film d'horreur que j'avais vu enfant, où un homme était prisonnier d'une pièce dont le plafond descendait inexorablement sur lui. Je suis resté toute la journée au lit, n'en sortant qu'à sept heures du soir, si je me rappelle bien, chassé par la fringale et un besoin pressant. Après quoi j'ai passé le plus gros de la semaine chez moi, essentiellement au lit, parfois avachi devant la télé, impossible de me traîner au magasin avant le vendredi après-midi, où ma chef m'a convoqué dans son bureau, et m'a illico envoyé voir Helen, le médecin du travail, pour la première fois. Peu après, j'ai consulté mon médecin traitant, et au début de l'automne, je prenais toutes sortes de pilules sans amélioration notoire. Ma vie ne rimait plus à rien, l'avenir était bouché. C'était certes le départ de Caroline et Lucy qui avait déclenché la crise, mais elle avait atteint un stade où tout, absolument tout, me déprimait. L'économie mondiale semblait au bord de l'effondrement, et s'il fallait en croire les manchettes apocalyptiques des journaux, les banques étaient à la veille de la faillite ; nous serions bientôt tous ruinés et ce serait la fin de la civilisation occidentale telle que nous la connaissions. Vrai ou pas, et qu'y faire, je n'en avais pas la moindre idée. Comme tous les gens que je connaissais, j'avais une lourde hypothèque, des crédits à la consommation considérables, et pas un sou de côté. Est-ce que c'était bien, est-ce que c'était mal, personne ne semblait en mesure de me le dire. Alors je restais vissé devant les journaux télévisés, sans rien y comprendre, sinon le climat d'anxiété et de désespoir que tout le monde semblait s'accorder à faire régner. À ce train-là, j'ai rapidement sombré dans une angoisse diffuse qui ne s'accordait que trop à mon inertie générale. Helen, le médecin du travail, m'a envoyé chez un psychiatre ; au bout de deux heures d'entretien, son diagnostic est tombé : j'étais dépressif. Je l'ai remercié pour cet avis, il a envoyé la note de ses honoraires au magasin, et je suis rentré chez moi. Des semaines ont passé, puis des mois. Je ne m'en sortais toujours pas, jusqu'au moment où, en ouvrant mes courriels, j'ai trouvé celui d'Expedia pour me rappeler mon départ en Australie, dans quelques semaines seulement — moi qui ne savais même pas que je partais ! Comme je l'ai dit, Caroline m'avait réservé ce billet à la veille de son départ. Dans l'état où je me trouvais, il faut avouer que la perspective de m'envoler pour l'Australie ne me souriait guère. Mais Helen était convaincue que ça me ferait du bien, et elle m'a encouragé à partir. Je suis donc allé à Sydney, j'ai vu mon père, et vous connaissez la suite. Du moins savez-vous ce que j'ai bien voulu vous dire.

Mon entretien avec Helen a duré vingt minutes. Elle m'a rappelé que j'arrivais au terme des six mois de congé maladie à plein traitement, et elle m'a demandé ce que je comptais faire, et si j'étais prêt à reprendre mon poste. Je lui ai répondu que je ne voulais pas reprendre, sans rien lui dire de la nouvelle vie que j'envisageais comme VRP en brosses à dents car je jugeais plus prudent de garder la chose pour moi, en somme. Helen a eu l'air sincèrement navrée que je ne souhaite pas revenir au magasin. Ma chef le lui avait confié — et par écrit, encore —, j'étais de l'avis général un responsable du service après-vente de toute première classe ; ce serait une grosse perte pour la société. Je lui ai répondu que ma décision était prise, et qu'elle était irrévocable. Nous nous sommes serré la main ; elle a promis de mettre en route toute la paperasse nécessaire ; nous nous sommes dit au revoir.

J'avais bien pensé passer à mon ancien rayon, au quatrième étage, dire au revoir à mes ex-collègues, mais j'y ai renoncé, il risquait d'y avoir trop de moments de gêne, trop d'explications empêtrées. Mieux valait la rupture chirurgicale. Je suis descendu au rez-de-chaussée par l'escalator, et je suis sorti par l'une des grandes portes, au lieu de prendre celle du personnel. À dire le vrai, j'avais hâte d'être dehors.

La mère de Poppy habitait un quartier riche, celui qui a pour code postal SW7. J'avais tout l'après-midi devant moi, j'ai donc pris mon temps, et j'ai passé une heure ou deux à me balader dans ces rues d'un chic insolent et d'une opulence exorbitante. L'alignement des façades grandioses, hautaines et imperturbables dans ces rues géorgiennes disait clairement qu'il faudrait des années, des décennies, avant que la récession s'y fasse sentir. Ces gens s'étaient entourés d'un rempart de fric, qui n'était pas près de s'écrouler.

À quelques centaines de mètres de là, dans High Street Kensington, où j'ai passé le plus clair de l'après-midi, ce n'était plus la même aisance. J'ai compté une demi-douzaine de boutiques affichant leur fermeture définitive par des vitrines condamnées. Celles qui restaient faisaient le plus souvent partie de grandes chaînes nationales et internationales. Il fallait croire que les gens ne voulaient plus acheter de chaussures ni d'articles de papeterie, alors qu'ils manifestaient un appétit insatiable pour les téléphones mobiles et dépensaient allègrement 3,50 livres pour boire un café. Moi aussi, du reste : je suis entré dans un Starbucks pour commander un *tall mocha* au peppermint, avec, en guise de déjeuner tardif, un panini tomate-mozzarella. Le type qui m'a servi était un Asiatique, il ne m'a pas corrigé quand j'ai commandé ce panini. Tout en le mangeant et en buvant mon café, j'ai repensé à la décision que je venais de prendre. Avais-je fait une bêtise ? Les temps étaient incertains. Trevor m'assurait que les Brosses à Dents Guest avaient les reins solides, mais on voyait tous les jours la petite entreprise aller dans le mur. Mon grand magasin, au contraire, était une véritable institution, qui jouissait d'une fidèle clientèle, d'un nom reconnu partout dans le pays. Et moi je lâchais cette proie-là pour l'ombre d'une offre de poste permanent dans une société dont je savais trois fois rien. Mais j'avais confiance en Trevor. Et puis le salaire évoqué était supérieur à celui que je touchais actuellement. Difficile de prendre la bonne décision : trop d'inconnues.

Incapable de résoudre ces difficultés, je me suis mis à penser au voyage que j'allais faire dans un peu plus d'une semaine. Le détaillant auquel je rendrais visite était un pharmacien du village de Norwick, à la pointe septentrionale de Unst. Trevor avait déjà pris contact avec l'officine, on m'attendait. Si j'avais bien compris, leur faire acheter quelques-uns de nos produits ne serait guère qu'une formalité. Les jalons avaient été posés au téléphone, la négociation serait de pure forme. Trevor m'avait dit que ma tâche consisterait surtout à me détendre, à profiter du voyage, et à produire un journal vidéo aussi passionnant que possible. Le ferry quotidien quittait Aberdeen pour les Shetlands à cinq heures de l'après-midi, ce qui me laissait toutes sortes de possibilités. Si je voulais en avoir fini au plus vite, je n'aurais qu'à prévoir une seule étape et coucher le lundi soir entre Reading et Aberdeen. Un point de chute s'imposait : le comté de Cumbria. Je tenais là le prétexte rêvé pour aller voir Caroline, et peut-être même emmener Lucy dîner au restaurant (je doutais fort que Caroline veuille se joindre à nous). Il fallait d'ailleurs que je songe à acheter quelque chose à ma fille, quelque chose de joli, à lui apporter...

À propos d'apporter quelque chose, il ne fallait pas que j'oublie mes hôtes du soir. En quittant le Starbucks, je suis entré dans une boutique qui vendait des tablettes de chocolat à un prix prohibitif — des tablettes profilées, avec un conditionnement minimaliste, comme si les designers d'Apple s'étaient lancés dans la confiserie. J'en ai acheté une pour Poppy — fine plaque de chocolat au lait, subtilement veinée par la rencontre de deux essences, une claire, une foncée ; et puis j'ai décidé d'en prendre une de la même gamme pour sa mère. Je suis sorti de la boutique ravi de mes emplettes. C'est seulement plus tard, en retournant dans le SW7, que je me suis senti un peu bête. Je venais d'échanger vingt-cinq livres contre deux tablettes de chocolat. Est-ce que j'étais en train de perdre toute notion de la valeur des choses, comme les autres ?

« En tout cas, a dit Clive, l'une des choses dont nous sommes en train de prendre conscience, tous tant que nous sommes, c'est qu'un objet donné, une maison, mettons, ou », avec un coup d'œil dans ma direction,

« une brosse à dents, n'a finalement aucune valeur en soi ! Sa valeur n'est que l'amalgame des diverses estimations de divers membres de la société à un moment précis. On est dans l'abstraction, l'immatériel. Et pourtant, ces entités absolument vides qu'on appelle les prix sont la base même de la société. C'est toute une civilisation qui est bâtie sur... sur du vent, en somme. Du vent, et rien d'autre. »

Il y a eu une courte pause.

« Pas très original, comme remarque, a dit Richard, en prenant une autre olive.

— Bien sûr que non, a répondu Clive, je n'ai rien prétendu de tel. Sauf que jusqu'à maintenant la plupart des gens n'avaient jamais vraiment pris la mesure des choses. Ils vaquaient à leurs occupations au fil des jours en partant du principe confortable qu'il y avait du solide et du réel derrière toutes nos actions. Or ce présupposé est devenu caduc. Et à mesure que le constat fait son chemin, toute notre vision des choses est remise en question. » Il a décoché un sourire de défi à Richard. « Certes, je comprends bien que dans votre domaine ça n'est pas un scoop. Ça fait des années que vous savez ce que les autres parviennent tout juste à mettre au jour. Par-dessus le marché, vous avez tiré un joli parti de cette avance, je dirais. »

Richard était dans la banque d'investissement, si j'avais bien compris. J'avais suivi d'une oreille distraite les explications. Il m'avait déplu d'instinct, sitôt présenté, et j'imaginais que l'antipathie devait être réciproque. On l'avait invité parce qu'il était le compagnon de Jocaste, la plus ancienne amie de fac de Poppy. Elle avait l'air tout à fait sympathique, cette Jocaste, mais il

157

était clair qu'elle se proposait de monopoliser Poppy tout le dîner. Nous avions des cartons à nos noms, et le plan de table avait été établi selon des critères générationnels : moi, j'étais coincé en bout de table, avec les anciens — la mère de Poppy, qui s'appelait Charlotte, son oncle Clive et Richard ; ce type désagréable, qui était mon voisin, avait Jocaste en face de lui ; Poppy se trouvait à l'autre bout de la table, nous aurions difficilement pu être plus loin l'un de l'autre. J'avais Clive en face de moi, et je reconnais qu'il était aussi cordial et avenant qu'elle me l'avait décrit. Sa mère, je la trouvais impénétrable. Elle correspondait sans doute à ce que les vrais écrivains appellent une « belle femme », peut-être avait-elle même été une beauté dix ou quinze ans plus tôt. Il ne ressortait pas de sa conversation qu'elle travaillait, mais plutôt qu'elle avait du bien à titre personnel, cependant il était difficile d'en savoir davantage parce qu'elle parlait peu d'elle, préférant me mitrailler de questions sur les circonstances dans lesquelles j'avais rencontré sa fille, et (de façon oblique) sur mes intentions à son sujet. L'avoir pour voisine n'était pas une partie de plaisir. J'ai remarqué qu'elle buvait verre sur verre de rouge avant même les hors-d'œuvre, et j'étais tenté de faire comme elle : cette soirée s'annonçait moins distrayante que prévu.

« J'appelle ça un coup bas, Clive, a dit Jocaste en se cabrant à son dernier commentaire, on ne frappe pas un homme à terre.

— Un homme à terre ?

— Richard a perdu son emploi il y a deux semaines, lui a expliqué Poppy. Personne ne te l'a dit ?

— Ah bon ? Non, désolé, je ne savais pas.

— On m'a botté le train sans cérémonie, j'ai eu droit au carton avec mes affaires, et tout et tout. Enfin, ça n'était pas une surprise, je le voyais venir depuis des semaines. D'ailleurs, j'étais un des derniers à partir, dans mon service.

— Et vous étiez dans quel service ? a demandé Charlotte.

— À la recherche.

— Ah bon ? C'est curieux, pour une banque, d'avoir un service de recherche.

— Du tout. Cette banque-là possède même l'un des plus importants du genre.

— Mais qui sont les chercheurs qui y travaillent ? Des diplômés en économie, je présume ?

— Non, en général, non. Il y a pas mal de chercheurs en mathématiques pures, vous trouvez aussi des physiciens, plutôt du côté de la recherche fondamentale. Et puis un certain nombre d'ingénieurs, comme moi. Il faut au moins une thèse pour être pris. »

J'ai tenté vaillamment de mettre mon grain de sel dans la conversation, m'efforçant de comprendre à quoi un service de physiciens et d'ingénieurs pouvait servir dans une banque.

« Mais alors, qu'est-ce qu'on vous demandait au juste ? Vous conceviez des distributeurs de billets, c'est ça ? »

Jocaste a éclaté d'un rire débridé à ces mots. Richard s'est contenté de me répondre : « Mais non, mais non », avec le sourire le plus condescendant qui soit. J'ai dûment accusé le coup, mais Clive est venu à ma rescousse en bon petit soldat.

« Eh bien, qu'est-ce que vous faisiez, alors ? Vous

savez, nous ne sommes pas tous des spécialistes de la banque. »

Richard a bu une gorgée de vin et, pendant un instant, on a eu l'impression qu'il délibérait pour savoir si la question méritait réponse. Enfin, il a dit : « Nous étions payés pour concevoir de nouveaux instruments financiers. Des instruments financiers ultra-complexes et élaborés. Vous avez entendu parler de Crispin Lambert ?

— Bien sûr », a répondu Clive. (Je n'aurais pas pu en dire autant.) « Sir Crispin, je crois qu'il a été anobli, depuis sa retraite. Je viens de lire un article, pas plus tard qu'hier, où son opinion était citée.

— Ah ? Et qu'est-ce qu'il disait ?

— Euh, si j'ai bonne mémoire, il disait que le bon temps était de toute évidence révolu, mais que ce n'était la faute de personne, en fait — surtout pas la sienne ni celle de ses pareils —, et qu'il allait bien falloir qu'on s'habitue tous à se serrer la ceinture ; l'écran plasma, les vacances à Ibiza, il fallait oublier pour cette année. Il me semble qu'il était interviewé dans le living d'une de ses nombreuses résidences secondaires.

— Ironisez tant que vous voudrez, mais tous ceux qui connaissent quelque chose à l'histoire de la banque d'investissement chez nous savent que Crispin était un génie.

— Je n'en doute pas, a répondu Clive, mais n'est-ce pas des génies dans son genre qui nous ont fourrés dans le pétrin où nous sommes ?

— Quels sont vos liens avec lui, Richard ? a demandé Charlotte.

— Notre banque a racheté sa société de bourse dans

les années quatre-vingt, et depuis son influence se manifeste sur tout ce qu'on a fait, à des degrés divers. Bien sûr, il était parti depuis quelque temps quand je suis entré, mais c'était encore une figure légendaire. C'est lui qui a fondé le service de la recherche. Il l'a monté à partir de rien.

— Et ces instruments financiers que vous fabriquiez, a dit Clive, ils forment la base de la plupart de nos hypothèques et investissements, c'est ça?

— En très gros, oui.

— Et est-ce que de simples mortels comme nous y comprendraient quelque chose si vous nous expliquiez?

— Sans doute pas.

— Eh bien, essayez quand même.

— Ça n'a aucun intérêt. Il s'agit d'un domaine hyperspécialisé. Ça ne vous avancerait à rien, je veux dire, si je vous racontais qu'une obligation complexe est une obligation combinant les caractéristiques d'un instrument de dette et d'un instrument de capital, qui porte l'intérêt au taux le plus bas entre le taux d'inflation indexé et l'écart entre les taux d'intérêt fixes pour une durée donnée afférent à des créances faisant l'objet d'un échange.»

Il y a eu un silence ébahi autour de la table. Richard s'est accordé un mince sourire de triomphe. « Et voilà. Ces dispositifs, mieux vaut les laisser aux gens qui les comprennent.

— Parmi lesquels ceux qui vendent ces produits?

— Les commerciaux? Hmm, ils étaient censés y comprendre quelque chose, évidemment, mais je soupçonne que c'était rarement le cas. Enfin bon, ça n'a jamais vraiment été notre problème.

161

— Ça n'était peut-être pas votre problème, j'ai dit, mais il ne faut pas être grand clerc pour se douter que vous couriez à la catastrophe. Comment voulez-vous qu'un commercial vende un produit qui lui échappe ? Et il ne suffit pas qu'il le comprenne, son produit, encore faut-il qu'il y croie. »

Il s'est fait un silence passablement surpris quand j'ai dit ça. Et pour le rompre, ou peut-être pour justifier mon intervention, Poppy a expliqué : « Max a beaucoup travaillé dans la vente, par le passé.

— Dans le secteur financier ? a demandé Jocaste.

— C'est curieux, a enchaîné Richard, je croyais vous avoir entendu dire à Clive que vous étiez dans la brosse à dents.

— Non, pas dans le secteur financier », j'ai avoué — j'aurais voulu être à des années-lumière de cette table. « Je... je vendais des produits de loisir pour enfants. Et maintenant, oui, je... je suis en train d'évoluer vers la brosse à dents, c'est exact. » Jocaste réprimait son fou rire à grand-peine ; Richard n'a rien dit, mais un tel dédain se lisait au coin de ses lèvres que j'ai dû ajouter : « Ça me passionne, figurez-vous. Ça ne va peut-être pas me rapporter trois cents K par an et des bonus de cinq cent mille livres, mais moi, au moins, je vends un produit de qualité. Sacrément bien conçu, fabriqué avec soin et non pas à la chaîne, dans une perspective de développement durable... » j'ai achevé dans un souffle, intimidé par les regards braqués sur moi. « Après tout, j'ai conclu un peu piteusement, on a tous besoin de brosses à dents, hein ? »

Clive s'est levé pour desservir. « Tout à fait, il a dit. On pourrait même soutenir qu'on en a davantage besoin que d'obligations complexes. »

Après qu'il a quitté la pièce, Charlotte a demandé à Richard : « Et alors, vous cherchez autre chose, en ce moment?

— Non, pas dans l'immédiat. Il faut d'abord que je me récupère. On a de quoi voir venir un ou deux ans, et au pire, on pourra toujours vendre la Porsche. »

Jocaste lui a jeté un regard aigu, comme s'il venait de suggérer tranquillement qu'elle se prostitue. Poppy s'est mise à rire : « Mais vous ne la prenez jamais, de toute façon. Elle n'a pas bougé de devant chez vous depuis trois mois.

— On a peur de se faire souffler notre place de stationnement », a sifflé Jocaste, sans la moindre trace d'autodérision. Elle s'est levée pour aller aux toilettes.

Là-dessus, Richard m'a ouvertement tourné le dos pour entamer une longue conversation animée avec Poppy. À vrai dire, d'après ce que j'en entendais, il flirtait sans vergogne avec elle. J'avais remarqué que lui et Jocaste ne semblaient pas avoir grand-chose à se dire ; il n'était pas exclu que cette perte d'emploi et de statut mette leur relation à rude épreuve. Mais quel charme Poppy pouvait-elle bien trouver à ce rustre autosatisfait? Je tendais désespérément l'oreille, mais entre Clive qui essayait d'engager la conversation sur Donald Crowhurst (« Poppy me dit que son histoire vous a enflammé l'imagination? ») et Madame Mère qui babillait sur une amie qui venait d'acheter un cottage dans les Shetlands, je n'attrapais pas grand-chose. Pendant l'heure et demie qui a suivi, Poppy et moi n'avons pas eu l'occasion d'échanger un seul mot. Enfin, j'ai regardé ma montre, et je me suis aperçu que je ferais bien de partir si je voulais attraper le 23 h 34 pour Watford. Ce n'était pas le dernier, mais je n'avais pas envie de rentrer chez moi au milieu de la nuit, et puis, pourquoi se le cacher, la soirée n'était pas à marquer d'une pierre blanche.

« Accompagnez-moi à côté un instant, a dit Clive. J'ai des choses à vous donner, avant que vous partiez. »

Nous sommes passés dans la pièce à côté, un genre de salon-bureau. Charlotte occupait le troisième étage d'une demeure qui donnait sur un square privé, feuillu et serein. Nous étions peut-être dans une ancienne chambre ; il me semblait que l'appartement était grand pour une femme seule.

« Tenez, je vous ai apporté le livre, m'a dit fièrement Clive. Et le DVD. »

Il m'a tendu un vieil exemplaire relié du livre de Ron Hall et Nicholas Tomalin, *L'Étrange Voyage de Donald Crowhurst*. Avec le DVD *Deep Water*, long documentaire que l'on venait de tourner sur le sujet.

« Ça va vous plaire, m'a-t-il promis. Plus on en apprend, plus l'histoire fascine.

— Merci. Dites-moi comment je peux vous les rendre. Par l'intermédiaire de Poppy, peut-être ?

— Ou sans intermédiaire, si vous préférez. » Il m'a tendu sa carte, qui donnait son adresse professionnelle à Lincoln's Inn Fields. Je ne savais même pas qu'il était avocat. « Envoyez-moi donc un mail, par exemple, racontez-moi ce que vous pensez du film.

— Oui, j'ai dit pour la forme. Je n'y manquerai pas. »

Il a hésité ; il était clair qu'il allait ajouter quelque chose de plus personnel.

« Poppy m'a dit que... » il a commencé, en ménageant

un silence pendant lequel je me suis demandé ce qu'elle avait pu lui dire de moi au juste. Peut-être lui avait-elle confié qu'elle me trouvait follement attirant, mais avait du mal à le reconnaître, à cause de la différence d'âge ? « Poppy m'a dit que vous étiez en congé pour dépression. — Ah, c'est ça. » Curieux comme ce détail semblait me poursuivre. « Oui, mais je crois... je crois que je suis tiré d'affaire à présent.

— Tant mieux, je m'en réjouis, m'a dit Clive avec un sourire plein de gentillesse. Mais tout de même, vous savez, ça prend du temps, ces choses-là. Et je pensais à votre voyage dans les Shetlands...

— C'est sans doute tout à fait ce qu'il me faut. Ça va me sortir de moi-même.

— Sans doute. Mais vous serez bien seul, là-haut. Loin de tous les gens que vous connaissez.

— Non, ça ira très bien. J'ai même hâte d'y être.

— Tant mieux, j'en suis ravi. » Il m'a donné une petite tape dans le dos en disant, de manière assez inattendue : « Prenez soin de vous, Max. » Mais ce qui m'intéressait bien davantage, c'est que Poppy venait d'apparaître à côté de lui, et qu'elle avait enfilé son manteau.

« Je me disais que j'allais vous raccompagner à la gare, m'a-t-elle annoncé. On n'a pas trop eu l'occasion de se parler, hein ? »

Nous nous sommes dirigés côte à côte vers la station South Kensington ; je rayonnais de bonheur. Elle avait pris la peine de me tenir compagnie. Nous marchions si près l'un de l'autre que nous étions tout le temps sur le point de nous tamponner : tout semblait obéir à une logique parfaite. J'avais l'impression que tout ce qui m'était arrivé depuis que je l'avais rencontrée ne menait

165

qu'à un instant crucial, lourd de sens, et désormais imminent. Encore quelques pas et nous passerions sous l'arcade marquant l'entrée du métro ; alors, il serait temps ; temps de faire ce que j'avais espéré faire toute la soirée.

« Bon, m'a dit Poppy allègrement quand nous sommes arrivés. Ça m'a fait plaisir de vous voir, Max. Je pars demain pour Tokyo, si je trouve un vol, bien sûr ; mais... bonne chance dans votre virée aux Shetlands, si je ne vous revois pas avant. Et merci pour le chocolat. »

Elle s'est dressée en me tendant la joue. J'ai pris ses deux joues dans mes mains, j'ai levé son visage vers moi avec décision, et je l'ai embrassée sur la bouche. Le baiser a duré une ou deux secondes, peut-être, et j'ai senti ses lèvres se raidir et se dérober. Elle a reculé violemment.

« Hmm... pardon ? a-t-elle dit en s'essuyant la bouche. Qu'est-ce qui vous a pris, au juste ? »

À ce moment-là, j'ai remarqué que les passants nous regardaient avec une curiosité amusée. Ou plus exactement qu'ils me regardaient, moi. Tout à coup, je me suis senti très bête, et très vieux.

« Ça n'était pas... ce que vous attendiez ? »

Sur le moment, elle n'a pas répondu ; elle a reculé de quelques pas, et m'a jeté un regard incrédule. « Il vaut mieux que je m'en aille, je crois, a-t-elle dit.

— Poppy... j'ai commencé, mais je ne trouvais pas mes mots.

— Écoutez, Max. » Elle s'est rapprochée un peu ; c'était déjà quelque chose. « Vous ne comprenez donc pas ?

— Comprendre ? Comprendre quoi ?

— La raison de ce soir, le but du jeu ? »

J'ai froncé les sourcils : qu'est-ce qu'elle racontait ?

« Max... » Elle a poussé un petit soupir de découragement. « Vous avez vingt ans de plus que moi. Comment voulez-vous qu'on... forme un couple, vous et moi ? Vous avez l'âge d'être... »

Elle a laissé sa phrase en suspens, mais il n'était pas difficile de la compléter, même pour un benêt dans mon genre.

« D'accord, je vois, je comprends. Bonne nuit, Poppy. Merci de m'avoir accompagné à la gare.

— Je suis désolée, Max.

— Il n'y a pas de quoi. Ne vous en faites pas, je comprends, à présent. C'était gentil, comme idée. Et votre mère est une femme tout à fait séduisante. Charmante, même. C'est juste que... elle n'est pas mon genre, malheureusement. »

Elle a peut-être tenté de me répondre, je ne sais pas. J'ai tourné les talons et sans regarder derrière moi j'ai descendu l'escalier qui mène au portillon. J'avais les joues en feu, des larmes d'humiliation me piquaient les yeux. Je les ai essuyées du revers de ma manche de veste, en fouillant dans ma poche pour trouver ma carte de transport.

On pourrait croire que j'avais touché le fond. Et pourtant, non. Sous le coup d'une bizarre pulsion masochiste, j'ai relevé mes courriels au nom de Liz Hammond, et j'ai vu que Caroline m'avait envoyé un message accompagné de la pièce jointe demandée, la dernière nouvelle qu'elle avait écrite. Ça s'appelait *La Fosse aux orties*.

Je vous jure que quand j'ai vu ce titre mon cœur s'est arrêté de battre quelques secondes. Elle ne pouvait pas avoir fait ça, quand même ? Elle n'avait pas raconté cet épisode-là ?

Le temps que la nouvelle sorte de l'imprimante, je suis allé me verser un verre. Il n'y avait pas grand-chose à boire, chez moi ; j'ai dû me contenter d'une vodka. J'avais les mains qui tremblaient. Pourquoi m'imposer encore cette épreuve après les circonstances abominables dans lesquelles nous nous étions quittés, Poppy et moi ? Ne me suffisait-il pas que cette soirée sur laquelle j'avais placé (à tort) tant d'espoirs se soit terminée en catastrophe ?

Rien à faire ; incapable de résister à la curiosité morbide, je suis allé m'installer au salon en traînant les pieds, vodka dans une main, feuillets imprimés dans l'autre — une dizaine de feuillets A4. Je me suis laissé tomber sur le canapé Ikea couleur chocolat, j'ai lancé un regard torve au sous-verre de Caroline, Lucy et leur sapin, qui me considérait, narquois, sur la cheminée, et puis j'ai commencé à lire. Commencé à lire sa version — écrite à la troisième personne pour lui donner de la « distance objective », s'il vous plaît — de ce qui s'était passé lors de nos vacances familiales en Irlande, cinq ans plus tôt.

# LA TERRE

## La fosse aux orties

« La triche, c'est une notion intéressante, tu ne trouves pas ? dit Chris.

— Comment ça ? » demanda Max.

Caroline, adossée à l'évier de la cuisine, observait les deux hommes qui parlaient. Jusque dans cet échange en apparence anodin, elle avait le sentiment de détecter un monde de différences entre eux. Chris, brillant causeur, savait capter l'attention : il n'y avait pas de sujet trop mineur pour qu'il ne l'aborde en le questionnant sous un angle insolite, déterminé à débusquer la vérité et convaincu d'y parvenir. Max était nerveux, peu sûr de lui — même en cet instant, en conversation avec l'homme qui était (du moins le répétait-il à qui voulait l'entendre, et à lui-même) son plus vieil ami, son ami le plus proche. Elle se demanda, et ce n'était pas la première fois des vacances, pourquoi au juste l'affection entre ces deux hommes avait perduré si longtemps.

« Ce que je veux dire, c'est que quand on arrive à l'âge adulte il n'est plus tellement question de triche, si ?

— Tromper sa femme, c'est tricher, dit Max avec une pointe de mélancolie, peut-être.

— C'est l'exception flagrante, concéda Chris. Mais sinon, on a l'impression que cette notion de triche disparaît, mettons, aux abords de l'adolescence. Prends le foot, par exemple ; on dit que les joueurs se font des coups pourris mais pas qu'ils trichent. Les athlètes se dopent, mais quand on en parle aux infos, le présentateur ne dit pas qu'Untel a été pris à tricher. Et pourtant, pour les petits, c'est une notion primordiale.

— Écoute, je suis désolé... commença Max.

— Non, je ne dis pas ça pour tout à l'heure, dit Chris. N'en parlons plus, ça n'est pas une affaire d'État. »

Un peu plus tôt dans l'après-midi, Lucy, la fille de Max, s'était disputée avec Sara, la benjamine de Chris — une dispute sanglante —, parce qu'il y aurait eu tricherie pendant la partie de croquet. Les filles jouaient sur l'immense pelouse, devant la maison, et leurs hurlements — récriminations de l'une, dénégations de l'autre — avaient retenti dans toute la ferme, si bien que les membres des deux familles étaient accourus. Depuis, les petites ne se parlaient plus. En ce moment encore, elles s'étaient installées aux deux bouts de la propriété, l'une sourcils froncés sur sa console Nintendo, l'autre zappant devant la télévision irlandaise pour tâcher de trouver une émission acceptable.

Chris poursuivit : « Lucy commence à s'intéresser à l'argent ?

— Pas vraiment. On lui donne une livre par semaine, et elle la met dans une tirelire.

— Oui, mais elle ne vous demande jamais d'où vient l'argent, au départ, comment marchent les banques, des trucs comme ça ?

— Elle n'a que sept ans, dit Max.

— Hmm. Eh bien, Joe, ça commence à l'intriguer, tout ça. Aujourd'hui, il m'a demandé de lui faire un cours accéléré en économie. »

Ben voyons ! pensa Max. À huit ans et demi, Joe manifestait déjà la joyeuse voracité d'apprendre qui caractérisait son père, tandis que Lucy, qui n'avait qu'un an de moins, se contentait apparemment de vivre dans un monde à elle, presque exclusivement peuplé d'êtres imaginaires : un monde de poupées, de lutins, de chatons et de hamsters, de doudous, un monde de magie rose, en somme. Il essayait de ne pas s'en inquiéter et de ne pas lui en tenir rigueur.

« Alors je lui ai un peu parlé de la banque, de la finance, les bases, quoi. Je lui ai expliqué que de nos jours, quand on dit que quelqu'un est banquier, ça ne signifie pas qu'il passe ses journées assis derrière un bureau à encaisser des chèques pour ses clients. Qu'un vrai banquier n'est jamais en contact avec l'argent. Je lui ai expliqué que les trois quarts de l'argent mondial n'existent plus sous forme matérielle, de toute façon, pas même sous celle de petits bouts de papier porteurs de garanties. Alors il m'a demandé : "Mais finalement, qu'est-ce qu'il fait, le banquier, papa ?" Je lui ai donc expliqué que la banque moderne est basée sur la physique. C'est de là que vient le concept de levier financier. Cliquets, indexations, etc., on rencontre tout le temps ces termes-là dans la terminologie de la banque, aujourd'hui. Bon, enfin, je ne t'apprends rien. »

Max hocha la tête, même si, en fait, il n'y entendait rien. Caroline, qui connaissait bien (trop bien) son mari, depuis toutes ces années, vit son hochement de tête, et y reconnut le bluff. Le petit sourire confidentiel qu'elle adressa au carrelage était nuancé de tristesse.

« Je lui ai expliqué que le principe de la banque moderne, c'est d'emprunter de l'argent, un argent qui ne vous appartient pas, et de trouver un investissement qui rapporte davantage que les intérêts payés au prêteur. Quand je lui ai dit ça, il a réfléchi un moment, et puis il m'a fait cette réflexion très intéressante : "Mais alors les banquiers, en fait, c'est des gens qui gagnent plein d'argent en trichant." »

Max sourit, approbateur : « Pas mal, comme définition.

— N'est-ce pas ? Parce que ça porte un point de vue moral sur les choses. Un point de vue d'enfant. Ce que fait la communauté des banquiers, c'est pas illégal — du moins en général — mais ça nous reste en travers de la gorge, et voilà pourquoi. Derrière la tête, nous conservons des règles implicites sur ce qui est correct et ce qui ne l'est pas. Or ce que font les banquiers ne l'est pas. C'est ça que les enfants appellent la triche. »

Le soir, tard, une fois Caroline et lui couchés sous les combles, au moment de s'endormir, Max pensait encore à cette conversation.

« Ça m'étonne que Chris ait donné dans le cliché "vérité qui sort de la bouche des enfants". C'est un peu niais, pour lui, je trouve.

— Peut-être », dit Caroline sans se compromettre.

Il attendait qu'elle en dise davantage, mais seul le silence s'était installé entre eux, à l'intérieur du silence plus vaste et quasi magique qui planait sur tout le littoral. Il tendait l'oreille et n'entendait que le bruit des vagues qui se brisaient régulièrement sur l'estran, à moins d'un kilomètre.

« Ils sont proches, hein ? tenta-t-il.

— Qui donc ? murmura Caroline, à travers le brouillard du sommeil qui avançait sur elle.

— Chris et Joe. Ils passent beaucoup de temps ensemble.

— Hmm. Bah, comme les pères et les fils, sans doute. »

Elle se retourna lentement sur le dos. Ça voulait dire qu'elle était sur le point de s'endormir, et que la conversation s'arrêtait là, il le savait. Il tendit le bras et lui prit la main. S'accrochant à cette main, il contempla les nuages errants par la lucarne, jusqu'à ce que la respiration de Caroline se fasse plus lente et plus régulière. Quand elle fut profondément endormie, il la lâcha doucement et lui tourna le dos. Ils n'avaient pas fait l'amour depuis la conception de Lucy, huit ans plus tôt

Quand ils se préparèrent pour leur promenade, le lendemain matin, les cieux étaient gris, et la marée basse, dans l'estuaire.

Les deux femmes resteraient préparer le déjeuner. Arborant intentionnellement un tablier en plastique comme emblème de sa corvéabilité domestique, Caroline sortit sur la pelouse pour dire au revoir, mais avant qu'ils s'ébranlent à travers champs pour rejoindre le sentier qui descendait au bord de l'eau, Lucy prit ses parents à part.

« Venez voir », leur dit-elle.

S'emparant de la main de Max, elle l'entraîna de l'autre côté de la pelouse, jusqu'à la haie qui bordait le domaine. Il y poussait un jeune if qui tendait sa branche unique et noueuse au-dessus de la pelouse. Une corde à nœuds y était suspendue avec au-dessous une fosse profonde, envahie d'un épais bouquet d'orties urticantes.

« Ouh, dit Max, c'est méchant, ça.

— Si tu tombes dedans, demanda Lucy, il faut t'emmener à l'hôpital ?

— Sans doute pas, répondit Max, mais ça doit faire rudement mal. »

Caroline déclara : « Ça n'est vraiment pas l'endroit idéal pour accrocher une corde. Vous feriez sûrement mieux de ne pas vous y suspendre.

— Mais c'est à ça qu'on joue, justement », dit une voix de gamin hors d'haleine, dans leur dos.

Ils se retournèrent ; Joe venait de les rejoindre en courant, son père sur les talons.

« Qu'est-ce que c'est que ce jeu ? s'enquit Caroline.

— C'est un jeu d'audace, expliqua Lucy. On se pend à la corde, les autres vous poussent, et il faut se balancer d'un bord à l'autre dans les dix fois.

— Je vois, dit Chris, compréhensif et résigné. À tous les coups c'est une idée à toi, Joe.

— C'est vrai, mais tout le monde veut le faire, affirma son fils.

— Eh bien, je trouve que c'est une mauvaise inspiration.

— Qu'est-ce que vous feriez, demanda Caroline, si l'un d'entre vous tombait là-dedans ? Il serait cruellement piqué, il aurait des brûlures sur tout le corps.

— C'est le but du jeu ! s'exclama Joe sur le ton triomphal de celui qui souligne l'évidence.

— Il y a plein de feuilles d'oseille, dit Lucy, alors si on tombe, on peut s'en mettre pour se calmer.

— En quatre mots, répondit Caroline, c'est non, non, non et non. »

Joe poussa un soupir résigné et tourna les talons. Il n'était pas enclin à ruminer les déconvenues de l'existence, et son esprit curieux ne restait pas longtemps au repos. Comme ils se dirigeaient vers le sentier de l'estuaire, Caroline l'entendit demander à son père pourquoi les feuilles d'oseille poussaient toujours à proximité des orties qui piquent, et elle entendit son père répondre, comme toujours, par une explication concise et pertinente. Elle suivit des yeux leurs silhouettes qui s'éloignaient, rejointes par les deux sœurs de Joe. Père et fils si semblables dans l'allure et la dégaine, malgré les années qui les séparaient, et les petites, enthousiastes, toujours prêtes à se joindre à eux : les trois enfants se rassemblaient autour de leur père, unis de manière indissoluble par les liens du sang, l'affection mutuelle et, par-dessus tout, l'estime inébranlée qu'ils lui portaient. Et puis elle regarda Max et Lucy les suivre sur le sentier, main dans la main, certes, et pourtant à l'écart l'un de l'autre — une force inconnue les tenant à distance —, à l'écart d'une façon qu'elle reconnaissait par expérience. Pendant un instant, elle vit le singulier paradoxe de leur proximité dans la séparation comme l'image même de sa relation avec Max. Elle en éprouva un pincement de cœur indéfinissable.

Elle les entendait parler en s'éloignant.

« Au fait, pourquoi les feuilles d'oseille poussent toujours à côté des orties qui piquent ? demandait Lucy.

— Eh bien vois-tu, répondait Max, la nature est très intelligente... »

Réussit-il à lui en dire plus long? Elle ne le sut jamais, la brise de mer emportait leurs paroles.

Mais comment fait-il? se surprenait à penser Max lors de cette promenade. Comment fait-il pour savoir tant de choses, bon Dieu! Encore, s'il s'était limité à son domaine universitaire. Mais non. De fait, il savait tout. Pas d'une manière agressive, pour marquer des points sur autrui. Simplement, depuis quarante-trois ans qu'il vivait, il était attentif au monde qui l'entourait, il avait absorbé et retenu les informations. Mais lui, Max, pourquoi n'y arrivait-il pas? Pourquoi ne mémorisait-il pas les données de base de la physique, des sciences naturelles, de la géographie? Comment pouvait-il exister depuis si longtemps dans cet univers physique sans avoir rien appris de ses lois et de ses principes? Ça en devenait gênant. Force lui était de constater qu'il traversait la vie comme un rêve, un rêve dont il allait s'éveiller un de ces jours (d'ici une trentaine d'années, mettons) pour constater que son passage terrestre touchait à sa fin, alors même qu'il n'avait pas la moindre prise dessus.

S'arrachant à ces réflexions lugubres, il leva les yeux : Lucy venait de s'échapper, elle courait rattraper Chris et ses trois enfants. Plaisamment de guingois, Ballycarbery Castle dressait sa façade couverte de lierre devant eux, et la petite courait vers le coude de la rivière, que la marée basse permettait de franchir à certaines heures. Chris était en train d'expliquer à Joe et à ses deux filles le phénomène des marées et de l'attraction lunaire, sujet — parmi tant d'autres — que Max n'avait jamais maîtrisé ni de près ni de loin. Il écoutait d'une oreille distraite; mais, intimidé tout à coup, il ramassa une pierre plate qu'il envoya faire des ricochets sur l'eau. Elle coula après deux rebonds. En faisant demi-tour pour rattraper les autres, il constata que Chris venait de rassembler les quatre enfants autour de lui pour observer un point où le lit de la rivière à nu permettait une vision en coupe du sol. Même Lucy paraissait attentive.

« Alors quand vous avez un gros morceau de terre découvert de cette façon, disait-il, ce qu'il y a de fameux, c'est qu'il vous raconte toutes sortes de choses sur l'histoire de l'endroit. Est-ce qu'il y en a un qui se souvient comment on appelle ces couches successives ?

— Des horizons, répondit Joe avec empressement.

— C'est ça. On les appelle des horizons de sol. Alors, en principe, la couche supérieure s'appelle l'horizon O; mais ici, elle appartiendrait plutôt à l'horizon T, parce que cette partie de la campagne est très aqueuse. Et pourquoi "T"? C'est la première lettre de quelque chose qu'on trouve beaucoup, en Irlande.

— La tourbe?

— Exact, la tourbe! Donc nous trouvons la couche végétale et le sous-sol. Remarquez que les horizons s'éclaircissent en profondeur. Mais malgré tout, ici, le sous-sol est très foncé. C'est parce que l'Irlande a un climat très pluvieux, et que la pluie n'a pas son pareil pour transformer la roche en sol, et pour y répartir les nutriments. En même temps, le sol est très sableux, ici, parce que nous sommes à l'embouchure de l'estuaire.

— C'est quoi, papa, un estuaire?

— Un estuaire, c'est une zone côtière où l'eau douce des rivières et des fleuves rencontre l'eau salée de l'océan. Par conséquent, les estuaires sont à la frontière entre le système marin et le système terrestre. Ils tendent le plus souvent à avoir un sol très riche, parce que saturé de plantes et d'animaux en décomposition. Regardez le sous-sol ici, par exemple... »

Ah, c'est impressionnant, il faut l'avouer, songeait Max. Mais enfin, il est normal que Chris s'y connaisse en sols : il enseigne la géologie en fac depuis vingt ans, il est maintenant professeur des universités... Max se demandait si sa fille s'en rendait compte. Sans doute pas. Déjà, elle le regardait pleine d'adoration, avec des petites étoiles dans les yeux, tels ses propres enfants.

Bientôt, Chris, ses filles et Joe se remirent en route, babillant avec bonheur et s'acheminant vers les trois marches grossièrement taillées dans la pierre du mur d'enceinte pour passer sur le chemin de ronde puis sur le sentier herbu menant au château lui-même. Pendant ce temps, Lucy s'attardait, indécise. Elle reprit la main de son père, et le regarda dans les yeux. Il était difficile de savoir si elle avait compris les détails de ce petit cours, mais elle avait incontestablement saisi quelque chose : les liens de foi et d'admiration qui attachaient les enfants de Chris à leur père ; elle avait compris la joyeuse révérence avec laquelle ils l'écoutaient. Elle avait compris tout ça, et Max savait qu'elle était en train de se demander pourquoi il n'y avait pas les mêmes liens entre elle et son père. Ou plutôt, elle les recherchait à l'aveuglette, pleine d'un lointain espoir. Elle aurait voulu qu'on lui parle de cette façon-là. Elle aurait voulu que son père lui explique le monde, avec la même assurance, la même autorité qui auréolait chaque mot de Chris à ses enfants. Et tandis qu'ils se mettaient en branle à leur tour, elle regardait autour d'elle, et Max devinait qu'elle embrassait le monde avec une curiosité nouvelle ; il devinait qu'elle aurait bientôt ses propres questions à lui poser, et qu'il n'était pas envisageable de sécher.

Cela se produisit plus tôt qu'il ne l'avait prévu.

« Papa, commença-t-elle assez innocemment.

— Hmm ? dit Max, tendu comme le gardien de but au moment du penalty.

— Papa, pourquoi elle est verte, l'herbe ? »

Il se mit à rire, comme si c'était la question la plus facile, la plus inoffensive du monde ; il ouvrit la bouche pour laisser la réponse tomber presque négligemment et c'est alors qu'il s'arrêta, n'ayant pas la moindre idée de ce qu'il fallait répondre.

Pourquoi elle est verte, l'herbe ? Enfin, quelle question ! Elle est verte et puis voilà. Tout le monde le sait. Ça tombe sous le sens, ces choses-là. Est-ce qu'on lui avait expliqué, à lui, pourquoi elle était verte ? À moins qu'on l'ait dit à l'école ? À quel cours, sciences nat, géo ? C'était loin, tout ça. Chris, bien sûr qu'il le savait. Il était allé dans une école chic, lui ; il saurait sûrement que c'était à cause de... d'un chromotrucmuche, un mot comme ça ? Ça voulait pas dire couleur, chromo, en grec — ou en latin, peut-être ? Les chromosomes, ça tiendrait aux chromosomes ? Ou alors à ce truc que le soleil fait aux plantes, là, la photo... photo... photosynthèse. C'était ça qui faisait verdir les choses ?

Il baissa les yeux vers Lucy, qui levait les siens vers lui, avec patience, avec confiance. Elle lui parut toute petite, en cet instant, plus enfant encore que ses sept ans.

Rien à faire. Le silence serait la pire des réponses. Il allait bien falloir trouver quelque chose.

« Eh bien voilà, dit-il. Toutes les nuits, les fées sortent

179

avec leurs petits pinceaux et leurs pots de peinture verte... »

Bon Dieu ! Il y avait des fois où il se détestait.

Le déjeuner était prêt depuis un moment. Caroline et Miranda se détendaient assises à la table de la cuisine, une bouteille de vin rouge entre elles, qu'elles avaient déjà vidée à moitié.

« Tu vois, disait Caroline, ce qui ne va pas chez Max... »

Mais c'était bien le problème : qu'est-ce qui n'allait pas chez Max, au fait ? L'aurait-elle su, fallait-il le confier à cette femme, l'épouse du meilleur ami de son mari, une femme qu'elle connaissait à peine ? (Même si elle la connaissait de mieux en mieux, et l'appréciait de plus en plus au fil de ces vacances.) Ne serait-ce pas une forme de trahison en soi ?

Elle soupira, renonçant comme toujours à mettre le doigt sur son malaise. « Je ne sais pas, il n'a pas l'air très heureux, c'est tout. Il y a quelque chose dans sa vie, quelque chose en lui... qui ne lui plaît pas.

— Il n'est pas bavard, reconnut Miranda, mais je supposais qu'il avait toujours été comme ça.

— Il n'a jamais été bavard, confirma Caroline, mais ces temps-ci ça empire. Il y a des jours où je n'arrive pas à lui tirer un mot. Je veux bien croire qu'il parle toute la journée au travail... » Puis, changeant de cap : « Je me demande ce que Chris et lui ont en commun. Ils sont tellement différents, et pourtant leur amitié remonte si loin...

— Mais ça, ça compte beaucoup justement, non ? Ils partagent une histoire, et tout et tout. » Miranda sentait qu'un poids oppressait Caroline, une appréhension. « Il y a des tas de couples qui traversent des périodes difficiles, dit-elle. Et puis Lucy paraît très proche de son père.

— Tu crois ? dit Caroline en secouant la tête. Ils voudraient bien être proches. Seulement ils ne savent pas s'y prendre. C'est lui qui ne sait pas s'y prendre. » Voulant finir son verre et le trouvant vide, elle ajouta : « Ce que Lucy voudrait vraiment, c'est un petit frère, ou une petite sœur. Ton Joe, il a l'air au septième ciel avec ses deux sœurs, la petite et la grande, pour jouer avec lui. C'est génial de les voir tous les trois ensemble. Ça devrait toujours ressembler à ça, les familles.

— Mais il n'est pas trop tard, si ? »

Caroline sourit. « Je n'ai pas passé l'âge, si c'est ce que tu veux dire. Pourtant il est peut-être trop tard dans un autre sens. » Elle prit la bouteille, les servit toutes deux, et s'envoya une bonne rasade. « Ah là là, avec des si... C'est le mot le plus douloureux de notre langue. » Où les aurait menées cette conversation, jusqu'où Caroline aurait risqué la confidence, elles n'en sauraient jamais rien. À ce moment-là, la porte de derrière s'ouvrit brusquement. Du jardin leur parvinrent des voix d'enfants et d'adultes en détresse, et Chris fit irruption dans la cuisine d'un pas décidé, hors d'haleine, le visage soucieux.

« Vite, réclama-t-il, la trousse à pharmacie. »

Miranda se leva d'un bond.

« Qu'est-ce qui se passe, qui s'est fait mal ?

— C'est Joe, surtout. Lucy un peu, aussi. Du bicarbonate, c'est ça qu'il nous faut. On en a, du bicarbonate ?

— Mais qu'est-ce qui s'est passé, à la fin ? »

Sans attendre la réponse, Caroline se rua dehors, sur la pelouse, où l'attendait une scène de chaos. Joe était allongé sur l'herbe, immobile ; elle crut d'abord qu'il avait perdu connaissance. Max était à genoux auprès de lui, une main tendrement posée sur son front. Lucy courut à la rencontre de sa mère et se jeta à son cou, la serrant farouchement de ses petits bras nus, marbrés de taches rouges en feu, comme elle ne put s'empêcher de le remarquer.

« Qu'est-ce que tu t'es fait, ma chérie, qu'est-ce qui s'est passé ?

— On a joué aux orties, lui dit l'enfant entre ses sanglots. Tu sais, le jeu d'audace. On rentrait du château et on s'est mis à y jouer, c'est papa qui poussait Joe, sur la corde. Il se balançait très fort, et puis il est tombé ; il a atterri en plein milieu de la fosse. Alors moi je suis descendue dedans pour l'aider à sortir.

— Tu as été courageuse !

— Ça fait très très mal.

— Je m'en doute. Ne t'inquiète pas. Chris et Miranda vont arriver d'une seconde à l'autre, ils sont en train de chercher ce qu'il faut pour mettre dessus.

— Et Joe ? Il était en short, tu comprends, alors ses jambes... »

Caroline se retourna pour considérer la silhouette de Joe, étendu de tout son long sur la pelouse, et celle de son mari, à ses côtés. D'ici quelques secondes, le père et la mère seraient auprès de leur fils, ils le soigneraient, ils le prendraient en charge. Mais dans les années à venir, ce qui resterait dans la mémoire de Caroline, ce ne serait pas les minutes de confusion et d'affolement qui suivraient. Ce serait cet arrêt sur image, le tableau (elle se le rappellerait sous ce terme) qui se déploya devant elle lorsqu'elle se retourna. Le corps inerte de Joe, si immobile, si paisible qu'on l'aurait cru mort. Et puis agenouillé auprès de lui, en larmes, si elle avait bien vu, son mari, tétanisé devant la douleur et la détresse, non pas de sa fille, mais de l'enfant d'un autre. Et le plus curieux, c'est qu'après avoir observé Max avec autant d'attention ces derniers jours, et avec une telle perplexité, après s'être tourmentée sur l'énigme de son malaise, de son perpétuel mal-être, de son mal-vivre, elle le vit ou crut le voir en cet instant dans une attitude qui lui convenait pour une fois, une attitude qui faisait sens : elle vit en lui un homme habité par un sentiment qui avait dû lui venir avec un tel naturel, une inéluctabilité si apaisante, à la limite du soulagement; un homme qui pleurait la mort de ce fils qu'il avait toujours voulu avoir.

# XI

Le lundi 2 mars 2009, à 11 h 30 du matin, je me trouvais dans le bureau d'Alan Guest à Reading. Les dix membres à temps complet des Brosses à Dents Guest étaient là, y compris Trevor, Lindsay, David Webster et le chef comptable Tony Harris-Jones. Il faisait un temps gris mais la pluie ne menaçait pas dans l'immédiat. Sous nos fenêtres, dans la cour d'entrée, quatre Toyota Prius noires s'alignaient sagement et, assis sur un plot, un photographe de presse maussade bavardait avec son confrère, journaliste local, lequel fumait une cigarette adossé à l'une des voitures. Les bureaux des Brosses à Dents Guest étaient situés dans une zone industrielle de la banlieue sud-ouest. De l'autre côté de la cour, j'apercevais des rangées d'entrepôts et des immeubles de bureaux de plain-pied, province de sociétés spécialisées dans l'accessoire de salle de bains, les pièces d'ordinateur et le vêtement sport et loisirs. La zone était quadrillée par un réseau de voies et de mini-ronds-points, mais il n'y circulait pas une voiture : tout semblait d'un calme presque surnaturel.

Quant au climat qui régnait dans le bureau d'Alan

Guest, il était tendu, je ne peux pas mieux dire. C'était un jour historique pour l'entreprise, et on avait disposé trois bouteilles de champagne sans alcool sur la table, avec onze verres, mais, pour une raison ou pour une autre, personne ne semblait d'humeur particulièrement festive. Alan, quinquagénaire maigre et ascétique à la chevelure argentée, avait l'air absent. La présentation revenait donc presque exclusivement à Trevor.

« Alors, messieurs, nous avons consulté les prévisions météo sur le site de la BBC, et je vous annonce que les nouvelles ne sont pas trop mauvaises pour la plupart d'entre vous... »

J'aurais vraiment dû prêter l'oreille, mais j'étais incapable de me concentrer. Je repensais à la nouvelle écrite par Caroline. Après l'avoir lue, les premiers jours, il m'avait été impossible de penser à autre chose. J'étais tellement indigné, tellement furieux contre elle, que chaque centimètre de mon espace mental (ça se mesure en centimètres, l'espace mental ? aucune idée...) était colonisé par des projets de réponse. J'avais rédigé des douzaines de brouillons de mails dans ma tête, certains en mon nom, d'autres en celui de Liz Hammond. Cent fois j'avais pris le téléphone, pour le reposer sans avoir rien dit. En définitive, vous vous en doutez, j'avais été incapable d'une quelconque riposte. Mais comment faire ? Que dire ? Je me sentais trahi au-delà de toute expression. Et si j'avais réussi à me calmer depuis, du moins dans une certaine mesure, il y avait encore des moments où mon sentiment d'injustice resurgissait malgré moi — et c'était précisément le cas en cet instant.

« Nous ne redoutons donc pas de perturbation majeure, poursuivait Trevor, en tout cas pas pour le début de semaine. Tu risquerais d'avoir une traversée un peu agitée si tu attendais mercredi ou jeudi pour prendre le ferry d'Aberdeen, Max, mais je ne vois pas pourquoi tu tarderais jusque-là... »

En même temps, je dois reconnaître que j'étais admiratif, à mon corps défendant. Je ne suis pas critique littéraire, à Dieu ne plaise ! mais sur le plan de l'écriture cette nouvelle me paraissait... dénoter une certaine compétence, pour le moins. Elle n'était sûrement pas pire que ces tombe-des-mains prétentieux, ces « romans sérieux » qu'elle voulait me faire lire du temps de notre mariage.

« Alors, comme vous le savez, nous avons droit à cinq nuits d'hébergement, mais il est clair que nous n'allons pas tous en avoir besoin. Après tout, un prix récompense le premier rentré, mais enfin, ce prix-là, je crois qu'on sait tous qui va le remporter. » Rires, coups d'œil vers Tony Harris-Jones, que son voyage n'entraînerait pas plus loin que Lowestoft. « Mais si les autres font l'aller-retour en quatre jours, voire trois, notre Chef Suprême appréciera l'économie ainsi réalisée, j'en suis sûr. Nous nous débattons dans une sale récession, et les temps sont durs, nous ne le savons tous que trop. » Là, les regards se sont dirigés vers Alan Guest, sans le moindre rire, cette fois. Il regardait droit devant lui, l'œil atone. « Donc, si je peux me permettre, soyez raisonnables dans vos choix d'hébergement. On oublie les cinq étoiles, s'il vous plaît, les châteaux en Écosse et les hostelleries. On pense Travelodge, ou Best Western, si on veut pousser le bouchon jusque-là. On essaie de ne pas dépasser cinquante livres la nuit, dans la mesure du possible. »

Et puis autre chose, et ça, je me demandais bien comment elle avait fait, si elle lisait dans les pensées, ou quoi. Les dernières années de notre mariage, Caroline et moi, on ne se parlait pratiquement plus ; les trois quarts du temps, j'étais auprès d'elle sans rien dire, devant la télé, au volant, en face d'elle au petit déjeuner, au dîner, sans souffler mot ni l'un ni l'autre, et j'avoue honnêtement que je n'avais pas la moindre idée de ce qui se passait dans sa tête. Et pourtant, dans cette nouvelle, elle avait plus ou moins transcrit mes pensées, et les avait transcrites, je dirais, avec quatre-vingt-cinq pour cent d'exactitude. C'en était effrayant. Étais-je à ce point transparent ? Ou bien avait-elle reçu en partage de stupéfiants pouvoirs de perception que je n'avais jamais détectés ni même soupçonnés ?

« Pour corser l'aspect compétitif de ce voyage, Lindsay a continué son remue-méninges ce week-end — elle ne s'arrête jamais, cette femme, ja-mais — et elle nous a trouvé une autre idée, un vrai bijou. Lindsay, à toi la tribune, je t'en prie... »

N'empêche que l'affaire ne manquait pas de sel. Caroline ne le comprendrait jamais, mais elle avait chuté sur le dernier obstacle. Ses fameux pouvoirs l'avaient abandonnée au moment crucial. Parce qu'elle se trompait — erreur totale, erreur fatale — sur ce que je pensais ce jour-là, une fois qu'on avait sorti Joe de la fosse aux orties, et qu'elle m'avait vu à genoux dans l'herbe, penché sur lui. « Pleurant la mort du fils qu'il n'avait jamais eu. » Alors, c'est ce que tu as cru, Caroline ? C'est le tour que tu as choisi de donner à ton histoire ? Eh bien, écoute voir, tu es complètement à côté de la plaque ; loin du compte. Et la vérité, vous n'êtes pas près de la découvrir, ni toi ni personne, si ça ne tient qu'à moi.

Pendant ce temps, Lindsay s'était mise à nous expliquer quelque chose qui concernait l'ordinateur de bord de nos Prius. Il fallait vraiment que j'écoute.

« Donc ce qui se passe quand vous appuyez sur le bouton "Info", c'est que vous avez le choix entre deux écrans ; l'un des deux est le moniteur d'énergie, qui vous dit quelle énergie fonctionne à un moment donné, et l'autre vous donne des informations détaillées sur l'essence consommée depuis qu'on a mis le compteur à zéro. Ils sont tous sur zéro, au fait, donc, s'il vous plaît, n'y touchez pas avant d'être rentrés. »

Et puis, il m'est venu une autre idée désagréable. Ces informations autour desquelles la nouvelle était construite, Caroline ne pouvait les tenir que de Lucy. En particulier le passage montrant que je ne savais pas pourquoi l'herbe était verte (c'était d'ailleurs parfaitement exact, et le demeurait à ce jour). Donc oui, il fallait bien que Caroline et sa fille se soient retrouvées tôt ou tard à rire un bon coup aux dépens de ce pauvre vieux papa, qui savait que dalle des choses importantes de la vie et essayait de se sortir des questions difficiles et des situations embarrassantes en racontant des conneries. Il devenait flagrant que mon ignorance comique des choses connues de tous formait la trame de conversations feutrées entre mère et fille, ces temps-ci. Eh bien, sans doute devais-je me réjouir de leur avoir ainsi fourni un sujet de complicité...

« Donc ce que nous vous offrons, messieurs, c'est une chance de remporter non pas un mais deux prix hautement désirables. Le premier revenu de sa mission recevra l'un de ces deux beaux certificats signés — qui feront très bien au mur de n'importe quel bureau, vous en conviendrez — mais il y aura aussi un prix en espèces, de cinq cents livres... » Ovation, cris de joie, hoquets de surprise dans l'assistance, sauf de la part d'Alan Guest, dont le visage demeurait impénétrable. « ... pour le conducteur qui aura au mieux démontré les atouts verts des Brosses à Dents Guest en rentrant avec la consommation d'essence la plus basse sur son écran. Autrement dit, les gars, conduite prudente, conduite économique ! »

Lindsay s'est rassise sous des applaudissements nourris, on a ouvert les bouteilles et la réunion a pris un tour plus informel. J'ai entendu Alan glisser à Trevor en aparté : « Il faut pas que ça traîne en longueur, n'oublie pas que le type du journal nous attend en bas. » C'est ainsi que quelques minutes après avoir vidé nos verres nous sommes descendus en chœur par l'escalier de béton où nos pas résonnaient — Trevor, David, Tony et moi, munis de nos sacs de voyage.

Sans l'avoir fait exprès, je me suis retrouvé à fermer la marche avec Lindsay Ashworth. Il arrive que les choses se passent de cette façon, je l'ai remarqué, quand une alchimie muette est à l'œuvre entre deux personnes. C'est comme une chorégraphie invisible. On n'a pas prémédité d'être en phase avec l'autre mais, Dieu sait comment, tout le monde s'écarte, et on se retrouve tous deux sans l'avoir cherché. Tel avait été le cas avec Caroline, la première fois qu'on s'était parlé à la table en formica de notre sinistre cantine, tant d'années plus tôt; tel était le cas ce matin-là, entre Lindsay et moi. Quand elle m'a vu à sa hauteur, elle s'est tournée vers moi en m'adressant un sourire chaleureux et engageant, mais qui masquait à peine quelque chose de plus troublant, une certaine nervosité, peut-être.

« Alors, vous voilà prêt ?

— Prêt à quoi ?

— Prêt à faire voir du pays à cette IP 009. »

J'ai acquiescé : « Ne vous inquiétez pas, je ne vais pas vous faire faux bond.

— Tant mieux. »

Quelque chose, dans le ton de sa voix, m'a poussé à demander :

« Il y avait une drôle d'atmosphère, ce matin. Ils avaient l'air un peu sur les nerfs, tous.

— Ah, vous avez remarqué ?

— Tout va bien ? »

Nous parlions déjà à mi-voix et elle s'est rapprochée pour me souffler :

« Vous gardez ça pour vous, mais Alan avait une réunion avec la banque, aujourd'hui, et ça s'est mal passé. » Elle s'est immobilisée pour laisser les autres prendre du champ (nous nous trouvions dans l'escalier, entre le premier et le deuxième étage) et elle a ajouté : « Les types lui refusent une rallonge de crédit, et il est furieux, parce qu'il vient juste de transférer son compte chez eux, il y a quelques semaines.

— Quels types ? » j'ai demandé, et lorsque Lindsay m'a dit le nom de la banque, je l'ai reconnue tout de suite. C'était celle où avait bossé Richard, l'antipathique ami de Poppy. « Mais l'entreprise va bien, hein ? Elle a les reins solides ?

— Je ne crois pas qu'il y ait de problèmes sur le long terme, a dit Lindsay, c'est plutôt une question de trésorerie, et c'est pour ça qu'Alan est furieux contre moi, aussi.

— Contre vous ? Mais pourquoi ?

— C'est moi qui ai lancé cette idée de récompenser les économies d'essence, ce matin, il dit qu'on ne peut pas se le permettre.

— Ça n'est jamais que cinq cents livres, quand même.

— Je sais ! C'est ce que je me suis dit. Mais il faut croire qu'on ne peut même pas se permettre ça en ce moment, du coup c'est lui qui va allonger la somme, et il en fait toute une histoire.

— C'est lui qui va payer de sa poche ?

— Eh oui ! »

Nous nous sommes remis en marche.

« Ça doit vous mettre la pression, tout ça.

— Vous pouvez le dire ! Il commence sans doute à penser que toute cette aventure est une idée saugrenue. Alors si ça ne se passe pas bien...

— C'est à vous qu'on le reprochera ? »

Elle a acquiescé, et j'ai dit : « Ne vous en faites pas, tout se passera bien. C'est une brillante idée, de toute façon. »

Elle m'a adressé un bref sourire de gratitude. Nous étions au rez-de-chaussée, dans les courants d'air de l'escalier, et elle m'a tenu la lourde porte pour sortir dans un soleil pâlot et gris. Tous les autres étaient déjà au milieu du parking et se dirigeaient vers la rangée de Toyota Prius qui nous attendaient. Lindsay s'est arrêtée pour allumer une cigarette.

« Vous savez, ce mois-ci, c'est la première fois que

nous n'arrivons pas à rembourser les traites de la maison, Martin et moi. Il n'a pas encore travaillé de l'année. »

Trevor m'avait dit que son mari bossait dans le bâtiment, c'était tout ce que je savais, et je n'ai pas posé de questions.

« Les temps sont durs, Max, elle a dit, ça barde. Quelqu'un a dû faire une bourde monumentale, hein ? Quelqu'un de très haut placé. Seulement ça, personne ne va le reconnaître. » Elle a jeté un coup d'œil au petit groupe qui s'était massé autour des quatre voitures noires. « Allez, venez. Les paparazzi vous attendent, c'est votre quart d'heure de gloire, un rendez-vous qui ne se manque pas ! »

Un quart d'heure, et encore ! Le photographe nous a cadrés tous quatre devant l'une des voitures, et le journaliste nous a posé quelques vagues questions sur les brosses à dents particulièrement adaptées aux gens qui vivaient aux quatre coins du pays : il n'avait pas l'air d'avoir bien compris le propos de l'exercice. En deux minutes l'affaire était bouclée mais, au lieu de s'en aller, ils se sont attardés pour nous voir partir, le tout avec un air goguenard que nous trouvions déplaisant, pour ne pas dire plus.

C'était la pagaille la plus totale. Alan Guest nous a remis les caméras vidéo avec lesquelles nous devions enregistrer notre journal. (Lindsay avait la sienne, et elle allait d'une voiture à l'autre, tournant déjà au petit bonheur.) Nous trouverions un guide de l'utilisateur dans la boîte à gants, nous a-t-il dit, de même qu'un manuel du conducteur, soit cinq cents pages en deux volumes : inutile de nous affoler, nous n'aurions pas besoin de les consulter tout de suite car nous allions trouver les Toyota très faciles à conduire. Je n'en étais pas tellement convaincu pour ma part, parce que non seulement je n'arrivais pas à démarrer, mais je ne voyais même pas où insérer l'espèce de petit cube en plastique qu'on m'avait remis, et qui remplaçait cet objet d'un autre âge, la clef de contact. Pour finir, Trevor est venu m'expliquer qu'il fallait appuyer sur un certain bouton, tout en maintenant la pédale de frein enfoncée. C'était bien compliqué, et j'ai eu beau suivre ses consignes, le moteur n'a pas répondu plein pot. Mais enfin, quand j'ai mis la voiture en mode conduite, il est vrai qu'elle a démarré — tellement inopinément, d'ailleurs, qu'elle a fait deux mètres et qu'elle est allée heurter un des plots du bout du parking. Elle a seulement buté, sans abîmer le pare-chocs ni rien, mais bon, rétrospectivement, ce n'était pas de très bon augure. Alan Guest n'avait pas l'air ravi.

Enfin, sur le coup de midi, nous sommes tous partis en cortège, flotte des quatre vendeurs intrépides en tête, suivie par Lindsay et Alan dans la BMW de ce dernier, Lindsay caméra en marche. Au mini-rond-point principal, en limite de zone commerciale, nous nous sommes arrêtés : c'était le départ officiel de la course. Le rond-point comportait quatre sorties, et nous devions en prendre une différente chacun à notre tour. Lindsay et Alan sont sortis de leur voiture pour se poster au centre du terre-plein. Il soufflait un vent aigre de mars, il s'était mis à bruiner. Alan, emmitouflé dans son manteau et son écharpe, a placé ses mains en porte-voix pour nous crier : « C'est parti, les amis ! Bonne chance ! » La caméra de Lindsay tournait.

Tony Harris-Jones est parti le premier, par l'est. Puis Trevor a effectué un tour complet, pour repartir vers le sud. David Webster a pris la sortie ouest. Et mon tour est arrivé. Moi, il me suffisait d'aller tout droit, par la deuxième sortie, en direction du nord. J'avais baissé ma glace pour dire au revoir à Alan et Lindsay en passant à leur hauteur. Alan m'a fait un signe cérémonieux, mais Lindsay, je l'ai remarqué, a levé les yeux de sa caméra (elle ne l'avait pas fait pour les autres) et, de la main gauche, elle m'a soufflé un baiser en douce.

À ce geste, mon cœur a bondi de joie, et j'ai connu une sensation inédite et singulière : un fourmillement tiède, qui m'a parcouru de la pointe des pieds à la racine des cheveux.

Et puis, dès qu'elle a disparu à ma vue, je me suis soudain senti terriblement seul.

# READING-KENDAL

# XII

> ## ⚠ ATTENTION
>
> Roulez avec prudence, en respectant le code
> de la route.
> Consulter cet écran en conduisant peut causer
> des accidents graves.
> Attendez d'être à l'arrêt pour sélectionner.
> Les cartes peuvent présenter des inexactitudes.
> N'oubliez pas de lire les instructions concernant
> la sécurité dans le guide de l'utilisateur.
>
> ( **J'accepte** )

Ce message s'affichait sur mon écran depuis un quart d'heure. Je me dirigeais vers Londres par la branche est de la M4 et me préparais à prendre vers le nord par la A404 (M), en direction de Maidenhead. La circulation était fluide. Et à un 110 de croisière, je restais sur la voie lente. Je commençais à m'habituer à la voiture, mais le nombre de boutons placés de part et d'autre de l'écran m'impressionnait. Il me faudrait m'arrêter quelque part pour les regarder de plus près. En attendant, il paraissait plus sûr d'appuyer sur l'icône « J'accepte ». Je n'allais quand même pas contempler cet écran tout le voyage. C'est comme ces cases qu'il faut cocher quand on fait un achat en ligne, pour accepter des termes et des conditions que personne ne prend la peine de lire. On n'a pas le choix, il faut bien accepter. On ne vous donne que l'illusion du choix, voilà tout. C'est peut-être comme ça dans la vie en général.

Quoi qu'il en soit, j'ai appuyé sur le bouton, et une carte est apparue. Elle représentait l'autoroute sur laquelle je roulais, et elle me représentait moi, ou du moins ma voiture, sous la forme d'une petite flèche rouge avançant résolument vers l'est. Combien de satellites étaient braqués sur moi en ce moment, me demandais-je, pour calculer cette position qui changeait sans cesse ? J'avais lu quelque part qu'il y en avait toujours à peu près cinq : cinq paires d'yeux me regardaient depuis leur observatoire, tout là-haut, dans le ciel. L'idée était-elle rassurante, ou inquiétante ? Comme d'habitude, avec les nouvelles réalités de la vie, j'hésitais. Une chose était sûre : tout était différent, très différent du temps de Donald Crowhurst, qui avait pu dériver des mois durant dans l'Atlantique, à l'abri des regards, et qui avait failli duper le monde entier en consignant des calculs bidons sur un carnet de bord, pour faire croire qu'il avait passé son temps aux prises avec les tempêtes dans les mers du Sud. Une telle imposture était devenue bien improbable.

Sur l'autoroute, la circulation se faisait plus dense, et c'est avec soulagement que j'ai vu la sortie pour l'échangeur 8/9 (Maidenhead et High Wycombe) signalée devant moi. En m'engageant sur la bretelle d'accès, je me suis bientôt aperçu que je freinais trop brusquement. Apparemment, j'avais des freins ultra-sensibles : il suffisait de les effleurer. Deux files étaient bloquées au rond-point, avec une dizaine de voitures. Je me suis mis au point mort et j'ai profité de cette immobilité temporaire pour actionner d'autres boutons qui bordaient l'écran.

Celui que j'avais choisi annonçait « INFO ». Trois colonnes vertes sont apparues sur l'écran. Il m'a fallu un petit moment pour en comprendre la signification. Chacune représentait cinq minutes de conduite, et vous informait de votre consommation d'essence pendant cette période. Les cinq premières minutes, j'avais fait une moyenne de 8 litres au cent, les cinq suivantes du 5,8, les cinq dernières du 5,5. Pas mal, mais ce n'était pas comme ça que j'allais remporter le prix. J'avais espéré arriver à 4 litres, voire moins. Où était mon erreur ?

Après avoir tourné autour du rond-point et m'être engagé sur la route de High Wycombe, j'ai ralenti pour me trouver à 70 à l'heure, et aussitôt ma rentabilité a commencé à monter. Je me situais en moyenne entre 3,8 et 3,5, à présent, et je me suis donc mis à rouler à cette vitesse sur deux ou trois kilomètres jusqu'à ce qu'un conducteur bloqué derrière moi commence à me faire des appels de phares furibonds. J'ai accéléré, obscurément culpabilisé alors que je ne faisais que respecter l'environnement, si l'on veut. De toute façon, j'aurais du mal à rouler à cette vitesse jusqu'à Aberdeen, même si ça devait me valoir les cinq cents livres du prix de Lindsay haut la main.

Quinze kilomètres plus loin, la A404 rejoignait la M40, et j'ai pris la première sortie au rond-point, en m'engageant sur l'autoroute en direction du nord-ouest. À droite et à gauche — pour ce qu'on en voyait depuis l'autoroute —, l'Angleterre s'étendait reposante, avenante, sobrement vêtue de vert et de gris sourds. Mon moral remontait, je le sentais. J'étais d'humeur à tenter l'aventure, après tout.

Mon plan était le suivant : j'allais rouler peinard jusqu'à Birmingham en consommant aussi peu d'essence que possible. J'arriverais en milieu d'après-midi, je prendrais une chambre d'hôtel, et puis j'irais voir Mr et Mrs Byrne, les parents de Chris, mon ancien camarade de classe, et de sa sœur Alison. Ils habitaient toujours Edgbaston, dans une maison dont l'arrière donnait sur le plan d'eau, et j'avais déjà contacté Mr Byrne pendant le week-end ; je lui avais téléphoné pour lui demander s'il avait toujours, comme le croyait mon père, les clefs de l'appartement de Lichfield. À quoi Mr Byrne avait répondu qu'en effet elles se trouvaient quelque part, il en était sûr — sans savoir où exactement, m'avait-il semblé. J'avais donc décidé de passer les prendre, et de visiter l'appartement le lendemain matin. Ces dispositions allaient évidemment beaucoup ralentir mon début de voyage, mais il me resterait cependant tout le temps d'atteindre les Shetlands, et de toute façon rouler jusqu'à Kendal ce soir-là n'aurait rimé à rien puisque Lucy ne pourrait pas me voir. J'avais déjà contacté Caroline, qui m'avait expliqué que la petite était invitée au goûter d'anniversaire d'une amie, chez qui elle resterait coucher. Si je voulais l'emmener dîner, ce serait donc mardi soir. Aucun problème. Ça ne m'empêcherait pas d'être à Aberdeen mercredi après-midi, largement à temps pour attraper le ferry de 17 heures. En attendant, cette visite à Mr et Mrs Byrne serait peut-être une façon agréable de tuer une heure ou deux en cultivant la nostalgie.

Je me suis installé dans un 90 de croisière ; sur l'autoroute, tous les autres véhicules allaient plus vite, même les camions les plus gros. Je faisais de nouveau 4,5 litres au cent. Et je pensais aux économies réalisées si tout le monde roulait à cette vitesse en permanence. Qu'est-ce qu'ils avaient, tous, à bomber ? Qu'est-ce que ça pouvait faire d'arriver à destination une demi-heure plus tôt ou plus tard ? La faute en revenait peut-être aux autoroutes elles-mêmes. Les autoroutes vous permettent d'aller vite, c'est vrai, mais, plus encore, elles vous *incitent* à conduire vite, elles vous y *contraignent* : on s'y ennuie tellement. Je n'étais sur la M40 que depuis un quart d'heure, et déjà je m'ennuyais ferme. Il n'y avait rigoureusement rien à voir, rien à regarder, sinon les petits signes de ponctuation qui rompaient la monotonie de la route elle-même : panneaux indicateurs, chevrons, portiques, ponts, qui finissaient de toute façon par se fondre en une séquence absurde et indéchiffrable au bout d'un moment. On roulait en rase campagne, mais c'était une campagne anodine : une maison par-ci par-là, un plan d'eau, un village ou une petite ville entrevus au loin, et rien d'autre. Il m'est venu à l'idée que les zones bordant nos autoroutes doivent représenter une énorme portion de notre territoire, et pourtant personne ne les visite, personne ne les parcourt à pied, personne n'y découvre rien d'autre que ce paysage qu'on voit se dérouler, monotone, régulier, par la vitre de la voiture. Ce sont des terres vaines ; nulles et non avenues.

« Aire de services, 5 km, Bienvenue », annonçait un panneau ; j'ai décidé de m'arrêter déjeuner. L'aire de services suivante, une Moto, se trouvait à trente kilomètres, et les autres à plus de soixante. Je ne voulais pas attendre aussi longtemps. En plus, même si je n'avais pas envie d'un KFC pour le moment, le visage d'un Colonel Sanders qui m'adressait un sourire radieux sur le panneau m'a paru rassurant. J'ai donc pris la bretelle d'accès à l'échangeur 8A, j'ai négocié tous les mini-ronds-points, et je me suis retrouvé à chercher une place sur le parc de stationnement, saturé à cette heure de la journée. J'ai fini par glisser ma Prius entre une Ford Fiesta et une Fiat Punto, et j'ai coupé le contact avec soulagement.

Il était 13 h 15, j'avais faim. Tout autour de moi, les gens se pressaient vers le restaurant principal, des gens comme moi, pour la plupart, vêtus de costumes sombres, chemise cravate, parfois leur veste sur l'épaule — il faisait froid, pourtant, pas de danger que je retire la mienne. J'ai éprouvé une bouffée de bien-être à l'idée de faire de nouveau partie de quelque chose : d'un processus national, d'une communauté, la communauté des affaires, qui contribuait bon an mal an à faire battre le cœur de l'Angleterre. Nous avions tous un rôle à jouer. Tous ceux ici présents s'employaient à vendre, à acheter ; ils offraient une prestation, opéraient des vérifications, déterminaient des coûts, des quantités. Je me sentais de nouveau en phase : de retour dans le flot.

Les services eux-mêmes étaient un microcosme de la société occidentale dans ce qu'elle a de plus fonctionnel. On y pourvoyait à tous les besoins vitaux de l'homme : le besoin de communiquer (une boutique vendait des téléphones mobiles avec leurs accessoires), le besoin de s'amuser (il y avait une zone de jeux pleine de machines à sous), le besoin de consommer boissons et aliments, et celui de les pisser ou de les chier subséquemment ; et, bien entendu, le besoin éternel et fondamental d'acheter des tas de trucs, magazines, CD, doudous, barres chocolatées, DVD, bonbons gélifiés, livres, gadgets en tout genre. Avec ça, un hôtel de la chaîne Days Inn situé en face du parking pratiquait des tarifs étape, il était donc théoriquement possible d'entrer dans cette aire de services sans avoir jamais besoin d'en sortir. On pouvait même y passer toute sa vie, si on voulait. Le design était réussi, en plus. J'ai l'âge de me rappeler les aires de services des années soixante-dix, quatre-vingt. D'affreuses tables en formica ; des comptoirs infects, servant des œufs glaireux et des hamburgers noyés dans la graisse. Ici, de vastes baies vitrées donnaient sur une terrasse pavée, avec des fontaines au chant cristallin ; les tables étaient propres, modernes ; certaines avaient leur petite lampe, montée sur un pied aux courbes élégantes. Tout ça était très étudié. Quant à l'assiette : l'embarras du choix ! Burger King, bien sûr, et KFC, mais pour ceux qui étaient à cheval sur la diététique, il y avait un grand panneau annonçant « Je ♥ la nourriture saine » qui vous dirigeait vers des comptoirs offrant toutes sortes de salades et de sandwiches fraîcheur. Sans compter un bar nommé Café Primo, proposant *latte*, cappuccino, *mocha*, chocolat chaud, espresso, *americano*, *frappuccino* vanille et *frappuccino* caramel, thés Twinings, et une vingtaine d'autres spécialités caféinées, sans oublier les paninis désormais omniprésents.

Malgré cet embarras du choix impensable il y a seulement une génération, c'est-à-dire avant que Thatcher et Blair entreprennent de révolutionner la société, j'ai décidé de prendre un hamburger. Il y a des moments où le hamburger correspond exactement à ce qu'on veut. Ni fantaisies ni fioritures. Qui plus est, ici, il n'était même pas nécessaire de parler pour l'avoir, son hamburger. Tout se passait par carte de paiement ; on sélectionnait sa commande sur la machine, on glissait sa carte, et on présentait le reçu au point « retrait ». Ça marchait d'ailleurs très bien. Mon hamburger a été prêt en trente secondes environ. Sauf que, quand je l'ai vu, j'ai eu vaguement mauvaise conscience de ne pas avoir commandé quelque chose d'un peu plus diététique ; alors je suis allé faire la queue au bar à sandwiches, et j'ai pris une bouteille d'eau minérale parfumée à la grenade et au litchi : 2,75 livres. Et puis j'ai emporté mon plateau à l'une des tables en bordure des grandes baies vitrées.

Je m'étais muni de pas mal de lecture. D'abord, les manuels pour la Prius, l'un pour la voiture elle-même, l'autre entièrement consacré au GPS. Il y avait aussi un guide de l'utilisateur pour le casque Bluetooth qui m'avait été fourni, connecté je ne sais comment à la voiture, et contrôlé au volant. Trevor et Lindsay avaient beaucoup insisté pour que je le branche dès que possible, parce qu'ils souhaitaient que nous restions en contact régulier. Au fait, était-il encore trop tôt pour appeler Lindsay ? Oui, peut-être. Il n'était guère urgent de lui faire savoir que je me trouvais à l'aire de services d'Oxford au bout d'une heure et quart de route. Et puis, il fallait que j'étudie le manuel de la caméra vidéo, qui m'avait l'air assez compliqué aussi. J'y reviendrais plus tard. Pour le moment, il valait mieux que je me concentre sur le GPS. J'ai lu le fascicule pendant une dizaine de minutes, pour être raisonnablement sûr d'avoir saisi l'essentiel. En principe, j'en avais compris assez pour utiliser le navigateur lors de la prochaine étape, jusqu'à Birmingham.

En remontant dans ma voiture, j'ai mis le contact et j'ai appuyé sur l'icône « J'accepte » dès qu'elle est apparue à l'écran. Ensuite, j'ai appuyé sur « Destination » et, non sans mal, j'ai entré l'adresse de Mr et Mrs Byrne sur l'écran tactile. En quelques secondes, l'ordinateur avait localisé la maison, et il me proposait trois itinéraires à partir de ma position présente. J'ai choisi celui qui me semblait le plus rapide : continuer tout droit sur la M40, et prendre vers le nord pour entrer dans Birmingham par Bristol Road. Aussitôt cette sélection faite, j'ai entendu une voix de femme qui disait :

*Merci de bien vouloir prendre l'itinéraire affiché ; le guidage va commencer.*

Ce n'était pas tant ce qu'elle disait que la façon dont elle le disait.

En général, les gens sont attirés par leurs semblables en fonction du physique. Et moi, bien sûr, je ne fais pas exception. Mais la première chose qui m'attire vraiment chez une femme, neuf fois sur dix, c'est sa voix. C'est ce que j'ai remarqué chez Lindsay Ashworth, le jour où l'on s'est rencontrés — son charmant accent écossais. Et, pour remonter plus loin, c'est aussi la première chose que j'ai remarquée chez Caroline, ses voyelles aplaties du Lancashire, si décalées par rapport à ce que j'attendais chez une personne en tout point élégante, snob et métropolitaine par ailleurs. Or, pour ridicule que la chose puisse paraître, aucune de ces deux femmes, ni Lindsay ni Caroline, n'avait une voix aussi prenante que celle qui sortait de cette machine. Elle était tout simplement belle, cette voix, belle à couper le souffle. C'était sans doute la plus belle voix que j'aie entendue de ma vie. Ne me demandez pas de vous la décrire. Vous commencez à vous douter que je ne suis pas doué pour ce genre d'exercice. C'était une voix anglaise — il n'était pas impossible de la situer sur l'éventail social du côté de la prononciation « cultivée », de l'anglais de la BBC. Elle avait quelque chose de légèrement hautain, disons-le, une inflexion discrètement impérieuse. Mais en même temps elle était calme, posée, infiniment rassurante. Comment pourrait-elle se fâcher ? Comment l'entendre sans se sentir apaisé, consolé ? C'était une voix qui vous disait que le monde tournait rond — le vôtre, en tout cas. C'était une voix totalement étrangère à l'équivoque comme au doute de soi ; une voix qui inspirait confiance. Peut-être que c'était ce qui me plaisait tant : une voix qui mettait en confiance.

Je suis passé en mode conduite, et je suis sorti du parking. Comme je quittais l'aire de services, un panneau disait : « L'aire d'Oxford vous remercie de votre visite. Votre passage et votre immatriculation ont été saisis sur CCTV. » Un signe de plus, s'il m'en fallait, que je n'étais pas aussi seul que je l'avais cru.

« Qu'est-ce que vous en pensez ? me suis-je surpris à

dire à la voix de la carte. Ça fait un peu froid dans le dos, non ? »

Et elle a répondu :

*Prenez la sortie ; puis, dans deux cents mètres, au rond-point, allez tout droit.*

Pour l'heure, j'avais oublié toute envie de téléphoner à Lindsay.

J'ai continué à rouler lentement dans l'idée d'économiser l'essence, si bien qu'il m'a fallu une heure et demie pour arriver à l'échangeur 1 de la M42.

*Dans huit cents mètres, prenez la sortie à gauche, direction Birmingham Sud.*

C'était la première fois qu'elle m'adressait la parole depuis une dizaine de minutes. J'avais découvert que je pouvais faire surgir sa voix en appuyant sur le bouton « Carte » de mon volant. En général, elle disait alors de poursuivre sur la voie où on se trouvait. Et donc, toutes les cinq, dix minutes, j'appuyais sur le bouton, et elle me disait : « *Continuez sur l'autoroute.* » Je n'écoutais pas la radio. J'avais pris un petit moment Radio 2, et puis un petit moment Radio 4, mais je ne voulais pas écouter les bavardages d'autrui. Je voulais être seul avec mes pensées, et avec la voix d'Emma quand j'avais envie de l'entendre.

Ah, je ne vous ai pas dit qu'elle s'appelait Emma ? Je venais de passer près d'une heure à décider comment j'allais l'appeler. J'avais choisi Emma parce que ça a toujours été un de mes prénoms préférés. Ça tenait en partie au souvenir du roman de Jane Austen que j'avais dû lire pour le brevet ; je l'avais détesté, ce livre (un des romans favoris de Caroline, soit dit en passant), et je n'avais pas eu la moyenne à l'examen mais, allez savoir pourquoi, le prénom de l'héroïne s'était imprimé dans ma mémoire comme un emblème de classe et de raffinement. Et puis, en plus, j'avais un petit béguin pour l'actrice Emma Thompson, à l'époque — fin des années quatre-vingt — où elle était carrément garçonne et jouait dans ce film où elle avait une scène érotique époustouflante avec Jeff Goldblum. Enfin voilà, l'un dans l'autre, Emma m'avait semblé le bon choix.

*Tournez à gauche. Au rond-point, prenez la troisième sortie.*

Notre relation allait être mise à l'épreuve pour la première fois, car je venais de décider de ne pas suivre ses indications pendant quelques minutes. Elle voulait que je roule sur l'A38 jusqu'au rond-point de Lydiate Ash, puis que je tourne à droite en direction de Rubery. Mais j'avais mon idée. Je voulais prendre tout droit sur la crête des Lickey, et retrouver l'A38 par la B4120 au bas de la pente. C'était un itinéraire plus pittoresque, qui me ferait traverser un paysage de ma petite enfance. Mais comment Emma allait-elle réagir ? Comprendrait-elle la pulsion nostalgique qui dictait cette initiative ?

Un brin nerveux à l'idée de mon coup de force, j'ai donc délibérément ignoré son insistance à répéter « *prochaine sortie, à gauche* », et au rond-point j'ai pris la quatrième sortie au lieu de prendre la troisième. J'imaginais ce que Caroline aurait dit si j'avais ainsi ignoré ses indications sur la route de nos vacances en famille. « Mais non, pas celle-ci ! » Il y aurait eu un soupir exaspéré, et puis sa voix se serait tendue, et elle serait passée à ce registre abominable de résignation agressive devant mon entêtement et ma stupidité. « Très bien. Puisque tu sais tout mieux que moi, continue, ça sert à rien que je regarde ce truc ! » Là-dessus, elle aurait balancé l'atlas routier à l'arrière de la voiture, en ratant de justesse Lucy qui, sur son siège de bébé, aurait écouté notre querelle en ouvrant des yeux ronds et en se demandant dans sa petite tête si c'était ainsi que les adultes se parlaient. Oui, voilà tout à fait ce qui se serait passé, des scénarios pareils, j'en avais d'innombrables en mémoire.

Mais avec Emma, rien de tel. Elle n'a rien dit, tout d'abord. Le seul indice manifestant qu'elle avait pris note de ma décision a été le message qui s'affichait sur l'écran : « Recherche de l'itinéraire ». Puis, au bout de quelques secondes, sa voix est revenue. Le ton n'avait nullement changé. Toujours calme, toujours mesuré. Nullement perturbé par mon petit geste de rébellion. « *Continuez environ trois kilomètres sur cette route.* » Et voilà tout. Pas de reproches, pas de sarcasmes, pas de questions. Elle acceptait mon autorité et réagissait en conséquence. Bon Dieu ! Que la vie aurait été facile si Caroline avait su adopter cette attitude plus souvent ! Je commençais déjà à me dire qu'en Emma j'avais trouvé quelque chose comme la partenaire idéale. J'ai appuyé sur le bouton « Carte » rien que pour l'entendre répéter :

*Continuez environ trois kilomètres sur cette route.*

Superbe. J'adorais la courte pause qu'elle intercalait après « trois kilomètres ». Elle vous disait ça comme le vers d'un poème.

J'étais en train de grimper Old Birmingham Road. À ma gauche se trouvait l'entrée de l'école primaire où nous nous étions connus, Chris et moi, à l'âge de cinq ans — copains dès le premier jour pour demeurer les meilleurs amis du monde, de vrais inséparables, les six années suivantes. Et puis, à l'âge de dix ans, nous avions été les seuls enfants de l'école à passer l'examen d'entrée à la King William's School, un établissement de centre-ville. Chris avait réussi, pas moi, si bien que j'étais allé au collège de Waseley Hills avec mes autres camarades de classe.

« Ç'a été le commencement de la fin, sûrement, j'ai dit à Emma. Ç'a été un tournant, lourd de conséquences. »

*Continuez sur cette route pendant environ un kilomètre et demi.*

Certes, Chris et moi avons continué à nous voir. Mais je soupçonne que la chose tenait essentiellement à nos pères qui étaient désormais tellement amis, après s'être rencontrés en diverses occasions toutes liées à l'école. Le père de Chris était professeur à l'université de Birmingham et le mien, se piquant d'être un intellectuel doublé d'un poète, ne risquait pas de laisser cette amitié péricliter, même après que Chris a fréquenté une école bien plus chic et que les Byrne ont quitté Rubery pour s'installer sous les frondaisons d'Edgbaston, banlieue plus bourgeoise. Chris et moi avons donc entretenu notre amitié, surtout parce que nous nous plaisions sincèrement, mais aussi parce que, malgré notre jeune âge, nous avions l'intuition qu'elle comblerait le besoin et l'attente de nos familles respectives. Et pourtant, à partir de là, j'ai toujours été conscient des différences qui nous séparaient. En grimpant vers le haut de la colline, j'ai croisé l'allée qui menait à l'école, et un souvenir m'est revenu. Chris et moi avions onze ans et nous fréquentions chacun notre nouvelle école depuis quelques semaines. Il était passé chez nous, nous bavardions dans le jardin et, pour me demander comment je trouvais le collège de Waseley, il m'a dit : « Ils sont comment, les maîtres ? » Sur le moment, je n'ai pas vu de quoi il parlait. Il m'a fallu quelques secondes pour comprendre : « Ah, vous les appelez maîtres, vous ? » Une image m'est venue à l'esprit subitement, celle d'un vieillard chenu vêtu d'une toge, allégorie de l'autorité, déambulant entre les vieux pupitres en bois pour enseigner les déclinaisons latines à des élèves attentifs : un personnage droit sorti d'*Au revoir Mr Chips* ou d'une histoire de Billy Bunter. Et j'ai éprouvé une onde de gêne — un complexe — en réalisant à quel point Chris et moi habitions désormais des univers différents.

*Au rond-point, prenez la première sortie.*

Cette fois, j'ai fait ce qu'Emma me disait. Mais aussitôt j'ai décidé de tenter un nouveau petit détour, histoire de mettre sa patience à l'épreuve. Après le pub Old Hare and Hounds, j'ai improvisé en tournant à gauche sur Leach Green Lane. Elle en est restée muette quelques secondes, le temps que l'ordinateur arrive à se figurer ce que j'avais en tête, et puis elle a dit :

*Dans deux cents mètres, tournez à droite.*

« Je comprends ton raisonnement, je lui ai dit, mais on va dévier de l'itinéraire, pour le moment. Ça ne t'ennuie pas, j'espère. Tu vois, nous partons en voyage sentimental, et je ne crois pas que ce soit prévu dans ta programmation. »

*Maintenant, tournez à droite,* elle a insisté.

Qu'à cela ne tienne, j'ai tourné à gauche. Quelques centaines de mètres plus loin, j'ai trouvé ce que je cherchais : une maison au crépi gris, d'une similitude déroutante avec toutes ses voisines, bordée par une maigre bande d'asphalte où une antique Rover 2000 verte était garée. Je me suis arrêté en face, le long du trottoir.

*Dans deux cents mètres, faites demi-tour*, a suggéré Emma.

Je suis sorti sans couper le moteur, j'ai fait le tour de la voiture et je suis resté un moment à considérer la maison d'en face, adossé contre la portière passager. C'était là que j'avais vécu, à partir de 1967, pendant treize ans. Papa-Maman et moi. La maison n'avait pas changé, mais alors pas du tout. Je suis resté deux ou trois minutes à la regarder, frissonnant légèrement dans le vent de mars, et puis je suis remonté en voiture et j'ai démarré.

« Et alors, qu'est-ce que j'étais censé penser ? j'ai dit en reprenant tranquillement l'A38 vers le centre-ville. Qu'est-ce que j'étais censé ressentir ? Plus de vingt ans que je n'ai pas vu cette maison et, honnêtement, la revoir ne m'a pas fait grand-chose. Comme tout ce qui me concerne, sans doute, mon enfance n'a rien eu de fracassant, rien d'exceptionnel. Voilà ce qu'il faudra graver sur ma tombe : "Ci-gît Maxwell Sim, un type archi-banal." Quelle épitaphe ! Pas étonnant que Caroline se soit ennuyée ferme avec moi, à brève échéance. Pas étonnant que Lucy ne tienne pas tellement à entretenir un rapport quelconque avec moi. Qu'est-ce qu'on a fait, nous trois, pendant ces treize ans, que n'aient pas fait des millions d'autres familles dans des maisons semblables, d'un bout à l'autre du pays ? À quoi ça rime, tout ça, vous voulez me le dire ? C'est quand même pas trop demander, si ? À quoi ça rime ? *À quoi ça rime, merde !* »

*Dans huit cents mètres, au rond-point*, a dit Emma, *prenez la première sortie.*

Elle avait réponse à tout, cette femme.

# XIII

*Continuez tout droit pendant environ trois kilomètres.*
J'étais en train de passer devant la vieille usine de
Longbridge. Ou plutôt devant le trou béant laissé dans
le paysage par la vieille usine de Longbridge. C'était une
expérience bizarre : quand on revient sur les lieux de
son passé, on s'attend à trouver des modifications mini-
males, un immeuble neuf ici ou là, une couche de peinture ; mais en l'occurrence on était loin du compte ; tout
le complexe de bâtisses industrielles qui dominaient le
quartier sur des kilomètres carrés, palpitant du bruit
des machines, fourmillant d'ouvriers et d'ouvrières qui
entraient et sortaient — disparu, arasé, rayé de la carte !
Et à la place un grand panneau publicitaire dressé parmi
ces limbes urbains nous informait que sous peu, phénix
renaissant de ses cendres, un « nouveau quartier straté-
gique » formé d'« unités résidentielles d'exception » et
pourvu de « tous commerces » verrait le jour, communauté utopique où l'on n'aurait plus rien à faire que
manger, dormir et acheter. Plus besoin de travailler,
apparemment, c'en serait fini de ces contraintes fasti-
dieuses, fini de pointer à l'usine pour une besogne aussi

vulgaire que fabriquer des objets. Avions-nous tout à fait perdu l'esprit, ces dernières années ? Avions-nous oublié que la prospérité nécessite un support solide, tangible ? Même pour quelqu'un comme moi, qui s'était contenté de passer les quinze derniers jours à parcourir des journaux et survoler des sites d'info, il était clair que nous étions en train de nous planter dans les grandes largeurs, et que démolir nos usines pour mettre des boutiques à la place n'était pas une idée géniale, à l'usage, enfin qu'il n'était guère raisonnable de bâtir toute une société sur du vent.

*Continuez tout droit pendant un kilomètre.*

J'ai remarqué qu'on ne traversait plus Northfield : ils avaient trouvé les fonds pour construire une nouvelle bretelle de contournement, c'était même si récent qu'Emma ne semblait pas au courant. À me faufiler de feux de circulation en ronds-points, je la plongeais dans la confusion la plus totale ; mais je dois reconnaître que tout en me donnant des consignes contradictoires, qu'elle reconsidérait à toute vitesse, elle demeurait d'une équanimité admirable. Quelle femme ! Une fois à Selly Oak, finies les complications, elle m'a guidé d'une voix experte, Harborne Lane, Norfolk Road, jusqu'à Hagley Road. J'y suis arrivé peu après trois heures, et je suis descendu dans un Quality Hotel Premier à un peu plus de quarante livres la nuit pour une chambre seule — je ne risquais pas d'exploser le budget d'Alan Guest. La chambre n'était pas bien grande, et la vue pas bien belle, au premier étage sur cour, mais c'était confortable. Comme il y avait une bouilloire et deux sachets de café soluble, je m'en suis fait une tasse et je me suis allongé une demi-heure pour récupérer de la route. Je me sentais un peu seul, et j'ai pensé appeler Lindsay, mais j'ai décidé d'attendre le soir.

Le thé chez Mr et Mrs Byrne me laissait une heure et demie de battement : tout juste le temps de passer au cimetière de King's Norton, ce que j'ai fait. La tombe de ma mère était en bon état. J'avais acheté des fleurs au Tesco Express du coin, et je les ai posées en appui contre la pierre tombale, vu que je n'avais pas de vase, ni rien. *Barbara Sim, 1939-1985*, c'est tout ce qui était inscrit. Papa avait voulu rester sobre, c'est du moins ce qu'il m'avait dit à l'époque. Quarante-six ans. J'étais déjà plus âgé qu'elle. J'avais vécu plus longtemps que ma mère. Et pourtant j'avais le sentiment qu'il me faudrait encore bien des années pour atteindre la maturité qui m'avait toujours semblé la sienne. Elle avait vingt-deux ans à ma naissance, et les vingt-quatre années qui lui restaient à vivre, elle les avait passées à m'élever, m'accompagner jusqu'à l'âge adulte, en se consacrant à moi en permanence, avec la plus parfaite abnégation. Elle m'avait aimé d'un amour inconditionnel. Ce n'était peut-être pas une lumière, elle n'était peut-être pas follement instruite, elle ne comprenait peut-être rien à la poésie de mon père (moi non plus, du reste), mais sur le plan affectif elle était bien plus mûre que son âge. Peut-être était-ce dû aux circonstances de sa vie, à moins que sa génération, du fait d'avoir toujours vécu dans l'ombre de la guerre, n'ait grandi plus vite que la mienne. En tout cas, je me sentais réduit à l'humilité (oui, c'est vraiment le mot, je n'en vois pas d'autre) en pensant à la mère magnifique qu'elle avait été. En comparaison, mes efforts de paternité paraissaient dérisoires.

*1939-1985*. Ça ne suffisait pas. Il aurait fallu écrire autre chose sur sa tombe, quelque chose de plus.

Oui, mais quoi?

« C'était une femme adorable, ta mère. Donald et moi, nous l'avons toujours pensé. Il ne se passe guère de jour que nous ne parlions d'elle. »

Mrs Byrne finissait de verser du lait dans ma tasse, où elle a mis deux cuillerées de sucre comme je le lui avais demandé. J'ai remarqué que ses mains tremblaient légèrement : début de Parkinson? J'ai pris le plateau, et je l'ai suivie dans le jardin d'hiver.

« Ça m'intrigue », disait Mr Byrne. Il tenait l'IP 009 dans la lumière déclinante de l'après-midi pour l'examiner sous tous ses angles. « Tu t'es fixé quel objectif? Tu comptes en vendre combien?

— C'était toujours un bonheur de causer avec elle. Une vraie boute-en-train », a dit Mrs Byrne. Elle parlait toujours de ma mère. J'avais remarqué qu'il était difficile de mener une conversation avec Mr et Mrs Byrne, parce qu'ils parlaient toujours en même temps, et jamais de la même chose.

« C'est-à-dire, là n'est pas tellement la question, j'ai répondu à Mr Byrne. La question n'est pas d'en vendre tant. Ça n'est même pas très grave si je n'en vends aucune cette semaine. »

C'était vrai jusqu'à un certain point. Les Brosses à Dents Guest étaient déjà en affaires avec la plupart des pharmaciens d'officine, et aussi avec les supermarchés; et les commandes se prenaient le plus souvent groupées, que ce soit en ligne ou par téléphone. Mais Alan m'avait tout de même dit que si par hasard je tombais sur des indépendants il fallait que j'en profite pour m'arrêter chez eux montrer ma marchandise. C'était un aspect du voyage qui ne m'emballait pas. J'avais depuis longtemps cessé le porte-à-porte.

« C'est vrai que le design est superbe, a dit Mr Byrne. On ne ferait pas mal de s'en offrir deux nous-mêmes.

— S'il n'y a que ça, j'ai répondu en tirant une deuxième brosse de ma poche, je vous l'offre, avec les compliments de Guest.

— Tu es sûr ?

— Tout à fait.

— Eh bien, c'est magnifique, n'est-ce pas, Sue, que c'est magnifique ? »

Mrs Byrne a acquiescé d'un air distrait, mais elle avait la tête ailleurs. Elle a commencé par nous passer les tasses de thé et les scones maison, et puis elle m'a dit : « Alors tu vas jusqu'à Aberdeen ?

— C'est ça.

— Écoute, il faut absolument que tu passes chez Alison. Elle serait ravie de te voir.

— Tst tst, tais-toi donc, Sue, a dit Mr Byrne. Il n'a pas le temps de passer voir Alison. Dis-moi, Max, Harold le loue, en ce moment, cet appartement de Lichfield ? Parce que ça fait bien des années qu'on n'est pas allés y jeter un coup d'œil, et la dernière fois qu'on lui a parlé, c'était son intention.

— Et pourquoi pas ? a repris Mrs Byrne. Ne serait-ce que pour boire une tasse de thé, c'est toujours ça. De toute façon, pour aller à Aberdeen, il faut bien qu'il passe par Édimbourg.

— Je ne crois pas qu'il l'ait loué », j'ai dit à Mr Byrne.

217

Puis, en m'adressant à sa femme : « Il me semble qu'il y a un périphérique, j'évite le centre-ville.

— Il se prive d'un joli revenu locatif, alors, a dit Mr Byrne.

— Oui, mais le quartier d'Alison est très facile d'accès depuis le périphérique, a dit Mrs Byrne.

— De toute façon, je vais chercher les clefs.

— Je vais chercher un plan de la ville, pour te montrer où c'est exactement. »

Le temps qu'ils reviennent, j'ai bu mon thé sans me presser et j'ai mastiqué mon scone en regardant leur jardin par la fenêtre. C'était un grand beau jardin, dont les terrasses étagées menaient aux rives du plan d'eau. Derrière la clôture, j'apercevais le sentier qui en faisait le tour. Il fallait une demi-heure pour le parcourir, si j'avais bonne mémoire. Je l'avais fait avec Alison, un jour. Je pouvais avoir quinze ans. Ça se passait peu avant que nos familles partent ensemble dans la Région des Lacs. J'étais sans doute venu voir Chris, mais allez savoir pourquoi, je m'étais retrouvé à faire le tour du lac avec Alison, qui avait deux ans de plus que moi, et avec qui j'avais toujours entretenu une vague amitié à la limite du flirt. (J'avais le sentiment diffus de ne pas la trouver aussi attirante que j'aurais dû, si vous voyez ce que je veux dire.) Fallait-il que j'aille la voir à Édimbourg ? Que je passe boire une tasse de thé ? Je ne l'avais pas revue depuis le mariage de Chris, plus de quinze ans auparavant. Ça ne pouvait pas faire de mal, sûrement...

Mr et Mrs Byrne sont revenus en même temps, chacun suivant son idée.

« Quand dois-tu être aux Shetlands, exactement ? a demandé Mrs Byrne.

— Tiens, les voilà, a dit Mr Byrne en me tendant un trousseau de clefs. Dis donc, elle est à toi, la Prius, dehors ?

— Ça n'a pas tellement d'importance, pourvu que j'y sois en fin de semaine, j'ai répondu à Mrs Byrne. Oui, elle est à moi, j'ai dit à Mr Byrne. Enfin, le temps du voyage.

— Eh bien alors, pourquoi n'irais-tu pas dîner chez Alison et Philip, demain soir ?

— Comment tu la trouves ? Agréable à conduire ? »

J'ai supposé que Philip était le mari d'Alison, le prénom me disait vaguement quelque chose.

« Je ne peux pas, malheureusement. Je vais retrouver Lucy, ma fille, demain soir. À Kendal. Oui, j'adore la conduire. Vous savez que j'ai tenu une moyenne de 6 litres au cent pour venir jusqu'ici ? Et puis le GPS est fabuleux.

— À Kendal ? Qu'est-ce qu'elle fait à Kendal, ta fille ?

— Pas mal mais, attention, tu as des petites diesels qui font pas tellement plus, aujourd'hui. Il est gros, le moteur ?

— C'est-à-dire que... Caroline m'a quitté, vous comprenez. Il y a six mois. Elles habitent Kendal, à présent. Euh, je n'en ai pas la moindre idée, c'est sans doute précisé dans le manuel...

— Oh, Max, je ne savais pas. Tu dois être effondré. Pourquoi est-ce que Chris ne nous en a pas parlé, je me le demande.

— Je me suis laissé dire qu'elle n'a pas beaucoup de reprise, qu'elle manque un peu de puissance, quand tu dois doubler dans l'urgence.

— Oui, ça a été une... déception. La pire déception de ma vie, à vrai dire. »

Mr Byrne m'a regardé, interloqué, jusqu'à ce que sa femme lui donne une tape réprobatrice sur le genou. « Il parle de la rupture de son couple, pas de la puissance de sa voiture. Tu ne peux pas écouter, un peu ? » Puis, s'adressant à moi : « Il y a des tas de relations qui traversent des passages à vide, Max, je suis sûre que ça n'aura qu'un temps.

— Je ne crois pas, j'ai répondu, elles sont allées s'installer à l'autre bout du pays, ça me paraît plutôt définitif.

— Vous avez essayé de consulter un conseiller conjugal, ce genre de chose ?

— Tu baisais à l'extérieur, ou quoi ? m'a demandé Mr Byrne

— Donald ! s'est écriée sa femme, exaspérée.

— Oui, j'ai répondu, oui, on a consulté un conseiller conjugal, et non, je ne baisais pas à l'extérieur.

— Reste donc dîner, Max, m'a proposé Mrs Byrne. J'ai fait une tourte au poulet, et il y en a largement assez pour trois.

— Je ne voulais pas t'offenser, a dit Mr Byrne, mais il est vrai qu'il se passe de drôles de choses dans la tête des hommes de quarante ans. Dieu sait pourquoi, ils sont démangés par le besoin irrésistible de coucher avec des filles de vingt ans.

— J'aimerais beaucoup, j'ai dit, beaucoup dîner avec vous, pas coucher avec des filles de vingt ans, encore que j'aimerais sûrement aussi, mais de toute façon ça ne va pas être possible, de dîner, je veux dire. Je... j'ai prévu quelque chose ce soir.

« — Allons bon ! Tant pis, alors, mais je vais refaire du thé. »

Mrs Byrne a disparu dans la cuisine, nous laissant, son mari et moi, en tête à tête pendant quelques minutes. L'espace d'un instant, j'ai cru qu'il allait en profiter pour avoir une conversation à cœur ouvert avec moi sur la faillite de mon couple — horreur ! — mais j'avais tort de m'inquiéter. Il n'a été question que de la Toyota Prius. Selon un article qu'il avait lu, le processus de fabrication était tellement complexe et tellement long qu'il annulait les bénéfices du moteur hybride sur l'environnement. En plus, on disait que le recyclage de la batterie était très problématique. Mr Byrne avait l'air incollable sur la Prius. Mais il faut dire que, comme son fils, il m'avait toujours fait l'effet d'être bien informé. Il faisait partie de ces hommes dotés (contrairement à moi) d'une insatiable curiosité.

Mrs Byrne s'est absentée une vingtaine de minutes. Je ne voyais pas bien pourquoi elle mettait aussi longtemps à refaire du thé. Mais quand elle a fini par reparaître, tout s'est éclairci.

« Désolée, a-t-elle dit, j'étais au téléphone avec Alison. Je l'ai appelée à tout hasard, il se trouve qu'elle est chez elle toute la semaine. Elle serait ravie de te voir mercredi.

— Ah bon, j'ai dit, pris de court. Eh bien, c'est formidable, merci.

— Philip est en Malaisie, en ce moment, alors elle réserve une table en ville, comme ça vous pourrez dîner tranquillement. Les garçons sont pensionnaires tous les deux, à présent, bien sûr.

— Je vous remercie beaucoup, mais...

— Tiens ! s'est exclamé Mr Byrne en se levant d'un bond. Ça me donne une idée. »

Il a quitté la pièce, et je me suis creusé la tête pour intégrer cette nouvelle péripétie, qui allongerait mon voyage d'une journée en me faisant prendre le ferry d'Aberdeen le jeudi soir pour arriver aux Shetlands le vendredi matin. Est-ce que ça posait problème ? Pas forcément. Les autres vendeurs seraient sûrement déjà rentrés après avoir rallié leur destination, mais nous ne faisions pas la course, ou alors je n'avais aucune chance d'arriver premier, de toute façon. Fallait-il que ça me tracasse ? Dans ce scénario, je ne tenais guère le rôle de Robin Knox-Johnston ni celui de Bernard Moitessier. D'ailleurs, j'étais déjà bien placé pour remporter l'autre trophée, celui des économies d'essence.

« Eh bien, mais ça serait... ce serait génial, en fait. Oui, pourquoi pas ? Je serai ravi de revoir Alison.

— Et elle sera ravie de te revoir, j'en suis sûre. Magnifique. Alors, c'est décidé. »

Elle me souriait, rayonnante, et m'a présenté l'assiette de scones. J'ai vu mon reflet se pencher pour en prendre un dans les vitres de la véranda. Dehors, il faisait presque nuit. Une soirée sinistre m'attendait, tout seul dans ma chambre, au Quality Hotel Premier, et pourtant je ne pouvais me résoudre à accepter l'invitation des Byrne à partager leur dîner. Mon quotient de tolérance quotidienne à la compagnie d'autrui demeurait faible. J'ai mangé mon scone sans rien dire, tandis que Mrs Byrne me parlait sur un ton apaisant, me donnant des nouvelles d'amis que je n'avais jamais connus, ou dont je perdais le souvenir. Puis, au bout de quelques minutes,

Mr Byrne est revenu, suant et soufflant, un gros carton dans les bras.

« Et voilà, il a dit en posant triomphalement l'objet sur le sol du jardin d'hiver.

— Oh, Donald! s'est exclamée sa femme. Mais qu'est-ce qui te prend?

— Il était au grenier, ce carton, a expliqué Mr Byrne.

— Je le sais bien, qu'il vient du grenier. Qu'est-ce qu'il fiche ici?

— Tu as dit que tu en avais marre de le voir.

— C'est justement pour ça que je l'ai monté au grenier, pourquoi l'as-tu redescendu?

— Il n'a rien à y faire, on a assez de bazar comme ça, là-haut. Ce carton est à Alison.

— Je le sais bien qu'il est à Alison. Je lui demande toujours de l'emporter, et elle l'oublie chaque fois.

— Elle ne l'oublie pas, elle s'arrange pour ne pas y penser.

— Soit, admettons, n'ergotons pas. Qu'est-ce qu'on en fait?

— Max pourrait le lui apporter.

— Max?

— Il va lui rendre visite, non? Eh bien, il n'a qu'à le lui apporter.

— En voilà, une idée! »

J'ai regardé le carton, qui était si gros que Mr Byrne avait peiné à le porter, et qui regorgeait de papiers. Néanmoins, dans la mesure où il se caserait sans peine dans mon coffre, je n'ai pas vu de raison de refuser.

« Ça ne posera aucun problème, j'ai dit. Qu'est-ce qu'il y a, là-dedans?

— Tous les cours d'Alison ; ils doivent avoir dans les trente ans, je crois bien.

— On devrait balancer tout ça, a dit Mrs Byrne. Voilà ce qu'il faudrait faire. Brûler ces paperasses.

— Impossible, a dit son mari. Alison a sué sang et eau, là-dessus.

— Pour le bien que ça lui a fait. Elle n'a même pas décroché son diplôme.

— Sue, faut-il te le rappeler, son diplôme, elle l'a eu. Elle n'a jamais exercé, nuance. Et il n'est pas exclu qu'elle le fasse, à présent que les enfants sont pour ainsi dire élevés.

— Exercé quoi ? » j'ai demandé. C'était si loin, je ne me rappelais même pas quelles études elle avait faites.

« La psychologie, a répondu Mr Byrne, elle a toujours voulu être psychothérapeute. »

Ça me disait vaguement quelque chose, mais j'en ai surtout conclu qu'en définitive je connaissais à peine Alison, et que nous avions vécu très peu de choses ensemble. Est-ce que j'avais tellement envie de passer toute la soirée de mercredi avec une quasi-inconnue ? De toute façon, il était trop tard pour faire machine arrière. Mr et Mrs Byrne étaient tous deux emballés par l'idée, l'une pour d'obscures raisons sentimentales, l'autre parce qu'il n'avait qu'une hâte, se débarrasser du carton.

« Et voilà, ça n'est pas encombrant du tout », j'ai dit quelques minutes plus tard en le soulevant avec précaution pour le déposer dans le coffre. J'avais laissé ma valise et mon ordinateur portable à l'hôtel, il ne restait plus que les deux petites boîtes d'échantillons. Mrs Byrne était sortie me dire au revoir. La nuit était frisquette, notre haleine faisait de la buée dans l'allée du garage. J'ai pris congé en toute hâte, au mépris des bonnes manières, peut-être, en partie pour ne pas qu'elle prenne froid, mais surtout parce que je ne suis pas en état de supporter des adieux qui se prolongent. À l'instant où je montais dans ma voiture, prêt à démarrer, Mr Byrne est sorti de la maison en trombe.

« N'oublie pas les clefs ! » s'est-il écrié en brandissant le trousseau de l'appartement de mon père.

J'avais réussi à les laisser dans la maison ! J'ai baissé la glace et je les ai reçues de ses mains.

« Merci, j'ai dit. J'ai bien failli.

— Tu es sûr que c'est les bonnes ? a demandé Mrs Byrne.

— Évidemment ! a répondu Mr Byrne.

— Elles ne ressemblent pas aux clefs d'Harold, je trouve. »

Son mari l'a ignorée. « Prends-en soin, m'a-t-il recommandé, il n'y en a pas d'autres.

— Mais si », a dit sa femme.

Il s'est tourné vers elle avec un soupir.

« Pardon ?

— Je dis qu'il y en a d'autres. Miss Erith a un trousseau.

— Miss Erith ? Qu'est-ce que tu racontes ? C'est qui, Miss Erith ?

— La vieille dame d'en face. Elle a un trousseau puisqu'elle prend le courrier, tu sais bien, toutes les cartes postales.

— Quelles cartes postales ? Tu dis n'importe quoi !

— Je ne dis pas n'importe quoi, il continue à recevoir des douzaines de cartes postales tous les ans, toutes du même expéditeur. » Elle s'est penchée par ma vitre ouverte pour m'expliquer : « Je sais très bien de quoi je parle, contrairement à lui. Ne l'écoute pas. Passe une soirée superbe avec ta fille, et embrasse Alison pour nous, s'il te plaît.

— Ne te laisse pas embobiner, embrasse-la, mais remets-lui les papiers, aussi.

— Je n'y manquerai pas.

— Et merci pour les brosses à dents.

— Je vous en prie. Merci pour le thé. »

Je leur ai fait un signe de la main, et j'ai remonté ma vitre avant qu'ils trouvent encore quelque chose à ajouter, sinon on en avait pour toute la nuit. Très franchement, parler avec eux commençait à m'épuiser. Surtout avec Mrs Byrne, qui tournait un peu à la vieille excentrique. D'abord, ses propos sur les cartes postales me paraissaient bizarres. Comment croire que quelqu'un écrive encore à cette adresse de Lichfield, alors que mon père était parti depuis plus de vingt ans ?

Et maintenant, où va-t-on ?

Je me suis d'abord dirigé vers le centre-ville. J'avais Emma pour me tenir compagnie, bien sûr, mais je ne lui ai pas indiqué de nouvelle destination, et comme elle devait croire que nous allions toujours chez Mr et Mrs Byrne, ses consignes étaient plutôt confuses. Ça m'était égal. Écouter sa voix suffisait à mon bonheur.

Birmingham avait beaucoup changé depuis ma dernière visite. Avec tous ces immeubles neufs, des galeries marchandes surtout, j'étais déboussolé la moitié du temps. J'ai fini par trouver un parking à plusieurs niveaux, et j'ai dirigé mes pas vers le quartier de boutiques et de cafés qui avait surgi le long du bassin du vieux canal. Il y avait pas mal de restaurants dont le nom ne me disait rien, et au bout du compte je suis entré dans un Pizza Express : j'y avais mes repères, c'était rassurant. Il n'y a pas de surprises, avec Pizza Express.

Le restaurant était plein. Tout le monde paraissait vingt ans de moins que moi, et comme d'habitude dîner seul m'intimidait. N'ayant rien apporté à lire, j'ai sorti mon mobile et, en attendant ma pizza, j'ai envoyé un texto à Trevor. Quelques secondes plus tard, il me rappelait en utilisant le kit mains libres qu'on nous avait fourni pour la voiture mais que je ne m'étais toujours pas résolu à installer. L'acoustique du restaurant était mauvaise, j'avais du mal à entendre ce qu'il me disait, mais j'ai compris qu'il n'était plus qu'à une demi-heure de Penzance, et il a eu l'air égayé d'apprendre que je n'avais pas encore dépassé Birmingham. « Bah, m'a-t-il dit avant que ça coupe complètement, du moment que tu t'amuses... »

M'amuser, c'était un bien grand mot. En sortant du restaurant, vers huit heures et demie, j'ai trouvé un coin tranquille le long d'un canal et j'ai appelé Lindsay — petit plaisir que je me réservais depuis plusieurs heures. Elle n'a pas répondu. J'ai laissé un message mais il se peut qu'elle ne l'ait pas eu, parce que, pour une raison ou pour une autre, je n'ai eu aucune nouvelle d'elle ce soir-là.

J'aurais certes pu aller à Lichfield séance tenante, et coucher dans l'appartement de mon père pour économiser une chambre d'hôtel aux Brosses à Dents Guest. Mais je pressentais que ce séjour dans l'appartement paternel risquait fort de n'être pas guilleret. Mieux valait sans doute le voir à la lumière du jour. En attendant, il ne me restait plus qu'à retourner au Quality Hotel Premier, pour regarder la télévision ou encore, sur mon portable, le DVD *Deep Water* que Clive m'avait passé.

Sur le chemin de l'hôtel, je dois dire qu'Emma et moi avons fait une fameuse équipe, surtout aux abords du rond-point de Holloway Circus, où j'ai trouvé marrant de tourner en rond pour l'embrouiller. Quelle rigolade ! « *Tournez à gauche* », elle répétait. « *Tournez à gauche, tournez à gauche.* » Tant et plus, à des intervalles de plus en plus rapprochés puisque j'appuyais sur le champignon au tour suivant. Mais impossible de lui faire hausser le ton. J'avais beau tourner en rond pied au plancher, multiplier les tours, elle demeurait imperturbable. J'ai bien dû faire six ou sept tours avant de voir une voiture de police remonter Smallbrook Queensway depuis New Street Station. Je suis sorti vers Five Ways sans demander mon reste et, de là, je suis rentré à l'hôtel en m'en tenant à un pépère 45 à l'heure.

Une fois garé, je suis allé jeter un coup d'œil dans le coffre parce que, pendant que je jouais aux chevaux de bois sur Holloway Circus, j'avais entendu de drôles de bruits, à l'arrière. Comme il fallait s'y attendre, mes pitreries avaient chahuté le carton d'Alison, et les papiers en équilibre instable sur le haut de la pile s'étaient éparpillés partout. Or le vent avait forci entre-temps et, quand j'ai ouvert le coffre, certaines feuilles, aspirées, se sont envolées sur le parking. Il m'a fallu courir dans tous les sens en jurant comme un charretier pour les récupérer, sauf qu'à ce moment-là une nouvelle bourrasque en a éparpillé d'autres. J'ai claqué le hayon, et j'ai fini par rassembler les feuillets, non sans efforts, avec l'aide d'un passant médusé. J'en ai fait une sorte de brassée serrée sur ma poitrine, et je suis remonté en voiture pour les remettre en pile et les classer sommairement. Tout cet épisode m'avait essoufflé, et curieusement agité. À ma connaissance, il n'y avait là que de vieilles copies d'Alison, sans valeur particulière ; n'empêche, on m'avait chargé de les lui remettre, et je ne voulais pas faillir à ma mission.

Pourtant cette idée m'est carrément sortie de la tête quand j'ai aperçu la feuille du haut de la pile, posée sur la banquette arrière. À votre avis, quel était le mot qui venait d'attirer mon attention ?

C'était mon nom : Max.

Et pas qu'une fois, en plus. Il revenait à cinq ou six reprises sur cette seule page.

Il s'agissait d'un vague essai. Je me suis mis à farfouiller dans les papiers en vrac sur mes genoux pour trouver le reste du devoir. Les pages étaient restées dans l'ordre, mais il en manquait quelques-unes. J'ai retrouvé celle qui était manifestement la dernière, et qui portait le numéro 18, et puis j'ai retrouvé la première, intitulée « ATTEINTE À LA VIE PRIVÉE — Alison Byrne, 22 février 1980 ». Atteinte à la vie privée ? Qu'est-ce que c'était que cette histoire ? Il y avait aussi une note, fixée par un trombone à la première page. L'écriture en était différente, plus masculine, et au bout de quelques lignes j'ai compris que c'était sans doute celle du professeur.

*Chère Alison,*

*Le séminaire de jeudi et les quelques mots que nous avons échangés ensuite me donnent à penser que vous vous intéressez particulièrement au viol de l'intimité avec les conséquences qu'il peut avoir sur les personnes concernées. Comme vous avez pour* tâche trimestrielle de rédiger un essai de réflexion personnelle tirée d'une expérience vécue, je me demandais si le sujet vous tenterait. Peut-être y a-t-il eu un incident spécifique dans votre passé qui ait un rapport avec ce thème.

Je vous rappelle que ces essais de réflexion personnelle ne sont pas notés, et ne seront pas vus par vos professeurs, sauf demande expresse de votre part. L'idée, c'est que vous les écriviez à votre rythme; la valeur de l'exercice réside dans la pratique de l'écriture, avec ce qu'elle entraîne de progrès dans la conscience de soi.

Cela dit, ne voyez là qu'une suggestion, le choix de votre sujet vous revient.

Cordialement,

Nicholas

Après avoir lu cette lettre, j'ai parcouru le début de l'essai. Le premier paragraphe n'était guère qu'une introduction, mais le deuxième commençait en ces termes : « C'était pendant le long été de la canicule, en 1976 », et quelques phrases plus loin : « Vers la fin du mois d'août, cette année-là, nous sommes partis camper une semaine dans la Région des Lacs avec nos amis les Sim. »

La Région des Lacs ? Elle avait rédigé un essai sur nos vacances à Coniston ? Pourquoi ? Qu'est-ce qui s'était passé cette semaine-là qui puisse avoir un rapport avec le viol de l'intimité ?

Les mains tremblantes, j'ai fouillé dans le reste des papiers, en sentant monter la panique. Il fallait absolument que je trouve les pages manquantes et que je lise l'essai du début à la fin, pour pénible que ça puisse être. Comme avec la nouvelle de Caroline, je me sentais poussé par une curiosité affolante, suicidaire. Lire la nouvelle avait été éprouvant. L'essai ne risquait-il pas d'être pire?

Les pages manquantes, je l'ai compris, s'étaient mélangées aux autres copies d'Alison dans le coffre de la voiture. Il m'a fallu un quart d'heure pour tout remettre dans l'ordre. Là-dessus, j'ai dit bonne nuit à Emma (« Souhaite-moi bonne chance », je lui ai murmuré), j'ai fermé la voiture et, ma brassée de feuilles serrée contre moi, je suis monté au premier étage. Je me suis fait une tasse de Nescafé, j'ai allumé la télévision sans le son pour me tenir compagnie, et puis je me suis couché et j'ai commencé à lire.

# LE FEU

## La photo pliée

L'incident dont il va être question s'est produit il y a plus de trois ans, et pourtant il est encore très frais dans ma mémoire. Lourd de conséquences, il m'a éloignée de quelqu'un dont je souhaitais me rapprocher.

C'était pendant le long été de la canicule, en 1976. « Long été de la canicule » n'est pas un cliché, en l'occurrence ; dans tout le Royaume-Uni, il y a eu beaucoup de soleil et très peu de pluie presque tout cet été-là. Au point que le gouvernement a nommé pour la circonstance un « ministre de la Sécheresse ».

Vers la fin du mois d'août, cette année-là, nous sommes partis camper une semaine dans la Région des Lacs avec nos amis les Sim.

Nous avions été voisins dans le quartier de Rubery, à Birmingham. Ils avaient un fils unique qui s'appelait Max, et qui était le meilleur ami de mon petit frère Chris à l'école primaire. Mais à l'âge de onze ans, on les avait envoyés dans des établissements différents. Chris était entré à la King William's School de Birmingham (moi, j'étais déjà dans une école de filles du même niveau). C'était un établissement sélectif, on n'y entrait que sur examen. Max avait échoué, et il est donc allé au collège du secteur. Deux ans plus tard, nous avons quitté Rubery pour emménager dans une maison avec un grand jardin qui donnait sur le plan d'eau d'Edgbaston. Malgré tout, Chris et Max sont restés très amis, et nos parents ont continué à se voir très souvent.

À l'époque de l'incident en question, Chris et Max avaient seize ans, et moi presque dix-huit. À bien des égards, je me trouvais trop vieille pour partir en vacances avec mes parents, d'ailleurs, ça a été la dernière fois. J'étais déjà allée en France au début de l'été avec une amie, mais ces vacances en camping arrivaient à la fin du mois d'août et, comme il faisait encore beau temps, et que je n'avais pas envie de rester toute seule à la maison pendant une semaine, j'ai suivi le mouvement.

Notre camping était situé sur les rives du lac de Coniston. Il accueillait des caravanes aussi bien que des tentes, on disposait de sanitaires modernes avec douches et tout et tout. Mes parents possédaient une grande tente familiale à deux « chambres », nous avions donc tout le confort, bien que je ne sois pas inconditionnelle de la vie sous la tente. Les Sim avaient planté la leur (nettement plus modeste) quelques mètres en face, et l'espace entre nous tenait lieu de « partie commune ». C'était là que, chaque soir, nous nous asseyions autour du feu pour dîner et bavarder. Ensuite, mon frère Chris allait parfois chercher sa guitare, mais je tiens à dire que jamais nous ne chantions, ni rien d'aussi ridicule. Il se contentait de plaquer quelques accords mineurs mélancoliques, les yeux perdus dans le lointain. Max et lui étaient à l'âge où les garçons tombent cruellement amoureux ; Chris se languissait pour une fille de mon

233

école. Je lui avais dit qu'il n'avait pas l'ombre d'une chance, mais il ne m'écoutait pas.

Quant à Max, il prenait des allures d'amoureux transi, lui aussi, mais — sauf erreur de ma part — l'objet de sa flamme n'était autre que moi.

Je le connaissais depuis des années, Max, mais je m'apercevais tout juste qu'il avait désormais l'air d'un homme, et que de surcroît il était plutôt joli garçon. Le fait qu'il ait presque deux ans de moins que moi aurait dû le disqualifier purement et simplement à mes yeux, mais je trouvais tout de même flatteur qu'il ait un penchant pour moi et, en toute honnêteté, j'avouerai que si j'étais venue camper au départ, c'était en sachant qu'il serait là. Mais le pauvre garçon n'était pas très sûr de lui. Moi, j'avais opté pour l'« amour vache », et j'ai passé le plus clair de la semaine à l'ignorer. J'espérais ainsi le forcer à se déclarer, mais j'ai bien peur qu'il ait interprété mon attitude à la lettre et conclu qu'il ne me plaisait pas.

Une chose que j'ai remarquée très vite, c'est que chez les Sim la dynamique familiale était très différente de chez nous. Max et sa mère étaient extrêmement proches. À vrai dire, elle le traitait comme un bébé et le suralimentait en permanence : elle le resservait aux repas, lui achetait des sucreries, des barres chocolatées, des bonbons acidulés à l'épicerie du coin, etc. Malgré cela, il était très maigre, traversant l'âge où les garçons peuvent s'empiffrer à longueur de journée sans prendre un gramme. En revanche, il ne semblait pas proche de son père du tout. D'ailleurs, Mr Sim ne paraissait proche ni de son fils ni de sa femme. C'était un homme peu bavard, introverti et d'un abord passablement difficile.

Il était bibliothécaire dans l'un des collèges techniques de Birmingham, mais Max m'avait dit un jour qu'en fait il avait toujours voulu être poète. L'une des choses qui m'ont frappée, cette semaine-là, c'est qu'il ne se séparait jamais d'un cahier, dans lequel on le voyait souvent écrire. Un soir que nous étions assis autour du feu, mon père l'a même persuadé de nous lire un des poèmes de ce cahier. J'étais paralysée d'embarras. Je m'attendais à des vers de mirliton sur les fleurs et les petits oiseaux, le soleil qui brille et autres niaiseries, mais le poème qu'il a lu était plutôt bon, au contraire. Je n'y connais pas grand-chose, en poésie, et il y avait des passages difficiles à comprendre, mais du moins rien de mièvre ni de banal, rien de ce genre. J'aurais du mal à dire de quoi il était question, mais on ressentait une atmosphère — une atmosphère de deuil et de regret, vaguement liée à un passé sinistre et inquiétant. Quand Mr Sim a achevé sa lecture, je m'en souviens, nous sommes restés muets, un peu surpris, impressionnés, je crois — sauf Mrs Sim, qui avait l'air mortifiée. Sans vouloir la désobliger, il était flagrant qu'elle n'avait pas la moindre idée de ce dont son mari parlait dans ses poèmes. Je ne crois pas qu'elle était très instruite, ni qu'elle était bien maligne, d'ailleurs. Elle travaillait à temps partiel comme secrétaire chez un médecin à Moseley, et tout en voyant en elle une femme très gentille, pleine de sens pratique — et particulièrement jolie — on se demandait pourquoi elle et son époux s'étaient mariés, et ce qu'ils pouvaient avoir en commun. Mais enfin, les rapports entre les gens sont un mystère, ce qui n'est peut-être pas plus mal.

Outre son cahier, Mr Sim ne se séparait jamais de

son appareil photo, modèle antique, volumineux, d'un maniement complexe, qui avait sûrement coûté très cher et qu'il rangeait avec soin dans un vieil étui en cuir râpé. Il photographiait surtout des paysages, ou alors des troncs d'arbres, du lichen, etc., en très gros plan. Jamais de photos de vacances, autrement dit. Il va de soi que, tout comme ses poèmes, sa chasse aux images était une activité solitaire. Autant que je me souvienne, il n'emmenait jamais Max avec lui pour lui apprendre les règles du cadrage ou de l'exposition ; il semblait rarement lui transmettre quoi que ce soit. Le phénomène m'échappait, parce que mon père nous parlait tout le temps, à nous, il nous apprenait à faire les choses. Le premier soir des vacances, par exemple, il a disparu dans les bois qui bordaient le lac en compagnie de mon frère Chris, et ils sont revenus avec des brindilles et des branches pour faire du feu. Il m'a demandé si je voulais leur donner un coup de main, mais j'étais absorbée dans la lecture de *Cosmopolitan*. Max n'avait pas l'air d'en mourir d'envie non plus, mais de toute façon il aidait sa mère à éplucher les pommes de terre ; je crois d'ailleurs me souvenir qu'il s'est entaillé le doigt à cette occasion et qu'il lui a fallu porter un pansement pendant quelques jours. Quoi qu'il en soit, mon père a entrepris de faire le feu avec le sérieux qu'il mettait en toutes choses, commentant chaque étape à l'intention de Chris. Il ne suffisait pas d'empiler des bouts de bois et d'en approcher une allumette, si on voulait un feu qui dure. Il fallait d'abord dégager un espace, et l'entourer de cailloux si possible, pour bien l'isoler. Ensuite seulement, on montait une pile de petit bois, brindilles sèches, petites branches, bouts de carton, boîtes à œufs, etc. Il était très important de ne pas tasser le bois, expliquait Papa, si on voulait que l'air circule. Naturellement, on ne manquait pas de bois sec servant tout aussi bien à l'allumage qu'à la combustion puisqu'il n'avait pas plu depuis des semaines sur notre partie du monde. Les bûches, il y avait plusieurs manières de les disposer par-dessus le petit bois, disait Papa. Et de fait, lui et Chris ont essayé diverses techniques au fil de la semaine (la pyramide, l'étoile, la cabane en rondins, etc.) mais, pour finir, ils ont jugé que le tipi était la meilleure parce que, quand le petit bois placé au centre était consumé, les bûches extérieures s'écroulaient pour alimenter le feu. Toutes sortes de matériaux leur servaient d'allume-feu, mousse, herbe sèche, aiguilles de pin, copeaux d'écorce, et Chris savait les trouver : les jours suivants, où il a pris les choses en main tout seul, il lui a suffi d'une seule allumette pour faire démarrer une bonne flambée qui durait facilement deux heures. C'était vraiment joyeux d'avoir ce beau feu tous les soirs ; les journées étaient encore très chaudes, mais les soirées fraîchissaient. Le meilleur moment, c'était quand le feu brûlait déjà depuis quelque temps et que le centre était très chaud ; nous avions fini de dîner, alors, et nous faisions rôtir des guimauves pour le dessert. Un régal.

À l'approche du week-end, le temps a changé. Au fil de la semaine, il avait fait si chaud que tout le monde ou presque s'était baigné tous les jours. Il y avait une petite plage de galets au bout du camping, mais en marchant à travers bois on finissait par en trouver une autre, plus petite encore — à peine une plage, une bande de galets, plutôt, au milieu des arbres, tout juste assez grande pour y tenir à deux ou trois, en se serrant. Cette plage était devenue notre coin préféré. Aucun autre campeur n'y venait, apparemment. Et c'est donc là que nous sommes allés, lors de notre dernier jour complet de vacances, le vendredi en fin d'après-midi, mon frère, Max et moi. Le ciel s'était couvert, il pesait, gris ardoise, sur le lac de Coniston. La température avait bien dû chuter de sept ou huit degrés depuis la veille. Tous les jours, nous nous étions baignés sur cette plage même, et c'est pourquoi nous étions venus ; mais une fois arrivés, la perspective ne nous tentait plus tellement. D'ailleurs, Max s'est aussitôt assis sur le talus d'herbe en disant qu'il ne se trempait pas. Chris l'a traité de femmelette et s'est mis en maillot illico. Il s'est avancé dans l'eau, mais quand il en a eu jusqu'au genou, il s'est arrêté pile : il faut croire qu'elle était bien plus froide que prévu. Moi, je n'étais pas décidée, mais je me suis déshabillée quand même. Sous mon T-shirt et mon jean, je portais un bikini orange que je n'avais pas encore mis de la semaine. Je l'avais acheté en France, avec mon amie, au début de l'été. Il était plutôt du genre minimal-ne-cachant-pas-grand-chose, et je savais — d'après l'effet produit sur les jeunes Français — qu'il m'allait franchement pas mal. La semaine tirait à sa fin ; j'en avais assez de tenir la dragée haute à Max et je me disais que s'il me voyait avec ce maillot, il passerait peut-être enfin à l'action. En retirant mon jean et mon T-shirt, j'ai senti ses yeux posés sur moi, mais quand je me suis retournée pour lui sourire, il a promptement détourné le regard. « Tu es sûr que tu ne veux pas venir ? » je lui ai demandé, mais il a fait non de la tête. Il m'a rendu mon sourire, mais sans que je puisse deviner ce qu'il y mettait et ce qu'il pensait. Je suis restée là quelques secondes, en le fixant d'un air interrogateur, mains sur les hanches — histoire qu'il me voie bien dans mon bikini — mais comme il ne réagissait toujours pas je me suis retournée en soupirant et j'ai avancé vers l'eau.

Bon Dieu, qu'elle était froide ! Peut-être que c'était psychologique — ciel gris, absence de soleil — mais le lac m'a paru glacial par rapport aux jours précédents. Positivement polaire. Qui plus est, tandis que nous entrions, Chris et moi, nous avons senti de grosses gouttes paresseuses éclabousser la surface de l'eau. C'était la première pluie depuis des semaines. « Tu es sûr que c'est une bonne idée ? » j'ai demandé à Chris, mais quelques secondes plus tard il avait réussi à entrer, et aussitôt il a nagé vers moi, il m'a prise aux épaules pour me couler. Au début j'ai hurlé, je me suis débattue, et puis j'ai cédé, et je me suis mise à nager à côté de lui, en me disant que mon corps allait s'habituer au froid.

Mais rien à faire. L'eau glacée me paralysait, et au bout de cinq minutes j'ai compris que je n'allais pas me réchauffer ; le jeu ne m'amusait plus. « Je me gèle, j'ai dit. Elle est trop froide. — Fais pas l'idiote ! » m'a répondu Chris. « Sérieusement, je vais attraper des engelures ! » j'ai lancé en reprenant pied pour rentrer sur la berge. Il m'a accompagnée, et nous sommes revenus côte à côte. Max nous attendait sur la plage avec nos serviettes, mais entre-temps son père l'avait rejoint. Il était planté là à nous regarder et, avant que nous soyons remontés sur la berge, il nous a crié « Stop ! » en dégainant son appareil. « Ne bougez plus, c'est parfait, comme ça. » Il a fallu que nous nous immobilisions sur place, dans l'eau glacée jusqu'au genou, pendant qu'il tripotait ses objectifs et nous cadrait.

Sur le moment, déjà, j'ai éprouvé un vague malaise. Pourquoi, je me le demande : un ami de la famille nous photographiait, mon frère et moi, en vacances — quoi de plus innocent ? Mais il y avait quelque chose dans le fait qu'il ait pris tout le temps de trouver la composition idéale en nous obligeant à nous geler, quelque chose dans le ton impérieux à la limite de la brutalité sur lequel il nous avait crié « Stop ! » qui me faisait une impression désagréable. Et puis d'abord, il ne prenait jamais ce genre de photo ; des clichés artistiques de pissenlits ou de troncs d'arbres, oui, des gens, non — alors pourquoi Chris et moi ? Pourquoi à ce moment-là ? Tout à coup, j'ai regretté d'avoir mis ce bikini. Il était déjà minimal au départ mais, sur mon corps trempé et transi, il devenait transparent, et j'avais sans doute les tétons qui pointaient comme des cerises. Que Max me voie comme ça, très bien, mais son père... là, ça devenait carrément malsain. Alors, dès qu'il a pris sa photo, je me suis précipitée sur la rive en évitant son regard, j'ai attrapé la serviette que Max me tendait et je me suis entortillée dedans. Je frissonnais sans pouvoir m'arrêter, je n'arrivais même plus à parler tellement je claquais des dents. Mr Sim rangeait son appareil avec un naturel étudié et il a lancé, avec une jovialité forcée : « Celle-là, elle va être superbe. Bon, qui vient au pub avec nous, ce soir ? »

Car nous n'allions pas dîner autour du feu ce soir-là, les adultes avaient réservé une table au pub du coin. Mais on a bientôt constaté que mon refroidissement ne passait pas. J'avais bel et bien pris froid, et on aurait dit que rien ne pouvait me réchauffer, pas même les deux ou trois tasses de thé bouillant que ma mère m'avait faites à notre retour. Après les avoir bues, je suis rentrée sous la tente, je me suis pelotonnée dans mon duvet et je suis restée à grelotter. Ma mère a annoncé que je n'irais pas au pub et ils ont tenu conseil un moment pour décider de la suite. J'entendais Max dire qu'il ne voulait pas me laisser toute seule et qu'il resterait me tenir compagnie, ce qui m'est allé droit au cœur. On dira ce qu'on voudra de lui, il a toujours été comme ça : attentif, attentionné. Un gentleman-né. Là-dessus, Chris a dit qu'il allait rester aussi ; j'ai pensé : Oh non, quelle barbe ! Mais, d'une façon ou d'une autre, Mr Sim a réussi à l'en dissuader. Je me souviens d'avoir trouvé bien dommage qu'il se donne un tel mal pour convaincre mon frère d'aller au pub avec eux, alors qu'il se fichait éperdument que son propre fils ne les accompagne pas. Sans doute était-ce typique de cette relation père-fils. N'empêche ! J'étais ravie de la tournure que prenaient les événements, on s'en doute.

Une fois tout le monde parti, Max a passé la tête par l'ouverture de la tente pour me demander si j'allais bien. Je lui ai dit que ça allait, mais il a bien vu que j'avais encore très froid et il m'a proposé de me faire du thé, du chocolat chaud, ce que je voudrais. J'ai répondu que oui, c'était sans doute une bonne idée, que j'allais mettre la bouilloire sur le réchaud à gaz, et que je trouverais bien de quoi nous préparer des sandwiches ou une bricole à manger. « D'acc, moi je me charge du feu », a-t-il dit.

Alors là, comme formule décisive, un modèle du genre !

Sans exagérer, les tentatives de Max pour allumer le feu ce soir-là, et le faire durer, furent tout simplement désastreuses. Tout ce qui pouvait foirer a foiré. Le petit bois était humide (à cause de la pluie de l'après-midi), en plus, il n'en avait pas ramassé assez. Les branches censées servir de combustible étaient beaucoup trop grosses, et il n'avait aucun outil pour les couper. Il tentait désespérément de les bloquer entre ses pieds pour les casser à mains nues, mais il a tout juste réussi à s'écorcher la moitié de la main gauche, en proférant des mots choisis. Par la suite, il a dû tout faire d'une seule main, l'autre entortillée dans un mouchoir, ce qui n'arrangeait pas les choses, bien entendu. Je n'arrêtais pas de lui dire : « C'est pas grave, Max, assieds-toi, bois ton cacao, détends-toi, bon sang, mange tes sandwiches. Profitons que les autres sont partis pour passer une bonne soirée tous les deux » — mais rien à faire, il ne tenait pas en place. Il s'était mis en tête que j'avais envie d'un feu comme ceux que faisait Chris, et j'allais l'avoir, mon feu. En plus, après avoir jeté en vrac brindilles, herbes et bûches, il n'a pas été fichu de faire prendre ses allumettes. Il lui en a fallu trois ou quatre pour que le feu démarre, et il s'est mis à fumer au point qu'en deux minutes notre coin du camping était menacé d'asphyxie ; les gens sont sortis de leurs tentes en râlant pour nous dire de l'éteindre. Là, j'ai éclaté de rire, mais c'était bien la dernière chose à faire : Max a eu l'air plus malheureux que jamais, et il a redoublé d'efforts pour relancer la flambée en courant chercher une rallonge de bois humide. À son retour, je mijotais de lui lancer une phrase outrageusement aguicheuse, du type : « Tu sais, on peut se réchauffer autrement », mais, quand j'ai vu la tête qu'il faisait, les mots se sont figés sur mes lèvres. Dire que ce n'était plus le moment de tenir ces propos serait très au-dessous de la vérité. Je voyais bien que la soirée était irrémédiablement gâchée, et pour lui, et pour nous deux. Des larmes de frustration dans les yeux, il ajoutait à son tas fumant divers végétaux humides et inutiles, et il s'emberlificotait pour ouvrir la boîte et gratter les allumettes à travers son mouchoir taché de sang. Je savais que tout était parti d'une intention généreuse — il s'inquiétait pour moi, il voulait que j'aie chaud — mais on n'en était plus là. Ça peut paraître idiot, mais je croyais savoir ce qui se passait dans sa tête ou, du moins, dans son inconscient. Il ne s'agissait plus de faire un feu. Ce qui était en jeu, c'était sa relation avec son père. Chris, on lui avait appris. Papa avait trouvé le temps, il avait eu la patience de transmettre à la génération suivante. Ainsi fonctionnait leur relation. Mais Max n'avait pas droit à ça. Son père l'avait abandonné des années plus tôt, peut-être même qu'il n'avait jamais su nouer le lien avec lui au départ. Il ne lui restait donc plus qu'à s'accrocher aux basques de cette mère placide et bienveillante, qui, de son côté, n'avait rien à lui apprendre, rien à lui transmettre. Il était seul au monde ; déjà, il bataillait. Ne supportant plus de le regarder jeter les allumettes l'une après l'autre dans ce feu qui ne prendrait jamais, je lui ai dit : « J'en ai assez, je rentre. Appelle-moi quand ça flambera. » Mais quand j'ai jeté un coup d'œil dehors, une heure plus tard, en fait de feu, il n'y avait toujours rien qu'un tas de bois fumant piteusement, et Max était invisible, parti quelque part de son côté.

L'histoire ne s'arrête pas tout à fait là, ce que je préférerais, d'une certaine façon, n'aimant guère son dénouement réel. Pour autant, je me rends bien compte que je n'ai pas encore traité le sujet de cet essai, et si je veux le faire, il faut que je raconte en quelques mots ce qui s'est passé dans la maison des Sim une quinzaine de jours plus tard.

J'avais mauvaise conscience à l'égard de Max, je dois l'avouer. Le fiasco du dernier soir, qui aurait pu finir si bien, je ne pouvais pas m'empêcher de me le reprocher en partie. Il est vrai que Max s'était conduit comme un parfait imbécile, mais j'aurais sans doute pu sauver la situation si je n'avais pas perdu patience aussi vite ; et le fond de la question, c'est que j'avais toujours un faible pour lui malgré son inefficacité totale. J'ai donc décidé de lui accorder une dernière chance.

Ne voulant pas l'inviter à boire un verre ni rien d'aussi direct, j'ai résolu de passer chez lui à l'improviste un dimanche, et de lui proposer une balade, sur le parcours de golf, par exemple, qui se trouvait en face de chez lui. Je me suis donc bien gardée de lui téléphoner pour le prévenir ; je dirais que je me trouvais dans le coin, et que j'étais passée à tout hasard.

C'était un bel après-midi de la mi-septembre. J'ai remonté leur petite allée, et j'ai sonné chez eux ; apparemment, la sonnette ne marchait pas, mais la porte n'étant pas fermée à clef, je n'ai eu qu'à la pousser.

En temps ordinaire, j'aurais tout de suite lancé : « Bonjour ! Il y a quelqu'un ? » Mais ce jour-là je n'en ai rien fait, tant la maison semblait déserte et silencieuse — à part un léger ronflement régulier qui provenait d'une des chambres, au premier. Ne voulant pas réveiller le dormeur, je suis montée à pas de loup et j'ai découvert que le bruit venait de la chambre d'amis, pièce que je me rappelais sommairement meublée d'une armoire et d'un petit lit. Qui pouvait bien s'y trouver endormi à pareille heure ?

La porte était entrebâillée ; sans bruit, je l'ai poussée — à peine, pour voir.

C'était Mr Sim. Il faut croire qu'il avait fait un déjeuner dominical copieux — bien arrosé, peut-être — une ou deux heures plus tôt car jamais il n'aurait voulu être découvert dans cette posture : couché sur le flanc face à la porte, pantalon et slip baissés sur les cuisses, un mouchoir en papier froissé dans la main droite. Son sexe pendait, flasque et rabougri, entre ses jambes ; du gland rougeâtre s'écoulait encore un mince filet de sperme sur le couvre-lit bleu clair. Je me souviens d'avoir pensé bêtement : rouge et bleu clair, les couleurs d'Aston Villa ; curieux, comme l'esprit fonctionne. Il y avait autre chose, sur le couvre-lit ; une photo couleurs sur papier glacé, celle qu'il avait prise sur la petite plage de galets, à Coniston Water. Il l'avait pliée en deux avec soin, de sorte que Chris était caché tandis qu'on ne voyait que moi, trempée et grelottante dans mon minuscule bikini orange. À croire que la composition de la photo ne devait rien au hasard, notre parfaite symétrie sur un axe permettant précisément ce pliage.

Je n'avais pas observé Mr Sim dans sa posture deux secondes que la porte s'est ouverte, en bas, et que des voix se sont fait entendre. Aussitôt je me suis retirée, et il n'était que temps, car j'ai entendu Mr Sim se réveiller en sursaut et se rajuster promptement.

Max et sa mère étaient à la cuisine ; comme ils avaient laissé la porte d'entrée ouverte, je suis descendue sans bruit, et je suis sortie en douce. Je n'avais pas envie qu'ils me voient ; je n'avais pas envie de leur parler. Et je tenais encore moins à me retrouver nez à nez avec Mr Sim.

Après cet épisode, je me suis gardée de croiser le

chemin de la famille Sim pendant un bon moment. Je crois même que j'ai réussi à ne pas les voir pour Noël, alors qu'en temps normal nous nous retrouvions pendant les fêtes, passant le plus souvent ensemble la journée du 25 décembre. Personne ne semblait s'apercevoir que je les évitais, personne ne m'a demandé de m'expliquer. C'était dur pour Max, bien sûr ; mais j'étais certaine qu'il allait s'amouracher d'une autre fille tôt ou tard, tôt sans doute. Tout aurait pu être différent, entre nous, s'il ne s'était pas polarisé sur l'idée de faire du feu le dernier soir, au camping. C'était notre « occasion ou jamais » ; l'avoir ratée était peut-être irréversible. Que lui aurais-je dit, ce dimanche-là, si nous étions partis en balade sur le parcours de golf ? Je n'en sais rien, au fond. Tout ce que je sais, c'est qu'après avoir vu son père dans une pareille posture, après avoir compris qu'il m'avait reluquée d'un œil libidineux toute la semaine, et dans quel but il avait pris cette photo, il m'est devenu impossible d'avoir une histoire avec Max, qui pourtant me plaisait beaucoup.

Pour conclure, qu'ai-je appris en rédigeant cet essai ? Ma conviction s'en trouve renforcée : le viol de l'intimité peut avoir des conséquences nocives, destructrices. En l'occurrence, cette atteinte à ma vie privée a annihilé toute possibilité que j'aie un jour une relation avec Max, alors qu'auparavant il me plaisait beaucoup, je dirais même qu'il m'attirait.

*Alison Byrne*
*Février 1980*

# XIV

*Au rond-point, tout droit, prenez la deuxième sortie.*

« Brillante situation, Emma, non ? »

*Sortie immédiate.*

« J'ai à présent de mon père une image mentale dont je ne me débarrasserai sans doute jamais. »

*Dans deux cents mètres, tournez à droite.*

« Et pour couronner le tout, demain soir, je vais dîner avec la femme qui l'a fait naître, cette image. »

*Tournez à droite.*

« Je n'aurais jamais cru pouvoir en vouloir davantage à mon père, je n'aurais jamais cru qu'il puisse encore baisser dans mon estime. Mais alors là, bravo, Papa, c'est gagné ! Non seulement tu te paluches sur la photo d'une de mes amies, mais en plus tu te fais surprendre ! Chapeau, Papa ! Chapeau, putain ! Si tu en as encore d'autres, des façons de gâcher ma vie, vas-y, autant finir le boulot, tu as si bien commencé. »

J'ai donné un méchant coup de volant à droite, et j'ai pris le virage beaucoup trop vite. J'ai failli cisailler le pare-chocs du quatre-quatre qui se préparait à quitter la voie où je m'engageais. La conductrice m'a klaxonné, moi je l'ai foudroyée du regard.

*Continuez tout droit sur six kilomètres environ.*

J'avais dépassé Walsall, à présent, et je roulais sur l'A461 en direction du nord-est. Selon Emma, j'étais à une douzaine de kilomètres de Lichfield ; à cette vitesse, j'y serais dans dix-neuf minutes. Encore un matin gris, petit vent, petite bruine. L'écran du bord m'indiquait que la température extérieure était de cinq degrés. Les routes étaient dégagées. J'évitais les autoroutes, ce matin-là, m'étant aperçu qu'elles vous isolent du paysage. Or j'avais justement envie de traverser des lieux réels ; je voulais voir des boutiques, des maisons, des quartiers de bureaux ; je voulais voir des vieilles dames tirant leurs caddies dans les rues, et des grappes d'ados boudeurs dans les abribus. Je ne voulais plus ressembler à mon père qui se cachait de la vie pour s'adonner au plaisir solitaire dans la honte et le secret pendant que sa femme et son fils étaient partis faire leur promenade dominicale. Je n'étais pas prêt à me voir sous ce jour navrant ; pas encore, du moins.

Je roulais trop vite ; c'était plus fort que moi, j'enfonçais l'accélérateur. Ce matin, je n'avais pas fait mieux que du 5,5 litres au cent.

*Continuez tout droit pendant cinq kilomètres.*

Au fait, qu'est-ce que j'allais découvrir en ouvrant la porte de cet appartement que mon père avait quitté depuis vingt ans et plus ? Quelqu'un d'autre que les Byrne y était-il entré ? Tout ce que je savais, c'est que j'y trouverais un classeur bleu portant les mots *Deux Duos* inscrits au dos, et contenant toute une série de poèmes abscons, ainsi qu'un récit expliquant pourquoi je devais

248

ma naissance à la proximité géographique de deux pubs nommés l'un comme l'autre le Rising Sun, le Soleil Levant. Au point où j'en étais, est-ce que je tenais tellement à les connaître, les circonstances de ma naissance ou, pire encore, de ma conception? Pas sûr. Je n'en savais désormais que trop à mon gré sur mon père et l'usage qu'il faisait des sécrétions de son corps.

*Tout droit pendant trois kilomètres.*

J'ai jeté un coup d'œil à la carte, sur l'écran. On m'y voyait toujours, petite flèche rouge avançant vaillamment sur l'A461, se rapprochant millimètre par millimètre de sa destination. J'avais l'air tellement insignifiant, je me sentais tellement insignifiant! Tous ces satellites à des milliers de kilomètres là-haut dans le ciel, qui nous observaient moi et mes millions de semblables, en train de courir dans tous les sens pour vaquer jour après jour à nos affaires personnelles et finalement absurdes. Cet abominable constat d'incompréhension me faisait froid dans le dos. Tel un type dans un ascenseur en chute libre, j'avais l'estomac à l'envers.

« Pas d'affolement, j'ai dit, un peu pour Emma et un peu pour moi. Ne commence pas. Des idées pareilles, ça rend fou. »

J'essayais de fixer mon attention sur quelque chose de plus immédiat, le paysage qui m'entourait. Emma et moi, nous entrions dans le Staffordshire. Après Walsall, désolation faite ville, nous arrivions en territoire plus paisible et plus vert. Les maisons qui surgissaient des deux côtés de la route étaient des bâtisses de brique rouge, typique de la région; de temps en temps, un pont en dos d'âne enjambait un canal, coulant lui aussi entre des murs de brique, inscrit dans un réseau complexe, mélancolique témoin d'un passé industriel aujourd'hui enfui. Mes grands-parents, paternels je veux dire, avaient vécu dans le coin jusqu'à leur mort (à quelques mois d'écart), dans les années soixante-dix. J'étais donc plus ou moins en pays de connaissance, dans un de ces paysages perdus de mon enfance. Non pas que j'aie beaucoup fréquenté mes grands-parents. Mon père n'avait jamais été proche d'eux. Il les tenait à distance, comme il tenait tout le monde.

*Au rond-point, prenez la deuxième sortie.*

Je n'avais pas l'intention de traverser Lichfield, pas le centre-ville en tout cas. J'allais contourner le quart est de la ville. Dans le temps, avant les autoroutes, avant les rocades, traverser l'Angleterre faisait sans doute voir du pays. On passait dans la grand-rue, à cheval parfois, en remontant assez loin ; on s'arrêtait dans les pubs du centre-ville (ou au relais de poste, à l'auberge de la diligence, appelez ça comme vous voudrez). À présent, tout le réseau routier semblait conçu pour vous en empêcher, au contraire. Les routes étaient là pour qu'on ne rencontre pas les gens, pour ne surtout pas s'approcher des lieux où l'humanité se rassemble. Une formule m'est revenue, une formule que Caroline se plaisait à répéter « Le lien, toujours ». Elle devait avoir trouvé ça chez un de ces écrivains de bon ton qu'elle essayait tout le temps de me faire lire. J'avais le sentiment que ceux qui avaient tracé les routes anglaises se disaient exactement l'inverse : « Le lien, jamais. » À bord de ma Toyota Prius, avec Emma pour seule compagnie, j'étais dans un cocon coupé du monde. Non seulement je n'étais pas forcé d'interagir avec mes semblables, mais les routes étaient agencées de telle sorte que je ne les voie même pas si je n'en avais pas envie. Il aurait aimé ça, mon salopard de père, ce pauvre bougre.

« Mais j'en ai plus rien à branler, de lui, j'ai dit à Emma. Pourquoi gaspiller mon énergie à penser à lui ? La seule chose qui me fâche, c'est qu'il ait effarouché Alison. Et si nous étions partis en balade, cet après-midi-là, à quoi est-ce que ça nous aurait menés ? On aurait pu commencer à sortir ensemble. On aurait pu se fiancer. Se marier et avoir des enfants. C'est toute ma vie qui en aurait été changée. »

*Continuez tout droit pendant huit cents mètres.*

« Mais enfin, à quoi bon ? Avec des si... si, le mot le plus douloureux de la langue. Encore une citation, non ? Où suis-je allé chercher ça ? »

*Dans deux cents mètres, tournez à gauche.*

« Ça y est, je me rappelle. Dans la nouvelle de Caroline. Allons bon, je me mets à citer la fiction de ma femme pour me faire du mal, à présent ! Enfin, fiction, c'est un bien grand mot, cette sale vache s'est contentée de prendre un moment de notre vie à deux, de notre vie de couple, un moment personnel, intime, putain ! pour en faire quelques pages bien tournées que ses copines du groupe d'écriture de Kendal puissent admirer à grand renfort de Ooh et de Aah, avant de siffler le pinot grigio. »

J'avais haussé le ton. J'avais tort, je le savais, d'exploser de cette façon devant Emma ; j'ai donc appuyé sur le bouton de la carte pour que sa voix apaisante prenne le relais un moment, et me guide sans encombre jusqu'à l'appartement de mon père, en banlieue de Lichfield. De temps en temps, par intermittences, j'apercevais au loin la célèbre cathédrale, côté passager. Sinon, il n'y

251

avait rien qui me rappelle que j'étais en train de contourner l'une des villes les plus pittoresques d'Angleterre, berceau de Samuel Johnson si j'ai bonne mémoire. Après avoir longtemps roulé sur une voie à sens unique, entre des façades d'immeubles datant de l'entre-deux-guerres, nous sommes arrivés à un carrefour très passant, où Emma m'a dit de tourner « *à la première sortie au rond-point* ». Nous voilà dans les eaux dormantes d'un quartier résidentiel, dominé par trois tours de huit étages imposantes donnant sur Eastern Avenue, l'artère principale. De quand elles dataient, difficile à dire. Après guerre ? On aurait dit des HLM, mais des HLM de qualité ; balcons à chaque étage, propres, bien entretenus. « *Vous êtes arrivé à destination* », m'a annoncé Emma. Je l'ai remerciée, j'ai trouvé une place de stationnement au bord du trottoir et j'ai coupé le contact. Mon regard s'est porté à mi-hauteur d'une des trois tours : l'appartement de mon père était quelque part par là. Tout mon corps se contractait. L'appréhension me raidissait les membres.

Avant de me diriger vers la porte principale, j'ai sorti ma caméra vidéo, et j'ai filmé une vingtaine de secondes, en balayant tout l'immeuble, de gauche à droite et de haut en bas. C'était la première fois que je m'en servais, de cette caméra ; elle me semblait d'un maniement facile. Pourquoi je prenais ces images, je ne saurais pas le dire : un peu pour me calmer les nerfs, un peu dans l'idée que mon père veuille les voir lors de notre prochaine rencontre, Dieu sait quand. Du moins, le film ne risquait guère de servir à grand-chose pour la promo qu'envisageaient Lindsay et Alan Guest. Ensuite, j'ai rangé la caméra dans la boîte à gants, et j'ai verrouillé la voiture.

C'est curieux, quand je repense à cette matinée, aujourd'hui, je me revois traverser l'esplanade de bitume devant l'immeuble dans un silence total. Pourtant, d'évidence, le silence total n'existe plus de nos jours. En Angleterre, du moins. On devait donc entendre le grondement de la circulation sur Eastern Avenue, le lointain glapissement d'une sirène de police, un bébé qui pleurait dans sa poussette à deux rues de là, mais il n'en reste rien dans mon souvenir. Tout était suspendu. Tout était mystère.

J'ai pris l'ascenseur pour monter au quatrième étage, et j'ai débouché dans un couloir sombre, sans signe particulier, lino luisant au sol, murs d'un marron foncé rébarbatif. Les petites fenêtres à chaque bout du couloir laissaient passer un jour gris et parcimonieux de fin de matinée : deux faibles lueurs lointaines, à gauche et à droite ; fébrile, je me suis dirigé vers la porte de l'appartement de mon père, le pas si léger, si feutré qu'on m'entendait à peine. J'ai sorti de ma poche les clefs confiées par Mr Byrne, et j'ai tenté de les introduire dans la serrure — pas très facile à trouver elle-même, dans ces ténèbres. La première clef n'avait pas l'air d'être la bonne, les deux autres non plus. Je les ai essayées de nouveau l'une après l'autre, mais deux n'entraient même pas, et la troisième, qui entrait en forçant beaucoup, refusait de tourner.

Je me suis rappelé la réflexion de Mrs Byrne quand on s'était dit au revoir, la veille. Elle n'était pas convaincue que son mari me donnait le bon trousseau. Sur le moment, je n'avais pas fait attention, j'avais cru au radotage d'une vieille femme à l'esprit embrumé. Elle savait peut-être ce qu'elle disait, après tout.

« Et merde ! » j'ai lâché à haute voix, en faisant une nouvelle tentative pour ouvrir. Pas moyen. J'avais beau essayer de tourner la seule clef qui entrait, la serrure résistait. Au bout de deux ou trois minutes, j'ai compris qu'insister ne servirait à rien ; j'ai arraché la clef à la serrure récalcitrante, et, de rage, je l'ai jetée par terre.

« Merde ! » j'ai répété. Pourquoi fallait-il que tout ce que j'entreprenais en lien plus ou moins direct avec mon père se termine par un échec cuisant ? J'ai martelé la porte de mon poing si fort que je me suis fait mal à la main ; et je suis resté quelques secondes dans l'obscurité du couloir, ne sachant que faire. Quelle déception, tout de même, s'il me fallait renoncer purement et simplement, remonter en voiture et poursuivre mon voyage vers le nord !

Et puis je me suis souvenu de l'autre détail mentionné par Mrs Byrne : il y avait un second trousseau de clefs, en la possession d'une certaine Miss Erith, la voisine d'en face. Je ne perdrais rien à tenter ma chance.

Je me suis approché de sa porte, et j'ai hésité un instant avant de sonner. Et s'il n'y avait personne ? Là, bien sûr, ce serait la fin de l'histoire. Mais non, car j'entendais des voix lointaines, à l'intérieur ; une voix d'homme et une voix de femme.

Avant de décider que je faisais une bêtise, j'ai sonné. Je l'ai regretté presque aussitôt, mais il était trop tard. Au bout de deux secondes, j'ai entendu des pas.

La porte s'est ouverte ; j'avais devant moi un petit homme d'origine pakistanaise, qui paraissait dans les soixante-dix ans.

« Oui ? me dit-il.

— Excusez-moi, j'ai dû me tromper d'appartement.

« — Qui cherchiez-vous?

— Miss Erith.

— C'est bien ici. Entrez donc. »

Je l'ai suivi à l'intérieur, dans un bref couloir qui débouchait sur un séjour lumineux mais petit et encombré. Il y avait trois bibliothèques d'acajou bourrées de vieux livres reliés et de quelques bouquins de poche en triste état, une stéréo antique (qui datait des années soixante-dix, mettons, voire des années soixante) entourée d'un rempart de vinyles et de cassettes (pas de CD) et une bonne douzaine de plantes vertes; les murs étaient couverts de gravures, où je reconnaissais essentiellement des reproductions de tableaux de maîtres. Deux fauteuils se faisaient face, l'un des deux occupé par une vieille dame qui devait être Miss Erith. Elle avait facilement dix ans de plus que l'homme qui venait de m'introduire dans l'appartement, bien que ses yeux vifs aient démenti sa fragilité physique. Elle était habillée d'un pantalon marron et d'un cardigan bleu marine sur son chemisier, dont elle avait relevé la manche gauche, ce qui semblait indiquer, en présence de l'appareil posé sur la table, à côté d'elle, qu'on se préparait à lui prendre la tension.

Elle a sursauté en me voyant, et j'ai cru que la stupéfaction allait la faire bondir de son fauteuil.

« Oh, bonté divine! C'est Harold! s'est-elle écriée.

— Ne vous levez pas, ai-je dit. Je ne suis pas Harold, je m'appelle Max. »

Elle m'a regardé de plus près.

« Eh bien, Dieu merci. Pendant une minute, j'ai cru que j'étais devenue folle. Mais, tout de même, vous lui ressemblez.

— Je suis son fils.

— Son fils? » Elle m'a toisé, comme si ce détail lui rendait encore plus difficile d'accepter mon arrivée inopinée, voire mon existence tout court. « Ah bon, elle a poursuivi, comme pour elle-même. Le fils d'Harold. Qui l'eût cru? Max, vous dites?

— C'est ça.

— Votre père n'est pas avec vous?

— Non.

— Il est toujours vivant?

— Oui, oui, il se porte même très bien. » Mes révélations successives l'avaient apparemment réduite au silence. Pour le rompre, j'ai expliqué : « Je passais dans le coin, alors je me suis dit, bon, il serait peut-être temps que quelqu'un jette un coup d'œil à l'appartement. » Toujours pas de réaction. « Je vais en Écosse. Dans les îles Shetlands. »

À ce moment-là, le compagnon de Miss Erith s'est avancé en me tendant la main.

« Permettez-moi de me présenter, je suis le Dr Hameed.

— Enchanté, docteur. Maxwell Sim, ai-je dit en lui serrant la main.

— Maxwell, tout le plaisir est pour moi. Appelez-moi Mumtaz, je vous en prie. Margaret, si j'allais faire du thé pour votre hôte?

— Oui, bien sûr. Bien sûr. » Elle émergeait du saisissement où ma présence l'avait plongée. « Mais je manque à tous mes devoirs. Asseyez-vous, je vous en prie, prenez une tasse de thé. Vous prendrez bien une tasse de thé?

— Ce serait avec plaisir, mais vous avez à faire... » J'ai désigné d'un geste le tensiomètre, sur la table.

« Oh, on a le temps. Allez, c'est une grande occasion.

— Parfait, a dit Mumtaz. Je vais faire du thé pour nous trois. »

Une fois qu'il a disparu, Miss Erith m'a expliqué : « Mumtaz était mon médecin traitant jusqu'à ce qu'il prenne sa retraite, mais il continue à venir me voir, une fois tous les quinze jours, à peu près, de sa propre initiative. Il me prend la tension rapidement, et puis nous allons déjeuner dehors. C'est gentil de sa part, n'est-ce pas ?

— Très.

— Vous voyez, s'il y avait plus de gens comme lui, nous ne serions pas où nous en sommes à présent. »

Comme je ne saisissais pas clairement le sens de cette remarque, je n'ai pas relevé.

« Ça fait plus de vingt ans que je n'ai pas vu votre père, a poursuivi Miss Erith. Il est parti en 1987, à peu près un an après son installation. Je commençais à me réjouir de l'avoir pour voisin, et il est parti en Australie comme un voleur, sans demander son reste.

— Je sais, j'en ai été surpris, moi aussi.

— Bah, je ne dirais pas que j'en ai été surprise. Pas rétrospectivement, du moins. Je n'avais jamais trouvé bien raisonnable qu'il revienne ici dans sa ville natale, à la mort de sa femme, avec tout ce qui s'ensuit. Il avait plutôt besoin de repartir de zéro. Mais quand même, j'ai été déçue. C'était un homme de bonne compagnie, ce qui ne court pas les rues, par ici, croyez-moi. Il ne m'a jamais écrit, ni rien, il n'a jamais repris contact, ce triste sire. Quel âge ça lui fait à présent ? soixante-dix et des poussières, et vous dites qu'il se porte comme un charme?

— Oui, je l'ai vu le mois dernier à Sydney, et c'est là qu'il m'a demandé de venir faire un tour ici. Il voulait que je lui récupère... des choses dans l'appartement. Seulement voilà, je n'arrive pas à entrer, on a dû me donner la mauvaise clef.

— Ne vous inquiétez pas, j'en ai une quelque part. Je continue à y aller de temps en temps, pour prendre le courrier. C'est très irresponsable de sa part, vous savez, de laisser cet appartement inoccupé si longtemps. Des squatters auraient pu s'y installer. Ils auraient même dû, au fond. Si ça avait été quelqu'un d'autre, je l'aurais dénoncé aux associations pour le droit au logement. »

Sur ce, Mumtaz est revenu avec un plateau chargé de tasses et de soucoupes, ainsi que d'une assiette de biscuits. Je suis allé chercher un siège dans un coin pour lui rendre son fauteuil, et bientôt nous étions installés tous trois.

« Vous n'avez pas connu Mr Sim, si? a demandé Miss Erith à Mumtaz. Le voisin d'en face?

— Je n'ai pas eu ce plaisir, a répondu Mumtaz, c'était avant mon arrivée.

— Max est venu récupérer des objets qui lui appartiennent. Je ne vois pas bien lesquels, du reste, il n'y a plus grand-chose, dans l'appartement.

— Il paraît qu'il y a des cartes postales...

— Ah oui, bien sûr! Elles sont chez moi, en effet, à moins qu'il n'en soit arrivé d'autres ces trois dernières semaines. »

Miss Erith s'est mise en devoir de se lever, laborieusement, et Mumtaz a tenté de l'en empêcher.

« Ne vous fatiguez pas, Margaret, je vous en prie.

— Laissez-moi faire, a-t-elle dit avec un geste de la main. Je ne suis pas encore grabataire, vous savez. Attendez, elles sont quelque part dans la chambre d'amis. »

Profitant de son absence, Mumtaz m'a versé du thé, et il m'a tendu la tasse avec un sourire de confidence.

« Elle a du ressort, Margaret, elle a gardé beaucoup de ressort. D'ailleurs, même physiquement, elle n'est pas si mal en point que ça. Vous ne croiriez jamais qu'elle a soixante-dix-neuf ans. Faites-lui raconter sa vie. C'est passionnant. Elle est née sur les canaux, vous comprenez. Son père tenait un magasin bien connu des mariniers ; il était situé à Weston, à quelques kilomètres au nord. Le trafic fluvial appartient au passé, mais imaginez un peu tous les changements qu'elle a connus dans sa vie. Il faudrait l'enregistrer, pour transmettre son histoire à la postérité. D'ailleurs, je devrais le faire moi-même. Je lui en ai parlé, bien entendu, mais elle est trop modeste. Elle répète : "Une vieille barbe comme moi, qui voulez-vous que ça intéresse ?" Pourtant les histoires comme la sienne, il faut les retenir, vous ne pensez pas ? Sinon l'Angleterre aura oublié son passé, et alors là, les vrais ennuis commenceront, n'est-ce pas ? Ce sera pire encore que maintenant. »

Autre remarque énigmatique mais, sans me laisser le temps d'y réfléchir, Miss Erith est revenue en traînant un grand sac-poubelle noir : « Désolée, je ne les ai pas rangées dans une boîte, s'est-elle excusée.

— Mais qu'est-ce que... ? ai-je dit en ouvrant le sac.

— Vous voyez, je ne les ai jamais triées ni rien, parce que je ne savais même pas si votre père reviendrait un jour. Et comme il m'avait bien précisé de ne rien lui faire suivre... »

Le sac était plein à craquer de cartes postales. J'ai plongé la main dedans pour en sortir une au hasard. Elles venaient presque toutes d'Asie : Tokyo, Palau, Singapour, et toutes portaient l'adresse de mon père écrite en majuscules bien formées sur la partie droite, l'autre moitié intégralement couverte de caractères serrés. Toutes portaient la même signature : « Roger ».

« Attendez voir, ai-je dit, ça me rappelle vaguement quelque chose. »

Et en effet : je me suis souvenu que chez nous, à Birmingham, nous en recevions de temps en temps de semblables. Nous les ramassions avec le reste du courrier sur le paillasson, ma mère ou moi, et les posions sans rien dire sur le bureau de mon père, dans le séjour, pour qu'il les lise le soir, en rentrant du travail. Comme tout ce qui se passait sous notre toit où l'on ne communiquait guère, cette pratique ne donnait lieu à aucune remarque, aucun commentaire particulier. Je me souviens tout de même d'avoir demandé à ma mère au moins une fois : « Au fait, qui est-ce, Roger ? » À quoi elle avait simplement répondu : « Je crois que c'est un vieil ami de ton père. » Moyennant quoi : chapitre clos.

« J'ai déjà vu cette écriture, ai-je dit, et toujours sur des cartes postales comme celle-ci. Mon père en recevait régulièrement, pendant toutes les années soixante-dix.

— Il en arrive à peu près une par mois, en général, a expliqué Miss Erith. Il ne reçoit rien d'autre, sinon des paperasses publicitaires.

— Ça ne vous ennuie pas, si je les emporte ?

— Bien sûr que non, et tenez, pendant que j'y pense,

la clef se trouve là, dans la coupe à fruits, sur la bibliothèque. »

Je me suis levé pour la prendre, en annonçant : « Je vais faire un saut dans l'appartement chercher le reste. J'en ai pour une minute. »

À vrai dire, j'appréhendais d'entrer dans cet appartement, et je voulais en finir au plus tôt. J'ai donc laissé le Dr Hameed et Miss Erith boire leur thé, et je suis retourné dans les ténèbres du couloir. Cette fois, la porte de mon père s'est ouverte sans difficultés.

Vous êtes déjà entrés dans un appartement inhabité depuis plus de vingt ans ? Si ce n'est pas le cas, vous aurez du mal à comprendre l'impression que ça fait. Je viens de taper une ou deux phrases, mais j'ai décidé de les effacer parce qu'elles ne me semblaient pas rendre fidèlement l'atmosphère qui régnait. J'avais employé des mots comme « froid, sommairement meublé, irréel », mais ces mots sont encore trop faibles. Mieux vaudrait un adjectif plus dramatique, l'adjectif « mort ». Ça vous paraît excessif ? Bon, tant pis ; c'est peut-être un peu brutal, mais c'était exactement l'effet produit par l'appartement de mon père : on aurait dit que son propriétaire était mort depuis longtemps.

Je ne m'y trouvais pas depuis deux minutes que j'avais hâte d'en sortir.

Il y avait deux chambres. L'une meublée d'un lit à une place, avec matelas mais sans literie, et l'autre, beaucoup plus petite, où trônaient un bureau et une grande bibliothèque en mélaminé, de celles à monter soi-même. Une épaisse couche de poussière recouvrait tout, inutile de le préciser. Sur les étagères, une douzaine de livres, tous ceux que mon père n'avait pas souhaité emporter en Australie ; quelques paperasses et fournitures de papeterie dans les tiroirs du bureau. Le précieux classeur se trouvait sur la troisième étagère de la bibliothèque, en évidence. Il était bleu pâle et, au dos, mon père avait collé une étiquette indiquant *Deux Duos, cycle en vers, et Mémoires*. Il avait collé l'étiquette avec du scotch double face, désormais visible sous le papier décoloré.

J'ai pris le classeur et l'ai emporté à la cuisine. Une porte-fenêtre ouvrait sur un petit balcon, et, avec un minimum d'efforts, j'ai réussi à l'ouvrir. Ça faisait du bien de sortir à l'air libre. Depuis ce balcon, je voyais les voitures tourner en rond sans rime ni raison sur le boulevard de ceinture, au-delà duquel le Staffordshire rural s'étendait à perte de vue en vagues grises et molles, campagne peu spectaculaire. Il s'était mis à tomber un crachin léger mais têtu. Je voyais le ruban de l'A5192 s'étirer au loin, et tout à coup j'ai eu envie de rouler sur cette route, de revenir sur l'autoroute, de retrouver mon tête-à-tête avec Emma, en mettant le cap sur le nord et Kendal, où ce soir même, bon Dieu ! — perspective fabuleuse que je ne m'étais pas autorisé à envisager jusqu'à présent — j'allais revoir Lucy et Caroline pour la première fois depuis des mois. Ce serait peut-être le soir le plus important de ma vie, à certains égards. Et ce serait sans conteste l'occasion de prouver une bonne fois pour toutes que je n'allais pas reproduire les erreurs de mon père. Que j'étais capable d'entretenir avec ma fille une relation qui dépasse la tolérance mutuelle et le partage fortuit quoique prolongé du même espace. Il n'était pas question que je finisse comme lui, me disais-je solennellement, en silence mais non sans ferveur. Je n'aurais pas pour cénotaphe un appartement désert, sans vie et sans amour, dans la banlieue oubliée d'une ville des Midlands.

À présent tout à fait décidé, je suis retourné à la cuisine, j'ai refermé la porte-fenêtre et, avec un dernier regard de commisération au séjour que je traversais, j'ai quitté l'appartement pour de bon en fermant la porte derrière moi. J'éprouvais une bouffée de soulagement irrationnel, comme si je venais d'échapper aux mâchoires d'un destin carcéral et cauchemardesque au-delà de toute expression.

« Mumtaz et moi étions en train de choisir où aller déjeuner, m'a dit Miss Erith quand je les ai rejoints pour boire une gorgée bienvenue de mon thé encore chaud. Vous comprenez, il n'est pas question d'aller n'importe où. Je ne sais pas comment il voit les choses, mais pour moi, c'est un rendez-vous galant, et une jeune fille est en droit d'attendre qu'on l'emmène dans un endroit spécial. » Elle a avisé le classeur bleu sur mes genoux : « Vous avez trouvé ce que vous cherchiez ?

— Oui, oui. Je pense qu'il s'agit de poèmes et d'écrits de Papa. J'ai cru comprendre qu'il avait perdu l'autre exemplaire, celui-ci est donc le seul qui reste. » En parcourant les pages, j'ai vu qu'il y avait deux parties, l'une en vers, l'autre en prose. « Je ne sais pas pourquoi il y tient tellement, mais je ferais bien de ne pas le perdre. Drôle de titre, ai-je ajouté en regardant la première page, *Deux Duos*.

— Hmm, je vois, a dit Miss Erith. La moitié d'Eliot.

— La moitié d'Eliot ?

— T. S. Eliot, vous connaissez, je suppose ?

263

— Bien sûr », ai-je répondu, sur la défensive. À quoi j'ai ajouté pour m'assurer que nous parlions du même : « Celui qui a écrit les paroles de la comédie musicale *Cats*?

— Ses poèmes les plus connus sont les *Quatre Quatuors*. Vous ne les avez pas lus? »

J'ai fait non de la tête. « De quoi ça parle? »

Elle s'est mise à rire. « Il faut les lire pour le savoir! Oh, ça parle du temps et de la mémoire, des choses comme ça. Et les poèmes s'articulent autour des quatre éléments, l'air, la terre, le feu et l'eau. Votre père admirait beaucoup Eliot, on s'accrochait là-dessus tout le temps. Parce que moi, non. Très peu pour moi. Pour commencer, il était antisémite, ce que je trouve rédhibitoire. Mais votre père, lui, il s'en fichait. Il ne s'intéresse pas à la politique, si?

— Euh... » Je dois avouer que je n'y avais jamais réfléchi, et en plus, moi non plus, je ne m'intéressais guère à la politique. « Nous ne parlons jamais vraiment de ces sujets-là. Notre relation est plutôt basée sur... autre chose. »

Miss Erith avait fermé les yeux; tout d'abord, je me suis demandé si elle était en train de s'assoupir, mais apparemment elle s'efforçait de retrouver un souvenir.

« Ce qu'il y a, c'est que je suis une vieille gauchiste, et que je le resterai. C'est depuis que j'ai lu George Orwell et E.P. Thompson, entre autres. Alors que votre père n'avait aucune conscience politique. Ce qui fait qu'il vaut sans doute mieux qu'on n'ait pas entrepris ce voyage, nous l'aurions fait dans un esprit très différent.

— Vous aviez projeté de partir en voyage? ai-je

demandé par politesse, tout en espérant que cette question n'allait pas déclencher une longue réminiscence.

— Il y avait un livre intitulé *Narrow Boat,* un livre très célèbre en son temps. L'auteur s'appelait Rolt, Tom Rolt. Je l'ai toujours, il est sur l'étagère, là-bas. Lui et sa femme avaient acheté cette barge dans les années trente, et ils ont vécu dessus plusieurs mois, à sillonner les canaux. Ensuite, il en a fait un livre, qu'il a publié dans les années quarante. Et alors, le plus étonnant, c'est qu'il est question du magasin de mon père, dans ce livre. Parce que moi, vous savez, j'ai grandi sur les canaux ; mon père tenait un magasin à Weston où les péniches s'arrêtaient tous les jours. Il vendait de tout, tous les bouts et filins imaginables, toute l'épicerie, tous les tabacs, et puis des lampes, de la vaisselle, des casseroles, des vêtements, et j'en passe. Sans compter des rayons entiers de bonbons pour les enfants, bien sûr. Une vraie caverne d'Ali Baba. Et comme les bateaux s'arrêtaient tout le temps chez nous, nous connaissions les bateliers — c'est tout un monde, vous savez, un monde à part, secret, qui a ses règles et ses codes. Une boutique de rien du tout, sur le devant d'un cottage parmi les autres, et moi j'ai dû servir les clients à partir de huit, neuf ans. Il n'en serait pas revenu, Papa, de voir sa boutique apparaître dans un livre célèbre, mais bien entendu ces livres-là il ne les lisait pas, ni les autres, d'ailleurs. Si bien qu'il n'en a jamais rien su. Et moi, je ne l'ai découvert que des années plus tard. J'ai quitté la maison à seize ans, vous comprenez, pour me mettre en ménage avec un type, un marinier comme de juste, et un an plus tard j'avais mon premier enfant ; on a quitté les canaux, et on s'est installés pas loin d'ici, à Tamworth, mais on ne s'est jamais mariés — ça faisait scandale à l'époque, je vous prie de me croire. Deux ans plus tard, on avait un deuxième enfant, et cet homme m'a quittée. Enfin, c'est moi qui l'ai flanqué dehors, s'il faut tout dire. C'était un boulet, il n'en fichait pas une rame, il passait son temps au pub ou à courir les jupons, alors au bout d'un temps j'ai décidé que le jeu n'en valait pas la chandelle. Voilà comment je me suis retrouvée, au début des années cinquante, toute seule dans un petit appartement étriqué, avec deux enfants en bas âge, et la seule chose qui m'ait sauvée de la folie, c'est la lecture. Évidemment, je n'étais pas ce qui s'appelle instruite, mais à cette époque-là les associations pour l'éducation des travailleurs étaient puissantes, et j'assistais à des meetings, des conférences, etc. D'ailleurs, j'ai même fini par aller à la fac, mais là j'avais presque quarante ans, c'est une tout autre histoire. En tout cas, voilà comment je me suis mise à lire. Je ne me souviens pas à quel âge j'ai lu *Narrow Boat*, mais je sais que mes parents étaient déjà morts, sinon je me serais fait un plaisir de leur dire que leur boutique était mentionnée dedans. »

Elle s'est arrêtée pour reprendre son souffle, et Mumtaz a dit : « Ne vous égarez pas, Margaret, vous étiez partie pour nous raconter quelque chose sur le père de Max, mais là nous avons tous perdu le fil. »

Elle lui a lancé un regard aigu. « Moi, je n'ai pas perdu le fil du tout ; nous avions donc ce projet, avec Harold, de louer une barge quelques semaines, et de suivre l'itinéraire de Rolt et sa femme. Nous voulions partir en 1989, très exactement cinquante ans après eux, dans l'idée de visiter les mêmes endroits, et de voir ce qui avait changé. Enfin, c'était mon idée, du moins. Je suis persuadée qu'Harold ne pensait qu'à une chose, s'installer sur le toit du bateau pour regarder passer les nuages, rêvasser et composer ses précieux poèmes. Pour moi, au contraire, le livre de Tom Rolt, voilà pourquoi j'en parle », nouveau regard significatif à Mumtaz, « ce n'est en rien un livre sur les canaux. C'est un des livres les plus étonnants qui aient été écrits sur l'Angleterre. Rolt était un homme intéressant, un homme de convictions, un peu tory sur les bords, sans doute, mais également concerné par des enjeux écologiques avant la lettre. Et savez-vous ce qu'il a vu, dès 1939? Il a vu un pays qui se laissait allègrement étouffer par le pouvoir de la grande entreprise. »

Mumtaz a levé les yeux au ciel en poussant un soupir de comédie. « Ah, c'est donc ça, nous y voilà. Observez le phénomène avec attention, Max, a-t-il dit, index dressé, vous allez voir une femme enfourcher son dada, et, une fois en selle, impossible de la désarçonner. On en a pour le reste de la matinée et les trois quarts de l'après-midi, je vous préviens.

— Ça n'est pas mon dada, et je n'enfourche rien du tout. Je dis simplement que quand on lit ce livre, on comprend mieux ce qui se passe dans notre pays, et à quand ça remonte. Ce que la grande entreprise est en train de lui faire. Ça ne date pas d'hier; des années que ça dure, des siècles, peut-être. Tout ce qui fait l'identité de la communauté urbaine, les boutiques du coin, le pub du coin, est en train de disparaître, chassé par des multinationales anonymes et sans âme...

— Tout ça pour vous dire, m'a expliqué Mumtaz avec un sourire, que nous cherchons un pub où déjeuner dans le coin, et qu'elle n'en trouve plus aucun à son goût.

— Non, c'est vrai, a convenu Miss Erith. Et vous savez pourquoi ? Parce qu'ils sont tous pareils, bon sang ! Ils ont tous été repris par des grandes chaînes, on y passe la même musique, on y sert la même bière, les mêmes plats...

— ... et on n'y trouve que des jeunes, a complété Mumtaz, des jeunes qui s'amusent bien, eux — c'est ça qui vous chagrine, que les jeunes s'y plaisent.

— Ils s'y plaisent parce qu'ils ne connaissent rien d'autre ! » s'est exclamée Miss Erith, avec une stridence agressive dans la voix, tout à coup. Le caractère badin et bon enfant de leur conversation semblait s'être évaporé en un clin d'œil. « Mumtaz sait très bien ce que je veux dire. » Elle s'est tournée vers moi pour me regarder en face et j'ai vu avec stupeur qu'elle avait les larmes aux yeux. « Je dis que l'Angleterre que j'aimais n'existe plus. »

Un long silence a suivi, qui a permis à ces mots de résonner.

Miss Erith s'est penchée pour finir sa tasse de thé, sans rien ajouter, regardant droit devant elle.

Moi, je baissais le nez sur le classeur bleu de mon père, je me demandais si le moment n'était pas venu de prendre congé.

Mumtaz a soupiré, il s'est gratté la tête. C'est lui qui a parlé le premier.

« Vous avez raison, Margaret, vous avez tout à fait raison. Les choses ont beaucoup changé depuis mon arrivée. Cet endroit a changé du tout au tout, en mieux à certains égards, en pire à d'autres.

— En mieux ! a-t-elle répété avec dérision.

— Quoi qu'il en soit, a-t-il dit en se levant, je crois qu'on devrait réessayer le Plough and Harrow. Ce serait agréable d'aller à la campagne ; ils ne mettent pas la musique d'ambiance trop fort, et on y mange bien. Voulez-vous vous joindre à nous, Maxwell ? a-t-il ajouté avec gentillesse. Vous nous feriez plaisir. »

Je me suis levé à mon tour. « C'est tout à fait aimable de votre part, mais il vaut mieux que je reprenne la route, je crois, un long trajet m'attend.

— Vous allez en Écosse, avez-vous dit ?

— Oui, jusqu'au bout du bout, jusqu'aux Shetlands.

— C'est merveilleux, quelle aventure ! Et, sans indiscrétion, qu'est-ce qui vous conduit là-bas ? Les affaires ou le plaisir ? »

Pour toute réponse, j'ai tiré de ma poche une des brosses à dents échantillons que je gardais sur moi depuis la veille. J'avais fait cadeau de mes deux IP 009 à Mr et Mrs Byrne, les autres étaient encore dans le coffre de la Prius, si bien que j'ai tendu à Mumtaz le joli modèle élégant que Trevor m'avait fait voir en premier, la ID 003, en pin durable, avec des soies de sanglier et une tête fixe.

« Je représente une société qui s'occupe de distribuer ces brosses à dents », ai-je expliqué avec une fierté qui m'a surpris moi-même.

Mumtaz a pris la brosse que je lui tendais avec un sifflement admiratif.

« Fichtre ! a-t-il dit en passant les doigts sur le manche. Qu'elle est belle, elle est superbe ! Vous savez que si j'en avais une comme ça, je finirais peut-être par aimer me laver les dents, au lieu d'y voir une corvée. Et vous partez en vendre en Écosse ?

— C'est le plan.

— Eh bien, m'a-t-il dit en me la rendant, vous n'aurez aucun mal, c'est évident. Margaret ! Margaret, vous entendez ? »

Mais on aurait dit que Miss Erith était encore sonnée ; elle s'est tournée vers nous lentement, comme si elle avait oublié notre présence auprès d'elle. Elle avait l'œil humide et vague.

« Hmm ?

— Maxwell disait qu'il part pour l'Écosse vendre ces brosses à dents. Des brosses à dents à manche de bois, absolument superbes.

— À manche de bois ? a-t-elle demandé, semblant retrouver ses esprits.

— C'est une idée qui va peut-être vous plaire, j'ai dit en pesant mes mots. Vous voyez, la société pour laquelle je travaille est une petite entreprise ; à vrai dire, nous sommes en conflit avec les grandes. Nous sommes une petite société et, chaque fois que la chose est possible, nous commandons nos brosses à d'autres petites sociétés. Cette superbe brosse a été fabriquée dans le Lincolnshire par des artisans du coin, une affaire de famille.

— Ah bon ? Je peux voir ? »

Je lui ai tendu la brosse, qu'elle a retournée entre ses mains lentement, avec révérence, comme si elle n'avait jamais vu pareille merveille en soixante-dix-neuf ans d'existence. Et si je ne suis pas victime de mon imagination, quand elle me l'a rendue elle avait l'œil plus vif, avec une lueur rajeunie.

« Vous... vous pouvez la garder, si elle vous plaît.

— Vraiment? »

À ma grande surprise, elle a soulevé sa lèvre supérieure pour découvrir des dents un peu jaunies, mais au complet, fortes et saines.

« Pas une de fausse, vous savez. Je les lave trois fois par jour.

— Tenez, alors, tenez, je vous la donne. »

Je suis peut-être farfelu, il se peut que ma mémoire me joue des tours, mais quand cette exquise brosse à dents est passée de mes mains aux siennes, dans le silence suspendu qui régnait chez Miss Erith, au-dessus de Lichfield, sous le regard bienveillant et souriant du Dr Mumtaz Hameed, j'ai eu le sentiment de participer à une cérémonie religieuse, ou presque. Le sentiment que nous accomplissions quelque chose — c'est quoi, le mot, déjà? —, quelque chose qu'on pourrait presque dire, oui, c'est ça : sacramentel.

Mais, je sais, je vous ai prévenus que j'avais trop d'imagination. Il était grand temps de faire mes adieux et de remonter en voiture. Retour à Emma, à l'autoroute, à la réalité.

# XV

J'ai déjeuné tard, dans un certain Caffè Ritazza, sur l'aire de Knutsford. Comme je roulais lentement depuis Lichfield pour faire des économies d'essence, il était déjà deux heures et demie quand je suis arrivé. Le café (peut-être faudrait-il dire « *caffè* » ?) se trouvait au premier étage, à l'entrée de la passerelle qui enjambait l'autoroute, reliant les deux moitiés de l'aire de services, et je me suis attablé devant les baies vitrées pour regarder passer les voitures. Ainsi occupé, je repensais au Dr Hameed et à Miss Erith, en route pour la campagne où ils iraient se régaler dans leur pub tout en déplorant la mort lente de l'Angleterre chère à leur souvenir. Je n'étais pas sûr de partager leur point de vue. Certes, je soutenais la philosophie des Brosses à Dents Guest, mais à titre personnel j'apprécie beaucoup de pouvoir arriver dans n'importe quelle ville, de nos jours, avec l'assurance d'y trouver les mêmes boutiques, les mêmes bars, les mêmes restaurants. Parce que les gens ont besoin de cohérence, dans leur vie. De cohérence, de continuité, ces choses-là. Sinon, c'est tout de suite le bazar, les problèmes. Vous arrivez dans une ville inconnue, Northampton, mettons, et vous n'y trouvez que des restaurants dont le nom ne vous dit rien. Il va falloir en choisir un au hasard, sur la simple foi de la carte, ou de ce qu'on aperçoit derrière la vitre. Et si on y sert de la merde ? N'est-il pas plus agréable de savoir que partout dans le pays on trouvera un Pizza Express, où commander une américaine épicée, avec des olives noires en supplément ? N'est-il pas plus agréable d'en finir avec les mauvaises surprises ? Moi, je trouve que si. J'aurais peut-être dû aller déjeuner avec eux et faire valoir mes arguments. Au fait, pourquoi n'avais-je pas accepté leur invitation ? Il n'était pas vrai, comme je l'avais dit au Dr Hameed, que le temps me pressait. Au contraire, j'aurais deux bonnes heures à tuer. Mais une fois de plus, tout comme la veille au soir chez Mr et Mrs Byrne, je ne m'étais pas senti la force de soutenir une conversation en cercle restreint. Quand est-ce que ça allait me passer ? Quand pourrais-je enfin trouver facile de soutenir une conversation normale ? Je venais de faire une tentative dans ce sens, il est vrai, avec la serveuse du Caffè Ritazza. Comme elle m'avait regardé d'un drôle d'air quand je lui avais commandé un panino tomate-mozzarella, je m'étais lancé dans les explications, panini était un pluriel, c'était donc une faute de grammaire de ne pas dire panino si on n'en commandait qu'un. Ce point commençait à m'obséder, ainsi que le fait de ne plus trouver de sandwiches au pain de mie grillé nulle part (même à Knutsford on ne servait plus que des paninis, je vous demande un peu). J'avais dans l'idée d'engager une causette enjouée avec la serveuse, peut-être sur le fait que l'Angleterre était en train de s'européaniser, ou que le niveau baissait dans les écoles, vous voyez le genre, mais sa réaction première a été de me lancer un regard si hostile, si soupçonneux, que j'ai cru qu'elle allait appeler la sécurité. Quand elle a fini par me répondre, elle a conclu : « Moi, je dis panini. » Point barre. De toute évidence, la causette enjouée n'était pas son fort.

Regarder passer les voitures sous le pont de l'autoroute avait des vertus relaxantes, hypnotiques. Ça me rappelait une fois de plus mon ami Stuart qui avait été obligé de cesser de conduire, paniqué à l'idée que des millions d'accidents de voiture soient évités d'un cheveu. À observer la circulation sur la M6, on comprenait sa phobie. Personne n'hésitait à mettre sa vie et celle des autres en danger pour gratter deux minutes. Je me suis mis à compter ceux qui déboîtaient sans actionner leur clignotant, qui dépassaient par la gauche, qui collaient sans vergogne au pare-chocs de la voiture devant eux, ou faisaient des queues-de-poisson. Quand je suis arrivé à la centaine, j'ai soudain réalisé que j'étais assis depuis plus d'une heure — il était temps de repartir vers Kendal.

*Continuez sur l'autoroute,* a dit Emma pour la huit ou neuvième fois.

Je n'étais pas fâché qu'elle se répète. Le son de sa voix suffisait toujours à mon bonheur. Je n'étais guère d'humeur causante moi-même, et me contentais de lui lancer une remarque en l'air, de temps en temps : « Tiens, regarde, on est en train de traverser le canal de Manchester », ou « Ça doit être les Pennines, qu'on aperçoit là-bas à l'est » ; puis j'appuyais sur le bouton « carte » du volant, et j'obtenais sa réponse. Le reste du temps, je préférais demeurer seul avec mes pensées.

Tout d'abord, j'ai pensé à Lucy. Pourquoi les gens font-ils des enfants ? Faut-il y voir le comble de l'égoïsme, ou de l'abnégation ? Ou bien n'est-ce qu'un instinct de reproduction primaire, qui ne se rationalise ni ne s'analyse ? Je n'avais aucun souvenir d'avoir discuté avec Caroline pour savoir si nous aurions des enfants. À dire vrai, notre vie sexuelle n'avait jamais été très intense, et au bout de deux ans de mariage, par un accord tacite, nous avions cessé toute contraception. La conception de Lucy relevait d'une pulsion, pas d'une décision. Et pourtant, aussitôt qu'elle est née, la vie sans elle est devenue inimaginable. J'entretiens cette théorie, parmi d'autres, qu'aux abords de la quarantaine on arrive à saturation, on est tellement blasé de la vie qu'on fait des enfants pour s'offrir une paire d'yeux toute neuve, qui pare le monde d'un intérêt renouvelé. Quand Lucy était petite, le monde n'était pour elle qu'un gigantesque terrain de jeux et d'aventures, et c'est l'effet qu'il m'avait fait alors, du même coup. L'emmener aux toilettes d'un restaurant devenait un voyage de découverte. Et à présent, doublé par tous ces camions (je roulais sur la voie lente, régulateur bloqué à un petit 100 de croisière), j'étais traversé par la nostalgie au souvenir de Lucy à sept ou huit ans, et de notre jeu quand nous prenions la route : deviner la nationalité du camion en lisant les inscriptions sur son flanc et reconnaître le nom des villes étrangères. Un jeu auquel elle se montrait étonnamment...

« Oh, merde ! » je me suis écrié.

*Continuez tout droit sur l'autoroute,* a répondu Emma.

« J'ai oublié de lui acheter un cadeau ! »

Et en effet. Mon aventure matinale à Lichfield avait chassé de mon esprit mes obligations paternelles. Je ne pouvais tout de même pas arriver les mains vides. Je m'arrêterais à la prochaine aire de services, dans une douzaine de kilomètres.

Sitôt garé, je suis entré en trombe, et je me suis mis à regarder autour de moi fébrilement. Tout d'abord, je n'ai pas vu grand-chose qui soit susceptible d'emballer ma fille. La désormais classique boutique de téléphonie mobile était bien là, mais je n'espérais guère pouvoir ravir Lucy avec un chargeur de voiture ou un casque Bluetooth. (Tiens, au fait, il était temps que je mette le mien en service ; ce soir, peut-être.) Je ne prendrais sans doute pas un gros risque en achetant chez W.H. Smith, mais... est-ce qu'elle se servirait de ces chaises de jardin pliantes, même si on les soldait à dix livres les deux ? Il y avait certes des tas de doudous, mais passablement moches et affreusement camelote. L'adaptateur pour prises de courant, conçu tant pour l'Europe du Nord que pour l'Europe méridionale, quoique fort pratique, n'était pas de nature à faire pétiller de gratitude le regard d'une fillette. Et le cahier de coloriage ? Ils en avaient des tas, et elle adorait toujours la peinture, je le voyais bien à ces dessins faits à l'école qu'elle avait pris l'habitude de m'envoyer jusqu'à récemment. Ils avaient les feutres assortis. Oui, ça, ce serait très bien. Tous les enfants aiment dessiner, non ?

Je suis allé régler sans tenter d'engager la conversation avec l'employé en turban qui semblait s'ennuyer ferme derrière sa caisse, et quelques minutes plus tard j'avais regagné l'autoroute.

*Dans trois kilomètres, prenez la sortie à gauche, direction South Lakes,* a bientôt dit Emma.

Le paysage devenait accidenté, pittoresque. Des panneaux marron signalant le patrimoine apparaissaient, m'annonçant que les délices de Blackpool m'attendaient, à quelques kilomètres à l'ouest ; ils sous-entendaient que la cité historique de Lancaster, toute proche, valait bien un petit détour. Nous étions enfin dans le Nord, sans conteste. La Middle England était loin.

*Dans quinze cents mètres, prenez la sortie à gauche, direction South Lakes.*

« Bon Dieu, Emma, je ne te le cache pas, j'ai le trac. Écoute, je ne peux rien te cacher, hein ? Tu sais de moi tout ce qu'il faut savoir. Tu es l'œil qui voit tout. »

*Prochaine sortie à gauche, direction South Lakes, puis, à quatre cents mètres, tournez légèrement à gauche au rond-point.*

« Je me demande pourquoi j'ai un trac pareil, au fond. Caroline a été très sympa avec moi, ces derniers temps, au téléphone. Mais le problème, c'est sans doute que je n'ai pas envie qu'elle soit sympa, justement. Ça ne me suffit pas. On pourrait même dire que ça me blesse davantage. »

*Au rond-point, prenez la première sortie.*

« Et puis j'espère que Lucy n'aura pas trop changé. Elle a toujours été affectueuse. On ne s'est jamais sentis mal à l'aise ensemble — en tout cas sûrement pas comme Caroline le dit dans sa... sa nouvelle pourrie. Elle est simple, Lucy, pas compliquée. Elle va te plaire, j'en suis sûr. »

*Continuez tout droit sur cette route.*

Nous roulions sur l'A684 dans le crépuscule. Nous avons dépassé un café de bord de route, simple caravane arborant le blason de Saint-Georges, puis des tas de panneaux patrimoniaux nous invitant à découvrir le monde de Beatrix Potter, ce qui devrait attendre le lendemain, en ce qui nous concernait. Et bientôt, sous la pluie, dans la nuit qui gagnait, j'ai vu surgir, vacillantes, les lumières de Kendal.

« Hello, Max », m'a lancé Caroline, sur le pas de la porte.

Elle s'est penchée pour m'entourer de son bras et me poser un baiser sur la joue, baiser que j'ai fait durer aussi longtemps que le permettait la décence, pour humer son parfum et serrer contre moi les contours de ce corps jadis si familier.

« Waouh ! C'est ta voiture ? » a-t-elle dit en se dégageant pour descendre l'allée du jardin et la voir de plus près. « Jo-lie ! On n'en voit pas tellement, par ici.

— C'est une voiture de fonction, en fait. »

Elle a hoché la tête d'un air approbateur. « Impressionnant. Tu fais ton chemin, dis donc. »

La pluie avait pratiquement cessé. Je me suis retourné pour regarder la façade de la maison avec plus d'attention. C'était une petite maison mitoyenne en pierre de la région, genre bonbonnière. Tout à coup, j'aurais donné n'importe quoi pour y passer la nuit (plutôt qu'au Travelodge le plus proche, où j'avais déjà pris une chambre) mais il est vrai que je n'y avais pas été invité.

« Brr, rentrons nous mettre au chaud, a proposé Caroline en me précédant à l'intérieur.

— Très réussie, ta coupe, au fait », j'ai dit, risquant le compliment tout en la suivant à la cuisine. Pendant des années, ses cheveux avaient été zone sinistrée. Elle n'avait jamais su quoi en faire, les portant ni longs ni courts, ni raides ni bouclés, ni blonds ni bruns (même la couleur en était indécise). Or, de toute évidence, on s'était attaqué au problème, et je ne l'avais jamais vue aussi lookée : châtain avec des mèches blondes, eh oui, évidemment, ça s'imposait. En marchant derrière elle, j'ai constaté qu'elle avait pas mal minci, en plus ; elle avait bien dû perdre quatre, cinq kilos. Elle portait un pull en cachemire près du corps et un jean qui lui moulait les hanches et les fesses. Elle était en beauté. Elle paraissait dix ans de moins que la dernière fois que je l'avais vue. Elle aurait pu passer sans peine pour une femme de trente-cinq ans. Je me suis senti flasque, vieux et malingre en comparaison.

« Je vais mettre la bouilloire en route, a-t-elle dit.

— Super. » J'avais espéré qu'elle me propose un verre de vin, mais bon, va pour le thé. « Où est Lucy ?

— Là-haut, en train de se faire belle. Elle descend dans une minute.

— Super. »

Sur le trajet, je m'étais fait tout un film : Lucy dégringolant l'escalier quatre à quatre pour se jeter dans les bras de son papa. J'avais encore tout faux, apparemment. En fait, celui qui me réservait l'accueil le plus chaleureux, c'était le petit chiot Dachshund qui s'était élancé de l'autre bout de la cuisine en jappant, et qui faisait des bonds à l'assaut de mes genoux. Je l'ai attrapé au vol et l'ai serré contre ma poitrine.

« Alors comme ça, c'est toi, Rochester ? » je lui ai demandé en lui caressant la tête pendant qu'il poussait contre moi une truffe enthousiaste. « Mais que tu es mignon, toi !

— Comment sais-tu qu'il s'appelle Rochester? a demandé Caroline en posant une tasse devant moi.

— Pardon?

— Comment tu sais qu'il s'appelle Rochester? On l'a seulement depuis deux semaines. »

Bien sûr, gaffe idiote! Elle n'avait mentionné l'acquisition de la bestiole que dans son mail à Liz Hammond. En l'occurrence, je n'ai pu que mentir. « Oh, je l'ai su par Lucy, elle m'a envoyé un mail.

— Ah bon, je ne savais pas qu'elle t'écrivait des mails.

— Mais... tu ne sais pas tout.

— Non, c'est juste. » Elle a récupéré les sachets de thé posés sur une soucoupe et les a jetés dans la poubelle à compost. « Je ne sais même pas ce que tu fais ici. Tu es en route pour l'Écosse, c'est ça?

— C'est ça, oui, je m'en vais dans les Shetlands.

— Vendre des brosses à dents?

— Si on veut.

— Tu as fait du chemin, alors. Je n'aurais jamais cru que tu puisses lâcher ton boulot.

— Bah, parfois on a besoin d'un bon coup de pied aux fesses, et tu me l'as donné, justement. Lorsque vous êtes parties, Lucy et toi, ça... ça m'a remis les idées en place, disons. »

Caroline a baissé le nez vers sa tasse : « Je sais que je t'ai fait souffrir. »

J'ai baissé le nez vers la mienne : « C'était ton droit. »

Nous n'en avons pas dit plus sur le sujet. « Où tu l'emmènes, ce soir? m'a-t-elle demandé sur un ton plus enjoué.

— J'ai réservé au chinois du centre-ville, tu sais. » (Lucy avait toujours aimé la cuisine chinoise.)

« Il paraît que c'est bon. On ne l'a pas encore essayé.

— Je te raconterai. »

C'est alors que nous avons été distraits par l'arrivée dans la cuisine d'une adolescente liane, brunette ébouriffée, un peu trop maquillée, moue sensuelle de rigueur et courbes féminines aguicheuses gainées dans un jean seconde peau et une brassière rayée qui lui dénudait la taille. J'ai mis deux ou trois secondes à reconnaître ma fille. Elle s'est approchée et m'a embrassé avec brusquerie.

« Salut, P'pa.

— Lucy ! Mais tu es... » Je cherchais le mot — il n'y en avait pas. « Tu es, waouh, fracassante. »

Il était manifeste qu'en arrivant ici ma fille s'était métamorphosée. Si sa mère avait rajeuni de dix ans, Lucy en avait bien gagné quatre ou cinq. Impossible de reconnaître en elle la petite fille que j'avais vue pour la dernière fois en ce terrible samedi matin... (Est-ce que je pouvais y repenser, à présent ? Je ne m'étais jamais risqué à revoir cette scène dans ma tête. Ça aurait été trop dur, et l'être humain a ses mécanismes inhibiteurs — le cerveau a ses fusibles.) Ce terrible samedi matin, disais-je, où elles étaient parties dans une camionnette de location, avec leurs affaires à l'arrière, direction le comté de Cumbria, toutes deux résolument muettes, regardant devant elles, l'œil vague, sans me rendre mon ultime signe de la main...

Et voilà, je venais d'y repenser, au moins. Et comme je mesurais le changement survenu en Lucy depuis ce jour-là, c'est avec une angoisse naissante que j'ai pris le cadeau sur la table de cuisine et le lui ai tendu, encore dans son sachet en plastique.

Le souvenir de sa réaction me fait encore mal. Je me recroqueville chaque fois que j'y pense. Elle a ouvert le sachet, et sursauté presque imperceptiblement à la vue du cahier et des feutres, et puis elle a dit « Merci, Papa » en me serrant dans ses bras, mais avec un coup d'œil furtif en direction de Caroline ; elles ont échangé un regard de connivence mi-amusé mi-navré qui disait bien mieux que les mots : « Pauvre Papa, il est totalement à côté de la plaque, hein ? »

J'ai détourné les yeux, et j'ai dit, parce qu'il fallait bien rompre le silence : «Viens voir ma voiture dehors, avant qu'on parte manger. Elle a un GPS, et tout et tout. »

Comme si ça allait l'impressionner.

Lucy m'a dit qu'elle n'aimait plus la cuisine chinoise parce qu'il y avait beaucoup trop de glutamate de sodium dedans. Alors j'ai annulé ma réservation, et nous sommes allés dans un restaurant italien de la même rue. J'ai remarqué avec appréhension qu'il ne faisait pas partie d'une chaîne, ce serait donc un saut dans l'inconnu. Apparemment, Lucy était devenue végétarienne, et elle a commandé une lasagne aux légumes, et moi, j'ai dû résister à la tentation de prendre la Pizza Cannibale pour me rabattre sur le risotto-champignons. Ça ne m'emballait pas, mais je n'aurais pas voulu la choquer, ou lui donner à penser que je me fichais de ses convictions. Et puis, avec des tonnes de parmesan, il serait peut-être mangeable, ce risotto.

« Bon, alors, je lui ai demandé, comment ça s'est passé, ton installation dans le Nord ?

— Bien », a dit Lucy.

J'attendais qu'elle précise. Mais non.

« La maison a l'air sympa, j'ai tenté. Elle te plaît ?

— Ça va. »

J'attendais qu'elle précise. Mais non.

« Et l'école ? Tu t'es fait des amis ?

— Oui, quelques-uns. »

J'attendais qu'elle poursuive, mais un petit grelot électronique a retenti, au fond de son sac. Elle a sorti un BlackBerry et jeté un coup d'œil sur l'écran. Son visage s'est éclairé, elle a éclaté de rire, et s'est aussitôt mise à taper sur les touches. Je me suis reversé du vin, et j'ai trempé un bout de pain dans la soucoupe d'huile d'olive pendant qu'elle s'affairait.

« C'est le BlackBerry de ta mère ? j'ai demandé quand elle a eu l'air d'avoir terminé.

— Non, ça fait cent ans que j'en ai un à moi.

— Ah bon. Et c'était qui ?

— Quelqu'un que je connais, c'est tout. »

Un silence s'est abattu entre nous, et j'ai ressenti une frustration croissante. J'en étais donc là, dans ma relation avec ma fille ? C'était tout ce qu'elle avait à me dire ? Mais bon Dieu ! nous avions vécu douze ans ensemble, et dans l'intimité la plus totale : je l'avais changée, baignée, je lui avais lu des histoires, et la nuit, quand elle avait peur, elle grimpait dans mon lit pour se blottir contre moi. Et aujourd'hui, après à peine plus de six mois de séparation, nous nous comportions l'un envers l'autre comme des étrangers, ou presque. Comment était-ce possible ?

Je n'en savais rien. Tout ce que je savais, c'est que je n'allais pas faire mon deuil de cette soirée, pas encore.

Je saurais l'obliger à engager la conversation avec moi, même si c'était mon ultime exploit.

« Ça a dû beaucoup te changer, j'ai commencé, de venir habiter... »

À ce moment-là, c'est mon propre mobile qui a fait entendre sa petite mélodie annonçant un texto. Je l'ai tenu à bout de bras (ma vue baisse, voilà à quoi j'en suis réduit). Le message émanait de Lindsay.

« Vas-y, lis-le, ça me dérange pas », m'a dit Lucy.

J'ai donc ouvert le message, qui disait :

Coucou, vous devez être au bord de la mer à présent espère que tout se passe bien appelez quand vous pourrez L

Certes, il y a plus chaleureux comme message, mais dans la mesure où j'attendais des nouvelles de Lindsay par un canal ou un autre depuis un jour et demi, je l'ai lu avec un soulagement impossible à dissimuler. J'ai reposé le téléphone sur la table aussitôt, avec une nonchalance affectée, mais Lucy n'a pas été dupe.

« Gentil message ? m'a-t-elle demandé.

— C'était Lindsay », j'ai répondu. L'expression de Lucy montrait clairement qu'elle n'allait pas se satisfaire de cette réponse, alors j'ai ajouté : « Quelqu'un avec qui je travaille.

— Je vois », elle a dit en hochant la tête. Puis elle a croqué le bout d'un gressin et a poursuivi : « Lindsay, je ne sais jamais si c'est un nom d'homme ou un nom de femme.

— Je crois que ça peut être les deux, mais en l'occurrence, c'est une femme.

— Tu réponds pas ? »

Elle a pris son BlackBerry et moi mon mobile.

« J'en ai pour une minute, j'ai promis.

— No souci. »

En fait, ça m'a pris un peu plus longtemps. Je n'ai pas une grande dextérité pour envoyer ces messages et, en plus, je ne savais pas bien quoi dire. J'ai fini par rédiger :

Même pas encore au ferry. Toujours à Kendal, au restaurant avec ma ravissante fille. Vraiment désolé d'avancer comme un escargot — ne désespérez pas de moi !

Le temps que j'envoie ces lignes, Lucy avait envoyé et reçu environ quatre messages. On a reposé nos appareils, avec une pointe de regret, et on s'est souri.

« Alors, ça doit te changer... »

Le serveur est arrivé avec notre commande. La table était très petite, et il a mis un moment à tout caser. Ensuite de quoi il y a eu le rituel du moulin à poivre, et celui du saupoudrage de parmesan. Il en faisait un vrai cérémonial. Quand il a eu fini, un nouveau message de Lindsay m'était parvenu, que j'ai lu avant d'attaquer mon plat.

Profitez du voyage, Max, et ne vous inquiétez pas d'avancer plus ou moins vite ; n'oubliez pas que c'est juste pour le fun x

J'ai souri tout seul en reposant l'appareil et Lucy s'en est aperçue, mais elle n'a rien dit. Avant de goûter à ma première bouchée de risotto, j'en ai profité pour lui lancer une question :

« Tu envoies beaucoup de textos, toi, Luce ? »

— Oh non, dans les vingt ou trente par jour.

— Mais ça me paraît beaucoup, ça me paraît énorme. Qu'est-ce que ça veut dire quand quelqu'un met un bisou en fin de message ? »

J'ai enfin cru lire une lueur d'intérêt dans son regard.

« C'est encore ta collègue ?

— Oui.

— Fais voir. »

Je lui ai passé le téléphone, et elle me l'a rendu après avoir lu le message.

« Difficile à dire, ça dépend de son caractère, en fait.

— Il n'y a pas de... de codes dans ce domaine ? »

Je n'étais pas mécontent de ma question, je l'avoue, bien persuadé d'avoir enfin trouvé un sujet de complicité potentielle entre nous. Si elle envoyait vingt ou trente textos par jour, elle devait pouvoir en parler pendant des heures.

« Oui, bon, on peut pas vraiment dire qu'il y ait des codes », elle a répondu, et j'ai eu la déception d'entendre de l'ennui, et même un fond de mépris dans sa voix. « C'est jamais qu'un petit baiser de rien du tout en bout de message, quoi. Ça veut sans doute rien dire. Et puis au fait, c'est quoi, de parler de ça entre père et fille ? C'est trop triste à la fin, trop nul. C'est un bisou, et puis voilà, Papa. Prends-le comme tu veux. »

Elle s'est tue, et a entamé sa lasagne du bout des lèvres.

« D'accord, excuse-moi, ma chérie, j'ai dit après une pause meurtrie. C'était pour causer avec toi, c'est tout.

— C'est pas grave, excuse-moi, j'ai pas voulu te faire de peine. » Elle sirotait son Coca light. « Pourquoi elle est pas venue avec nous, Maman, vous vous parlez même plus ou quoi ?

— Si, si, bien sûr qu'on se parle. Je ne sais pas pourquoi elle n'a pas voulu venir. Je crois qu'elle n'était pas libre.

— Ah ouais, on est mardi soir. C'est la soirée écriture.

— La soirée écriture ?

— Elle va à son groupe d'écriture. Ils écrivent des nouvelles, des textes, et ils se les lisent. »

Super. Donc, en ce moment même, Caroline était en train de tirer des oh et des ah d'un auditoire passionné en racontant l'histoire hilarante de Max et Lucy à la fosse aux orties. Elle arrivait sans doute au passage où je n'étais pas fichu de savoir pourquoi l'herbe est verte. J'entendais d'ici les rires entendus de ces fins connaisseurs.

« Elle prend ça au sérieux, ce truc d'écrire ?

— Je crois. Mais il faut dire », et là, Lucy m'a fait un sourire de connivence, « tu comprends, il y a un mec qui vient à leur groupe, aussi, et je commence à penser que... »

Que quoi ? Je m'en doutais, mais je n'en aurais jamais confirmation, parce que son BlackBerry s'est remis à sonner.

« Bouge pas, celui-là il faut que je le prenne. »

Le message, Dieu sait pourquoi, l'a fait hurler de rire.

« C'est Ariana, m'a-t-elle dit en guise d'explication. Elle a photoshoppé une photo, regarde ! »

Elle m'a tendu l'appareil ; l'écran affichait une jeune fille en tout point banale.

« Très bien », j'ai dit en lui rendant l'appareil. Que dire d'autre?

« Non, mais elle a mis la tête de Monica sur le corps de Jess !

— Ah, d'accord. C'est astucieux. »

Lucy s'est mise à rédiger sa réponse, et j'en ai profité pour écrire un nouveau message à Lindsay. Il est sans doute heureux que je ne l'aie pas envoyé. Qu'est-ce qui m'a retenu? L'expression d'une femme assise à la table à côté de la nôtre. J'aurais du mal à décrire cette expression. Tout ce que je sais, c'est qu'elle recevait cinq sur cinq la scène en train de se dérouler à notre table — le père quadragénaire, un peu las, avait emmené sa fille dîner au restaurant, ils étaient assis face à face, rien à se dire, lui envoyait un texto, elle tripotait son BlackBerry; une sympathie amusée passait dans le regard expressif de notre voisine, j'étais dans mes petits souliers. Et, en cet instant, l'image m'est revenue de la Chinoise avec sa fille, assises en vis-à-vis au restaurant du port de Sydney, à rire et à jouer aux cartes. La complicité qui régnait entre elles, le plaisir qu'elles avaient d'être ensemble, l'amour, l'intimité. Tout ce que nous n'avions apparemment jamais eu, Lucy et moi. Tout ce que je n'avais jamais appris à construire, pauvre de moi, avec mon triste sire de père.

Cette nuit-là, j'ai envoyé un nouveau message. Mais pas à Lindsay. Comme vous ne devinerez jamais à qui, je vais vous le dire. J'ai envoyé un texto à Clive, l'oncle de Poppy.

J'avais déposé Lucy vers neuf heures trente, Caroline n'était pas encore là. Ma fille m'a fait entrer, elle m'a servi un café, et elle est restée parler (si l'on peut dire) avec moi peut-être une demi-heure, dans la cuisine. Quand il est devenu évident que Caroline n'allait pas rentrer ventre à terre pour me voir, j'ai décidé qu'à chaque jour suffisait sa peine, et j'ai repris ma voiture en direction du Travelodge, situé à une dizaine de minutes de la ville.

Autant pour mes retrouvailles familiales, donc.

Une fois dans ma chambre, j'ai compris que malgré la fatigue j'étais trop agité pour m'endormir tout de suite. Comme il n'y avait rien à la télévision, j'ai sorti de ma valise le DVD *Deep Water* prêté par Clive, et je l'ai glissé dans mon ordi. J'entretenais cette idée bizarre que le regarder me remonterait le moral, vous connaissez le cliché : « On trouve toujours plus malheureux que soi. » Bon, dans l'immédiat, je me disais qu'il faudrait quand même chercher longtemps, mais qu'avec un peu de chance Donald Crowhurst ferait l'affaire.

C'était un film puissant. Au cours de la semaine précédant cette virée, j'avais commencé *L'Étrange Voyage de Donald Crowhurst*, et j'en étais arrivé à la moitié, ce qui révélait une bonne cadence de lecture chez moi. Le livre foisonnait de détails, il était très documenté, mais le film vous plongeait plus profondément dans l'histoire, dans son atmosphère. Il s'ouvrait sur des vues d'énormes vagues qui enflaient dans la nuit battue par les vents et, aussitôt, on éprouvait la peur et la solitude que Crowhurst avait dû ressentir, là-bas, à la merci des éléments ; rien qu'à le voir, j'avais le mal de mer et des frissons. Et puis il y avait des prises de vues montrant l'homme lui-même, tard dans son voyage, aguerri, endurci, une petite moustache lui donnant une expression cruelle, le regard désormais fermé et méfiant. Au bout de quelques plans de ce genre, sur une musique grandiloquente et angoissante, arrivait en flash-back une scène que j'ai reconnue avec saisissement : le port de Plymouth, bordé de foules en liesse venues assister au retour de Francis Chichester après sa traversée en solitaire. (Cette scène, je me rappelais l'avoir vue à la télévision avec ma mère, un dimanche soir, au printemps 1967.) Ensuite, on nous présentait les différents protagonistes de l'histoire, Crowhurst lui-même, sa femme et ses enfants, ses concurrents les plus redoutables, Robin Knox-Johnston et Bernard Moitessier ; son sponsor, Stanley Best ; et, surtout, l'homme qui était peut-être le plus marquant du lot, son attaché de presse Rodney Hallworth. On le décrivait comme un « personnage dickensien », ce qui correspondait sans nul doute à sa vaste silhouette corpulente et ses manières paternelles qui ne cachaient guère la veine cynique et brutale de l'homme sous le vernis. « Souvent, les gens qui font de grandes choses sont des personnalités assez falotes, disait-il, suave. Le rôle de l'attaché de presse, c'est de prendre le conditionnement en main, de transformer la vulgaire boîte de fer-blanc en paquet-cadeau à paillettes, bien plus vendeur. » Dans ce scénario, c'est Crowhurst lui-même qui jouait le rôle de la vieille boîte en fer-blanc, et Hallworth se proposait d'exagérer ses qualités, de réaliser ce fameux « conditionnement » qui mettrait à terme le navigateur dans une situation intenable, et le pousserait petit à petit vers la folie. Le film se faisait chronique du processus avec sympathie mais sans épargner aucun détail. On voyait la pagaille dans laquelle s'était effectué le départ de Teignmouth, et la mine pleine d'appréhension de Crowhurst lorsque la

caméra le cadrait à l'improviste. (C'était dans ces instants que sa ressemblance avec mon père était la plus
flagrante, m'est-il apparu, pas pour la première fois.) Et
puis, à mesure que le bateau avançait, on quittait le terrain des défis techniques de la navigation en solitaire
pour mettre l'accent sur le journal de Crowhurst, ses
carnets de bord, ses graffitis échevelés, le délitement psychologique dont il était victime. Le plan prolongé sur sa
dernière formule — « C'EST LA MISÉRICORDE » — me
glaçait particulièrement le sang. À la fin du film, j'étais
secoué, vanné.

Il était minuit passé, mais j'ai tout de même décidé
d'envoyer un texto à Clive.

Salut! je viens de regarder le film sur Crowhurst. Il est
ahurissant! Merci beaucoup de me l'avoir prêté. Toujours en
route vers les Shetlands, pas encore arrivé.

Je suis passé à la salle de bains pour me laver les dents,
et quelques minutes plus tard je m'effondrais sur mon
lit; j'étais presque endormi quand le téléphone m'a joué
sa ritournelle désormais familière. Clive m'avait déjà
répondu.

Ravi qu'il vous ait plu. Bonne traversée, ai hâte d'entendre
vos exploits au retour. X

J'ai regardé le message, ou plutôt ce « X » final, passablement ébahi. Clive, m'envoyer un baiser virtuel?
Lindsay, à la rigueur, je comprenais, mais Clive? Je
n'avais jamais au grand jamais reçu de texto d'un autre
homme ponctué d'un « x ». Je n'imaginais pas une

291

seconde que Trevor, par exemple, en place un à la fin d'un de ses messages, SMS ou mail. À quoi jouait donc Clive ? J'ai regretté qu'il soit trop tard pour appeler Lucy, je l'aurais volontiers consultée. Elle aurait au moins su me dire si c'était normal ou pas.

Cette question me mettait mal à l'aise. J'ai fini par sombrer dans le sommeil, mais je me sentais vaseux car le documentaire avait gravé des images déstabilisantes dans mon esprit. J'en étais encore saturé quand ma respiration s'est faite régulière. La houle... le visage de Donald Crowhurst, qui me rappelait plus que jamais celui de mon père... la houle... Rodney Hallworth et sa « boîte en fer-blanc »... où avais-je donc entendu cette expression ?... Rodney Hallworth... Lindsay Ashworth... la houle... la houle...

# KENDAL-BRAEMAR

# XVI

« D'accord, Emma, voilà que tout s'éclaire ; tout se met en ordre. »

*Continuez tout droit.*

« Je ne sais pas le pourquoi du comment, mais je suis en train de me mettre dans la peau de Donald Crowhurst. Je vais devenir lui. Appelle ça le destin, appelle ça la prédestination, appelle ça comme tu voudras, mais je n'ai même pas le sentiment d'avoir mon mot à dire. Ça va se produire que ça me plaise ou non. »

*Dans un kilomètre, tournez à droite.*

Nous avions quitté Kendal depuis une dizaine de minutes, et nous roulions sur l'A6 en direction de Penrith. Le temps se gâtait ; de grosses gouttes, mi-pluie mi-neige fondue, éclaboussaient mon pare-brise. La route grimpait régulièrement, de virage en virage, à travers un paysage agreste et verdoyant.

« Je suis là, au volant de cette voiture neuve et innovante, révolutionnaire dans son design, exactement comme le trimaran de Crowhurst. À bord de cette version moderne du *Teignmouth Electron*, c'est moi qui suis à la barre. »

Comme nous quittions l'A6 à l'échangeur 39 vers la M6, nous avons aperçu à notre gauche les vastes cheminées des carrières de calcaire Corus, bien cachées au fond d'une longue voie privée rébarbative qui leur donnait l'aspect d'une base militaire secrète. Quelques minutes plus tard, nous étions à l'embranchement.

*Prenez vers la gauche au rond-point, première sortie.*

« Et pense un peu aux autres personnages de l'histoire. Rodney Hallworth, Stanley Best — ils ne te rappellent personne ? Tout s'explique. »

*Prenez la prochaine sortie.*

« Alors, qu'est-ce qui se passe ? Est-ce que je suis... possédé par ce Crowhurst, ou bien est-ce que je deviens fou ? Mais si je deviens fou, est-ce que ça ne revient pas au même, puisque la folie fait partie intégrante du personnage ? Qu'est-ce que tu en penses, Emma ? Qu'est-ce que tu me conseilles ? »

*Continuez tout droit.*

Oui, évidemment, simple question de bon sens ; de toute façon, je n'avais guère le choix.

On allait sur midi et demi. J'avais pris un bon bain et un petit déjeuner tardif au Travelodge, et puis j'étais retourné à Kendal me promener un moment au hasard des rues, profiter du plaisir de me trouver dans un autre coin du pays, en finir avec l'inexplicable sentiment d'inconnu, d'étrangeté qui s'insinuait en moi depuis deux jours, c'est-à-dire depuis que j'avais quitté Watford. J'avais passé trois semaines à Sydney sans jamais rien connaître de tel, alors pourquoi avais-je aujourd'hui l'impression que chaque ville dans laquelle j'entrais était un peu plus irréelle que la précédente ? Peut-être était-ce lié à ma fixation croissante sur Crowhurst. Je me sentais de plus en plus déconnecté de moi-même. Il m'arrivait de me projeter hors de mon corps, de le regarder de haut, et même ce matin-là, à Kendal, j'ai eu un instant l'impression de regarder High Street en surplomb, et de me regarder marcher avec les gens qui faisaient leurs courses, comme les figurants d'une prise de vue cadrée avec art, avec des centaines de fourmis humaines au premier plan et en toile de fond l'énorme bosse des montagnes formant un décor lointain, comme surajouté à la main, guère crédible.

En fin de matinée, j'avais revu Caroline. Elle ne m'attendait pas, mais j'avais décidé de la surprendre. Je savais qu'elle travaillait comme directrice d'un des magasins de charité de High Street, et j'avais débarqué à l'improviste, sans m'attendre à autre chose qu'à une prompte rebuffade, mais son accueil m'avait agréablement surpris. Elle m'avait fait du café, elle m'avait emmené dans le bureau de l'arrière-boutique, et je n'étais pas parti parce qu'elle voulait que je parte, mais de ma propre initiative. Car sa gentillesse envers moi me donnait plus que jamais envie d'être avec elle, et comme je savais que c'était impossible, la seule chose à faire, en l'occurrence, était de reprendre la route.

*Continuez tout droit sur l'autoroute.*

À présent nous nous trouvions quelque part entre l'échangeur 41 et l'échangeur 42 ; nous roulions vers le nord et, à mesure que nous avancions, la circulation diminuait. Nous tenions une moyenne de 4 litres au cent parce qu'on n'avait aucun mal à rouler à 90 sans se faire coller au pare-chocs ni recevoir des appels de phares furibonds pour vous asticoter. Et curieusement, alors qu'il aurait été moins dangereux de conduire vite ici que cent cinquante kilomètres plus au sud, peu de voitures dépassaient les limitations de vitesse. Tout le monde avait l'air plus détendu. Est-ce qu'il existe des statistiques montrant que dans le nord de l'Angleterre les conducteurs consomment moins d'essence que dans le sud ? Je n'en serais pas surpris.

*Continuez tout droit sur l'autoroute.*

Quand on roule des heures à une vitesse modérée, que faire sinon profiter des rares distractions qui surgissent le long de l'autoroute : une affiche de police jaunie rapportant un « homicide potentiel », des panneaux de sortie indiquant Penrith, Keswick, Carlisle, un grand panneau bleu qui dit « Bienvenue en Écosse / *Fàilte gu Alba* », une vaste forêt de pins en forme de T, à flanc de colline, parcourue par l'ombre de nuages noirs vagabonds et porteurs de pluie... que faire sinon laisser son esprit prendre la tangente ? Et c'est bizarre, mais alors, il vous remonte des souvenirs, des détails oubliés ou refoulés depuis quarante ans et plus. C'est ainsi qu'en pensant à Francis Chichester il m'est revenu que j'avais regardé avec ma mère le reportage en direct sur son retour, mais je ne me rappelais pas si mon père était avec nous en la circonstance. Et puis, je me suis souvenu qu'il s'était justement produit quelque chose de curieux. En fait, si, il était bien en train de regarder la télévision avec nous, au départ ; mais on avait sonné à la porte ; il était allé répondre et, quelques secondes plus tard, un étrange étranger était entré chez nous. Je dis « étrange étranger » pas seulement parce que Maman et moi ne le connaissions pas, mais parce qu'il était, enfin, oui, étrange. Il portait un chic chapeau à large bord, pour commencer, et des vêtements peut-être courants à

Carnaby Street cette année-là, mais qu'on n'avait jamais vus dans un rayon de cent kilomètres autour de Rubery. Il avait une barbe roussâtre clairsemée, aussi, c'est le seul autre détail de lui que je revoie. Il n'est pas entré dans notre séjour, si bien que je ne l'ai aperçu qu'en un éclair, par la porte entrouverte, au moment où Papa le conduisait dans la partie arrière de la maison. Ils sont entrés dans la salle à manger, et ils se sont mis à parler pendant que Maman et moi continuions à regarder la télévision. Je devais déjà être couché quand il est parti, parce que je ne me rappelle pas l'avoir vu s'en aller. Du reste, comme je l'ai dit, j'avais totalement oublié cette apparition bizarre et inopinée jusqu'en cet instant précis où le souvenir m'en est revenu tout frais, en passant avec Emma la frontière écossaise, où la M6 devenait la A74(M). Et aussitôt, voici la question que je me suis posée : qui était cet homme, sinon le mystérieux « Roger » qui avait envoyé des cartes postales d'Asie chaque mois pendant toutes les années soixante-dix, et continuait apparemment de le faire aujourd'hui encore ? On ne m'avait jamais dit le nom du visiteur, j'en étais certain ; mais j'étais non moins sûr que ce ne pouvait être que Roger.

*Continuez tout droit sur l'autoroute.*

Je me suis accroché à ce souvenir singulier encore quelques instants, mais il a bientôt fait place à des pensées plus vagabondes. Nous nous enfoncions dans l'Écosse, les kilomètres défilaient, et je roulais comme dans un rêve, évitant par miracle les collisions. Il a bien dû s'écouler dix minutes avant que je me ressaisisse et que je réalise, dans un sursaut, à quoi j'étais en train de penser.

J'essayais de trouver la racine carrée de moins un.

Ça n'allait plus du tout.

Encore un déjeuner solitaire, encore une aire de services, encore un panino. Champignons, prosciutto et salade verte, cette fois.

Bienvenue à l'Aire de services d'Abington. C'est plus fort que moi, j'aime ces endroits. Je m'y sens chez moi. J'aimais bien les chaises en bois foncé, les tables en bois clair, le look Habitat, très nineties. J'aimais bien les deux énormes yuccas qui trônaient entre les tables. J'aimais le deck de bois battu par le vent, dehors, les parasols fermés, claquant sous la brise humide du jour. J'aimais qu'au beau milieu de ce paysage spectaculairement rural on ait recréé cette oasis de banalité urbaine. J'aimais l'expression de ceux qui quittaient le comptoir du Café Primo avec leur plateau de pizza ou de *fish and chips*, anticipant leur plaisir, convaincus qu'ils allaient se régaler. C'était mon genre, cet endroit, je m'y sentais à ma place.

Et pourtant, mon sentiment de malaise léger mais palpable persistait. Était-ce la perspective de revoir Alison qui me rendait nerveux? Je pouvais encore me décommander, mais de toute façon il serait trop tard pour attraper le ferry aujourd'hui, même en roulant pied au plancher. Et d'ailleurs, ce n'était pas ça le problème. Quelque chose d'autre me tracassait. Le poids de tous ces souvenirs qui refaisaient surface, peut-être.

Après déjeuner, j'ai ouvert mon portable, et j'y ai inséré le petit gadget me connectant au réseau local. J'ai regardé si j'avais des mails, je suis allé sur Facebook.

Rien. En éteignant l'ordinateur, j'ai remarqué que la batterie était presque vide.

Culpabilisé de m'en être servi si peu jusque-là, j'ai sorti ma caméra numérique, et j'ai filmé l'aire de services, avec les montagnes autour. Trente secondes, en tout et pour tout. Comme précédemment, lorsque j'avais filmé l'immeuble de mon père à Lichfield, j'ai senti que ce n'était pas du tout ce que Lindsay aurait voulu, et que ce serait sans doute coupé au montage.

Sur la M6, en direction du nord, nouveaux ralentissements causés par un camion en panne entre l'échangeur 31 et le 31a sur la file 3 ; le trafic est bloqué jusqu'à l'échangeur 29 en amont. Camion en panne au niveau des travaux de voirie sur la M1, direction du nord, après l'échangeur 27, au nord de Leicester : incident terminé ; mais nos problèmes continuent sur la M1, actuellement bloquée en direction du sud à l'échangeur 11, c'est-à-dire à Luton ; on emprunte une déviation par les bretelles de sortie, mais la circulation est pour l'instant bloquée ; on nous signale, merci Fiona et Mike, que l'engorgement remonte jusqu'à l'échangeur 14, Milton Keynes ; de très nombreux véhicules empruntent actuellement l'A5 pour gagner Dunstable, itinéraire donc très chargé en direction du sud. En direction du nord, la M1 qui était fermée au trafic le temps qu'un hélicoptère du SAMU atterrisse a été rouverte, l'appareil ayant redécollé. Un véhicule bloquait la voie sur la M25, au niveau des échangeurs 18 et 17, c'est-à-dire entre Chorleywood et Rickmansworth. Le véhicule a été dégagé mais, suite au délai d'intervention, le trafic est très ralenti sur la zone habituelle, quoique plus fortement aujourd'hui, à l'échangeur 23, qui part vers l'A1 (M), direction Watford à l'échangeur 19. Autre accident signalé sur la M25, à l'échangeur 5, pour la M26. Cambridge, accident signalé sur l'A11 direction nord ; l'autoroute est fermée au niveau de Papworth Everard, c'est-à-dire au nord de la A428, à Caxton Gibbet...

« Désolé, Emma, j'ai dit en éteignant la radio, ce n'est pas que je m'ennuyais à t'écouter, seulement un homme... tu sais ce que c'est, ça a besoin de bouger, de faire de nouvelles rencontres. »

*Dans un kilomètre, prenez la première route à gauche.*

« Je savais que tu comprendrais », lui ai-je dit avec gratitude. Sa voix était aimable et apaisante, après celle du présentateur d'Autoroute Infos, qui m'avait cassé les oreilles avec son monologue paternaliste.

Nous n'étions plus qu'à quelques kilomètres d'Édimbourg et, si j'en croyais mon écran de navigation, nous n'avions fait que six cents kilomètres depuis que nous avions quitté Reading, deux jours plus tôt ; mais, pour une raison ou pour une autre, tous ces noms familiers, Rickmansworth, Chorleywood et, bien sûr, Watford, me donnaient l'impression que nous allions arriver dans un endroit incroyablement reculé. La nuit était tombée, et nous nous trouvions dans une file de voitures qui s'étirait régulièrement sur l'A702, cortège funèbre de feux arrière avec de temps en temps un feu de stop, à perte de vue. Quelques minutes plus tôt, nous avions dépassé un panneau qui disait « Bienvenue dans les Scottish Borders », et voici que nous en passions un second nous souhaitant la bienvenue dans le Midlothian. C'était agréable de se savoir les bienvenus. Je me demandais si je recevrais un accueil aussi chaleureux chez Alison.

Bientôt, nous avons traversé le périphérique pour pénétrer dans les faubourgs. Alison vivait dans une banlieue appelée The Grange, manifestement opulente comme je m'en doutais. Je ne savais pas au juste ce que son mari faisait dans la vie, mais il dirigeait une grande société prospère qui avait des bureaux sur les cinq continents, et il voyageait beaucoup. Malgré tout, j'ai été surpris de voir Emma me guider — comme si elle connaissait la ville depuis toujours — vers des rues de plus en plus larges, de plus en plus quiètes, et retirées, et chics. La plupart des propriétés de grès rouge avaient des allures de maisons de maîtres. Et celle d'Alison, devant laquelle nous nous sommes arrêtés, n'était pas des moindres.

*Vous êtes arrivé à destination*, a dit Emma, sans accent triomphal, sans vantardise aucune, manifestant la simple satisfaction du travail bien fait. *Le guidage est terminé.*

# XVII

Je n'aurais jamais imaginé me retrouver libre à quarante-huit ans. Mais puisqu'il en était ainsi et que, de toute évidence, Caroline n'avait aucune intention de me revenir, je m'apercevais que j'allais au-devant d'un problème bien particulier. Tôt ou tard, si je ne voulais pas finir comme un vieux solitaire, il me faudrait trouver une nouvelle partenaire. L'ennui, c'était que les femmes plus jeunes, comme Poppy, risquaient de ne pas m'accorder un regard, et que les femmes mûres ne m'attiraient pas.

Les femmes mûres, encore faudrait-il ici préciser ce que j'entends par là. J'y ai bien réfléchi, et il me semble qu'on considère comme mûre toute femme plus âgée que sa propre mère quand on était adolescent. Admettons qu'on commence vraiment à s'intéresser au sexe — au point de ne plus penser qu'à ça — vers l'âge de seize ans. (Je sais que ça commence plus tôt, aujourd'hui, à coup sûr. Le monde occidental est tellement polarisé sur le sexe que presque tous les garçons sont sans doute branchés dessus dès l'âge de quatorze ans. D'ailleurs, l'autre jour, j'ai lu dans le journal qu'une fille était devenue grand-mère à vingt-six ans. Mais pour ma géné-ration, ce n'était pas la même chose. Nous sommes les derniers à nous être épanouis tard.) Bon, je disais donc que quand j'avais seize ans, ma mère en avait trente-sept, et je vous assure que pour moi c'était une petite vieille. Il ne me serait jamais venu à l'esprit qu'elle puisse avoir une vie sentimentale, une vie intime, et je ne parle même pas d'une vie sexuelle (sauf avec mon père, et encore, s'il fallait en juger par le récit d'Alison). Elle n'avait à mes yeux aucune existence affective et sexuelle. Elle était là pour pourvoir à mes besoins physiques et affectifs. Je sais, dit comme ça c'est choquant, mais les adolescents sont égoïstes et nombrilistes, et je la voyais ainsi. Et même maintenant, à quarante-huit ans, j'ai du mal à me faire à l'idée que des femmes de l'âge de ma mère, oui, d'accord, de mon âge, si vous y tenez, puissent être considérées comme désirables. Bien sûr que c'est illogique, bien sûr que j'ai tort. Mais qu'est-ce que j'y peux? J'essaie simplement d'être honnête. C'est pourquoi, du reste, j'avais été tellement mortifié le soir du dîner, quand j'avais compris que Poppy m'avait invité dans la seule intention de me présenter sa mère.

Si je vous raconte tout ça, c'est sans doute pour vous expliquer mes sentiments lorsque j'ai appuyé sur le bouton du boîtier électronique, chez Alison, et qu'elle m'a ouvert. La dernière fois que je l'avais vue remontait à plus de quinze ans. Le jour le plus profondément gravé dans ma mémoire remontait à plus de trente ans, elle avait dix-sept ans, et mon pervers de père l'avait prise en photo dans son bikini orange. Et voilà que je la voyais devant moi, belle, chic et élégante, pleine d'assurance, comme elle l'avait toujours été. À cinquante ans, c'est-à-dire passablement plus âgée que ma mère quand j'en avais seize, et que nous campions dans la Région des Lacs. Et même plus âgée que ma mère à sa mort.

« Max ! C'est superbe, de te voir ! » a-t-elle dit.

Elle m'a tendu la joue, que j'ai embrassée. Douce, poudrée. Fragrance particulière, mais pas désagréable, entre miel et eau de rose.

« Quel bonheur de te voir ! j'ai répondu. Tu ne changes pas. (C'est ce qu'on est censé dire, non, que ce soit vrai ou pas ?)

— Quelle chance, que tu passes par ici ! Maman m'a dit que tu étais en route pour l'Écosse, c'est vrai ?

— Oui, tout à fait.

— Quelle aventure ! Entre vite ! »

Elle m'a précédé dans un hall qui ouvrait sur l'un des deux ou trois salons du rez-de-chaussée, m'a-t-il semblé, parfait alliage de minimalisme et d'opulence. Il y avait des peintures modernes aux murs, et de lourds rideaux de velours tirés sur l'hostilité de la nuit ; diverses zones de la pièce étaient subtilement éclairées par des spots invisibles. Un grand canapé en L, garni de coussins profonds et confortables, encadrait une table basse, couverte de livres et de magazines disposés avec goût. Dans l'âtre un feu flambait joyeusement. J'étais convaincu que c'était un vrai feu de bois jusqu'à ce qu'Alison dise : « Est-ce qu'il fait trop chaud pour toi ? Je peux baisser, si tu veux.

— Non, non, un bon feu, j'adore. »

J'aurais dû tourner ma langue sept fois dans ma bouche. Est-ce qu'elle se rappelait ? Est-ce qu'elle se rappelait le fiasco du feu, à Coniston ? Ou était-ce seulement moi qui y pensais pour avoir lu son essai deux jours plus tôt? Impossible à dire : son expression ne trahissait rien.

« Bon, alors réchauffe-toi bien. Il fait un temps de chien, dehors, non? Il paraît qu'on aura peut-être de la neige, cette nuit. Tu bois quelque chose? Moi, je vais prendre un gin-tonic.

— Super, la même chose, alors, s'il te plaît », j'ai dit, en oubliant que c'était moi qui prenais le volant pour aller au restaurant, dans une minute.

Quand elle est revenue avec nos verres, nous nous sommes installés sur le canapé, en angle.

« Belle pièce, j'ai dit platement. C'est beau chez toi.

— C'est beau, oui, mais c'est beaucoup trop grand. Je me suis trimballée toute seule dans cette maison toute la semaine. C'est ridicule, vraiment.

— Les garçons ne sont pas là?

— Ils sont à l'école tous les deux, pensionnaires.

— Et Philip?

— Il est en Malaisie. Il se pourrait qu'il rentre ce soir, mais ça n'est pas sûr. » Elle a soupiré. « Bon Dieu, Max, tu as l'air... je cherche le mot...

— Je ne sais pas, quel mot?

— Euh... perturbé, disons. Tu as l'air un peu perturbé.

— Je suis assez fatigué. Ça fait trois jours que je suis sur les routes.

— Oui, a dit Alison. Oui, c'est sûrement ça.

— J'ai passé une drôle d'année, j'ai ajouté. Ta mère t'a dit que Caroline m'a quitté?

— Oui, elle me l'a dit. » Elle a tendu la main pour la poser sur mon genou. « Pauvre Max! Tu me raconteras tout ce que tu voudras tout à l'heure, en dînant. »

Pendant qu'Alison était remontée mettre la dernière main à sa toilette, je suis sorti chercher le carton de ses papiers. Il faisait un froid de canard, à présent, et de minuscules flocons de neige tourbillonnaient déjà comme une menace dans l'air de la nuit. Quand je suis rentré dans le hall avec le carton, elle m'a regardé d'un air incrédule.

« Qu'est-ce que c'est que ce machin ?

— C'est à toi. Tes parents m'ont demandé de te le rapporter.

— J'en veux pas.

— Eux non plus.

— Mais qu'est-ce qu'il y a là-dedans ?

— Des trucs de fac, je crois. Où je le mets, le carton ?

— Tu n'as qu'à le poser ici. Ils sont quand même infernaux, a-t-elle dit, réprobatrice. Quelle idée de t'avoir obligé à charrier tout ça jusqu'ici. »

Elle s'est emmitouflée dans un manteau en fausse fourrure, et elle a composé un code de sécurité à quatre chiffres sur une espèce de boîtier fixé au mur avant de sortir en refermant la porte derrière nous. Comme le sol était déjà glissant, elle a pris mon bras pour aller jusqu'à la voiture. C'était agréable de la sentir s'appuyer sur moi. La texture de son manteau était curieusement réconfortante.

« Oooh chic, une Prius ! Philip et moi, on a bien envie d'en acheter une. »

J'étais sur le point de lui dire qu'elle appartenait à la société, mais je me suis ravisé. En somme, je n'étais pas fâché qu'elle m'en croie propriétaire.

La voiture glissait sans bruit comme elle savait le faire,

dans ces rues obscures, quiètes et secrètes. Les maisons étaient massives, imposantes, avec de rares fenêtres éclairées. Nous ne roulions que depuis une ou deux minutes, et déjà nous avions croisé deux voitures de police, l'une qui passait au ralenti, l'autre garée le long du trottoir. J'en ai fait la remarque à Alison, qui m'a expliqué : « On a un vrai problème de sécurité, ici. Tu comprends, c'est un quartier de milliardaires, essentiellement des banquiers, et en ce moment ils cristallisent la colère du public. Tiens, dans cette rue, par exemple... »

Elle a entrepris de me parler d'un multimilliardaire, magicien de la finance, qui habitait la rue et qui avait été engagé pour diriger une des grandes banques ; mais le type avait réussi à en anéantir les actifs, tout en se tirant avec une véritable fortune en bonus et fonds de pension. Mais j'écoutais d'une oreille distraite. J'avais déjà programmé le GPS pour le lendemain, et Emma, croyant manifestement que j'étais en route pour Aberdeen, me donnait les consignes appropriées.

*Dans deux cents mètres, tournez à gauche,* a-t-elle dit.

« T'emballe pas, j'ai répondu, ça c'est pour demain.

— Pardon ? » a dit Alison.

À mon grand embarras, j'ai compris que je venais de l'interrompre en pleine évocation de ce scandale financier. À vrai dire, l'espace d'un instant, pendant qu'Emma parlait, j'avais totalement oublié sa présence à bord.

« Tu parlais à qui, à l'instant ?

— Je te demande pardon ?

— J'avais pas l'impression que tu t'adressais à moi, c'est tout.

— Évidemment que je m'adressais à toi. À qui veux-tu que je m'adresse ?

— Je ne sais pas, a-t-elle dit avec un coup d'œil inquiet et vaguement soupçonneux. À ton GPS?

— Mon GPS? Mais pourquoi veux-tu que je parle à mon GPS? Il faudrait être fou.

— Oui, tout à fait. »

Nous en sommes restés là et avons poursuivi vers le restaurant.

C'était un endroit accueillant, intime, aux abords du château. La neige avait plus ou moins cessé, mais nous avons été bien contents de nous précipiter au chaud dans cette salle douillette, avec ses plafonds voûtés et ses murs en pierres apparentes. Il y avait des tas de petites alcôves, logeant des tables de deux où dîner et parler dans une relative discrétion, et notre table en faisait partie. Le serveur devait connaître Alison, car il nous a installés avec une courtoisie et une prévenance remarquables. Après avoir parcouru une carte de plats du terroir insolites, Alison a choisi une salade de chèvre chaud, tandis que j'optais pour du canard fumé. En accompagnement, elle a commandé un chardonnay français à 42,50 livres la bouteille. Heureusement, elle avait annoncé d'emblée que c'était elle qui m'invitait. J'aurais pris des risques à faire passer l'addition sur ma note de frais.

« Alors ton mari est en Asie? » ai-je dit pour embrayer, pendant que nous dégustions ce vin qui m'a semblé assez proche de ce qu'on achète pour cinq livres chez Tesco ou Morrisons. « Qu'est-ce qu'il fait là-bas?

— Oh, la tournée des fournisseurs, je crois, a dit Alison, sans préciser davantage. Il lui faut voyager de plus en plus, ces temps-ci. Là, par exemple, il rentre d'Australie.

— Moi aussi, je rentre à peine d'Australie.

— Ah bon ? Et qu'est-ce que tu y faisais ?

— J'étais allé voir mon père.

— Mais bien sûr, j'oubliais qu'il s'est installé là-bas, pour finir. Comment tu l'as trouvé ?

— Il... il va bien, il est en forme.

— Non, je veux dire, ça s'est passé comment, entre vous, cette fois ? Parce que si ma mémoire est bonne, et peut-être qu'elle flanche, vous n'avez jamais été très proches, lui et toi. »

Franchement, je n'avais pas très envie d'aborder ce sujet. Ce que j'aurais vraiment voulu, c'était jouer cartes sur table, et lui balancer un truc genre « Navré qu'il y a trente ans tu aies chopé mon père en train de se branler sur une photo de toi que tu voulais déjà pas qu'il prenne au départ ». Seulement voilà, encore fallait-il trouver les mots pour le dire. Par le plus grand des hasards peut-être, j'ai été sauvé in extremis : mon portable sonnait. J'ai jeté un coup d'œil sur l'écran, c'était Lindsay Ashworth.

« Il vaut mieux que je prenne l'appel, j'ai dit à Alison.

— Je t'en prie. »

Elle s'est mise en devoir de nous resservir du vin, et j'ai appuyé sur la touche « décrocher ».

« Salut ! j'ai dit.

— Holà, vous autres ! a braillé Lindsay, de manière un peu inattendue. À moi, mes braves ! Ratafia pour tout le monde et hissez la grand-voile ! Comment va la vie sur les joyeuses vagues de l'océan, sacré vieux loup de mer ?

— Je vous demande pardon ? »

Il y a eu un silence. « C'est vous, Max ?

— Oui.

— Alors, comment ça se passe, à bord ? Votre cabine est bien ?

— Je ne suis pas à bord, je suis à Édimbourg. »

Nouveau silence, plus long, interloqué. Suivi d'un changement de ton perceptible. « Vous êtes *où* ?

— Je suis encore à Édimbourg.

— Qu'est-ce que vous fichez à Édimbourg ?

— Je suis en train de dîner avec une vieille amie.

— Max ! s'est écriée Lindsay, et là j'ai distinctement entendu un fond de colère dans sa voix. À quoi vous jouez ? Vous êtes censé vous trouver dans les Shetlands, bon Dieu !

— Je le sais, j'y vais demain.

— Demain ? Mais Trevor et David sont arrivés à destination hier, et Tony a fait l'aller-retour dans la journée !

— Je le sais, mais vous m'aviez dit qu'il n'y avait pas d'urgence.

— Pas d'urgence, c'est une chose, Max. Ce n'est pas une raison pour traiter ce voyage comme un prétexte à vous balader aux frais de la princesse et rendre visite à tous vos amis de Facebook. »

Il se passait quelque chose de bizarre. Qu'est-ce qu'il lui prenait de me faire ces reproches, tout d'un coup ? Deux jours plus tôt, elle me soutenait chaleureusement. Est-ce qu'un changement était survenu depuis ?

« Vous allez bien, Lindsay ? Tout va bien ? Parce que je trouve, je trouve votre réaction un peu... excessive. »

Il y a eu un silence au bout du fil puis elle a soupiré : « Tout va bien, Max. Tout va bien. Débrouillez-vous pour arriver à destination, et faire ce que vous avez à faire, et puis rentrez. D'accord ? Allez-y, quoi.

— Bien sûr, je serai sur le ferry demain à cinq heures, sans faute.

— Bien, c'est tout ce que je voulais entendre. » Elle semblait prête à prendre congé, mais elle m'a encore posé une question : « Et le journal vidéo, il avance ? »

Je n'avais rien tourné du tout, faut-il le dire, sinon les quelques prises devant l'immeuble de mon père, à Lichfield, et celles à l'aire de services d'Abington.

« Il avance du feu de Dieu. Bon, évidemment, je me réserve surtout pour la traversée, et les îles elles-mêmes. Mais ce que j'ai filmé jusqu'ici est déjà fameux.

— Super. Je savais que je pouvais compter sur vous, Max.

— Où êtes-vous ? » j'ai demandé. Je ne sais pas pourquoi, j'avais la vague impression qu'elle n'appelait pas de chez elle.

« Je suis au bureau. Une petite conférence avec Alan. Eh oui, on travaille jusqu'à pas d'heure. On a des bricoles à... aplanir. »

Sur cette note légèrement énigmatique, elle a raccroché. En rangeant mon téléphone, j'ai remarqué que d'après le pictogramme la batterie était presque vide. Il vaudrait mieux la recharger cette nuit. En attendant, Alison m'a lancé un regard interrogateur, tout en glissant délicatement un copeau de betterave entre ses dents.

« C'était Lindsay, du bureau central, j'ai expliqué. Elle voulait savoir où j'en étais.

— C'est-à-dire nulle part », a complété Alison.

J'ai souri. « Bon, j'ai été retardé à plusieurs reprises

jusqu'ici, j'ai reconnu. Hier j'ai revu Caroline. Pour la première fois depuis qu'elle est... partie.

— Et quel effet ça t'a fait ? »

Chose rare, le mot m'est venu tout seul : « Pénible. »

Et pour la deuxième fois de la soirée, Alison a tendu la main vers moi ; elle l'a posée sur la mienne avec douceur.

« Pauvre Max. Tu veux qu'on en parle ? Je veux dire des raisons pour lesquelles elle est partie ? On m'a bien rapporté certaines choses, mais je ne sais pas si c'est vrai.

— Qu'est-ce qu'on t'a rapporté ? Qui, on ?

— Chris, surtout. Il m'a dit que quand ils étaient partis en vacances avec vous il y a quelques années, le climat était, disons, tendu.

— C'est vrai. Ça n'a pas été des vacances bien réussies, il y a des tas de choses qui ont foiré, et puis Joe a eu son vilain accident.

— Je sais, Chris m'a tout raconté.

— Je crois qu'il m'en tenait pour responsable, d'une certaine façon, toujours est-il qu'on ne se parle plus depuis.

— Je sais, il me l'a dit. » Sa voix s'est faite plus grave, plus sérieuse. « Écoute, Max, vous ne pouvez pas vous raccommoder, Caroline et toi ? Tout le monde traverse des passes difficiles.

— Ah oui ?

— Bien sûr. Philip et moi, on est en train d'en traverser une, en ce moment.

— Ah bon, comment ça ?

— Oh, il passe sa vie à voyager. C'est tout juste s'il me parle quand il est là. Son boulot l'obsède. Mais les affaires, ça passe avant tout, pour lui. Je le savais quand je l'ai épousé, c'était le contrat, et j'imagine que si on s'en tient au plan strictement matériel, j'en ai tiré un assez joli parti. Il faut bien faire des concessions, tu sais. Il faut... composer, parfois. Tout le monde le fait. Vous ne vous en êtes pas rendu compte, Caroline et toi ? Je veux dire, ça n'est pas comme s'il y avait eu infidélité, non ?

— Non, c'est vrai. Si ce n'était que ça, nous nous en serions sans doute sortis plus facilement.

— C'était quoi, alors ? »

J'ai bu une gorgée de vin ou, pour mieux dire, une bonne lampée, tout en me demandant comment tourner les choses.

« Voilà ce qu'elle m'a dit avant de partir : elle m'a dit que le problème, c'était moi. Ma propre attitude envers moi-même. Je ne m'aimais pas assez, et si je ne m'aimais pas assez moi-même, les autres trouvaient difficile de m'aimer. Ça créait une énergie négative, selon elle. »

Avant qu'Alison ait une chance de répondre, nos plats principaux sont arrivés, son filet de saint-pierre faisant une figure pâle et délicate à côté de mon pavé de gibier rouge sang. Nous avons commandé une deuxième bouteille.

« Je ne serai plus en mesure de conduire, après, j'ai dit.

— Prends un taxi. Ça ne te fera peut-être pas de mal d'arrêter de conduire, après ces deux jours.

— Exact.

— Au fait, qu'est-ce que tu vas faire, au juste, dans les Shetlands ? »

C'est comme ça que je me suis mis à lui parler de

Trevor et des Brosses à Dents Guest, et de Lindsay Ashworth, avec sa campagne « Nous allons jusqu'au bout ». Je lui ai raconté les quatre commerciaux en route vers les quatre points les plus extrêmes du Royaume-Uni, et les deux prix que nous étions censés nous disputer. Et puis je me suis laissé distraire, et j'ai parlé de mon détour par Lichfield et l'appartement de mon père, le sentiment d'irréalité, de désolation qu'il m'avait inspiré ; j'ai parlé de Miss Erith et de ses histoires passionnantes, de sa mélancolie à voir disparaître le mode de vie du passé ; de sa gratitude, solennelle au-delà de toute expression, quand je lui avais fait cadeau d'une de mes brosses à dents. J'ai aussi parlé à Alison du sac-poubelle plein de cartes postales envoyées par Roger, le mystérieux ami de mon père, sac-poubelle actuellement dans le coffre de ma voiture, et du classeur bleu, avec les poèmes et autres textes de mon père. Et puis je lui ai raconté mon étape Lichfield-Kendal, pour voir Lucy et Caroline, avec le projet de prendre le ferry le lendemain à Aberdeen, mais Mr et Mrs Byrne m'avaient persuadé de passer par Édimbourg.

« Écoute, Max, m'a-t-elle dit en soutenant mon regard quelques instants, je suis contente que tu sois venu, quelle qu'en soit la raison. Ça faisait trop longtemps qu'on ne s'était pas vus même si cette rencontre est due au forcing de mes parents. »

Je lui ai souri pour toute réponse, pas très sûr de comprendre où elle voulait en venir. Au lieu de réagir à ce que je venais de lui raconter, j'avais l'impression qu'elle s'apprêtait à passer à la vitesse supérieure, et puis, apparemment, elle s'est ravisée, elle a sagement aligné son couteau et sa fourchette sur son assiette, en disant :

« On est une drôle de génération, tu ne trouves pas ?

— Dans quel sens ?

— Dans ce sens qu'on n'arrive pas à grandir. On reste tributaires de nos parents à un point qui aurait paru inconcevable aux gens nés dans les années trente ou quarante. J'ai cinquante ans, bon Dieu, et il me semble encore devoir demander la... permission à Maman, la moitié du temps, ne serait-ce que pour vivre ma vie à ma guise. Il m'arrive parfois de penser que je suis encore sous la coupe de mes parents. Tu n'éprouves pas ça, toi ? »

J'ai acquiescé, et elle a poursuivi :

« L'autre jour, j'écoutais une émission à la radio, c'était sur les jeunes artistes britanniques. Ils en avaient réuni trois ou quatre, et ils se remémoraient les premières expos qu'ils avaient faites ensemble — ces expos de la Galerie Saatchi, vers la fin des années quatre-vingt-dix. Et non seulement ils n'avaient rien à dire d'intéressant sur leur œuvre, tous tant qu'ils étaient, mais la seule chose dont ils parlaient — à part le fait que tout le monde couchait avec tout le monde — c'était le caractère scandaleux des expos, et leur inquiétude par rapport à la réaction de leurs parents. Il y en avait un qui n'arrêtait pas de répéter : "Et qu'est-ce qu'elle a dit, ta mère, en voyant le tableau ?" Alors moi je me disais, bon, je peux me tromper, mais je suis certaine que quand Picasso a peint *Guernica*, avec sa représentation explicite des horreurs de la guerre moderne, ce qui le préoccupait le plus, ce n'était sûrement pas ce que sa maman allait en penser. Je serais tentée de croire qu'il avait dépassé le problème depuis longtemps.

— Oui, je suis d'accord, j'ai approuvé vigoureuse-

317

ment. Prends Donald Crowhurst, par exemple. Il avait déjà quatre gosses quand il est parti faire son tour du monde à la voile. Et il n'avait que trente-six ans. Tu as raison, les gens étaient tellement, tellement... adultes, à l'époque.

— Quelle époque ? » a demandé Alison, et subitement j'ai réalisé qu'elle ne voyait pas du tout qui était Donald Crowhurst.

J'étais peut-être mal inspiré de me lancer dans cette histoire, ou plutôt ça aurait été une bonne idée si je m'en étais tenu là. Mais assez vite, au lieu de lui raconter son voyage fatal, je me suis mis à lui expliquer les parallélismes entre sa situation et la mienne, et à quel point j'en étais arrivé à m'identifier à lui. Et même si elle ne semblait pas comprendre la moitié de ce que je disais, elle avait l'air encore plus inquiet qu'avant.

« Qu'est-ce qu'il y a ? j'ai dit. Pourquoi tu me regardes comme ça ?

— Ce type, Crowhurst, il est parti faire le tour du monde à la voile, malgré son manque d'équipement adéquat ; il s'est aperçu qu'il n'y arriverait jamais, alors il a décidé de falsifier tout le voyage ; et puis, il s'est aperçu qu'il n'y arriverait pas non plus, alors il est devenu fou et il s'est suicidé. C'est bien ça ?

— En gros.

— Et maintenant, tu te mets à t'identifier à lui ?

— Un peu, oui. » Tout à coup, j'avais nettement l'impression d'être sur le divan du psychanalyste. « Non, mais attends, je suis pas en train de devenir fou, si c'est là que tu veux en venir.

— Ne dis pas de bêtises. C'est seulement que tu es épuisé, tu es resté tout seul très longtemps, tu en arrives à parler à ton GPS, et demain tu pars pour l'un des endroits les plus reculés du pays. Tu ne m'en voudras pas si j'entends se déclencher quelques alarmes.

— Je vais très bien, vraiment.

— Je sais que ça remonte loin, Max, mais j'ai tout de même eu mon diplôme de psychothérapeute.

— Oui, je suis au courant.

— Donc, je sais un peu ce que tu traverses. Je sais ce que c'est que la dépression.

— Eh bien, merci de ta sollicitude.

— Où tu es descendu, ce soir?

— Je ne sais pas. J'avais l'intention de chercher le Travelodge le plus proche.

— Pas question, jamais de la vie. Rentre avec moi, tu pourras coucher dans une des chambres d'amis.

— Qu'est-ce que tu es en train de faire, au juste? Tu veux me garder à l'œil pour m'empêcher de me suicider? »

Alison a soupiré. « Je pense seulement que tu as besoin d'une bonne nuit de sommeil, et de repartir tard demain matin, en profitant du confort d'une vraie maison. »

Faute de trouver une objection valable, je n'ai su que dire : « Ma valise est dans la voiture.

— Très bien, alors on va aller à la voiture, récupérer la valise et prendre un taxi pour rentrer chez moi. Quoi de plus simple? »

Et, dit comme ça, c'est vrai que ça tombait sous le sens.

Dans le taxi, l'imprévu s'est produit. Nous étions assis côte à côte à l'arrière, avec entre nous le nombre de centimètres requis par les convenances, quand Alison s'est peu à peu rapprochée, pour s'appuyer sur moi et poser la tête sur mon épaule.

« Prends-moi dans tes bras, Max », a-t-elle chuchoté.

J'ai passé mon bras autour de ses épaules. Le taxi roulait à grand fracas sur North Bridge, au-delà de la gare ferroviaire.

« Je vois clair dans ton jeu, lui ai-je dit.

— Hmm ?

— C'est une technique qu'on t'a apprise, hein, au cours de ta formation ? Tu as blessé mon ego en me donnant le sentiment que j'étais en détresse, alors maintenant tu essaies de le réparer en me faisant me sentir fort, protecteur. »

Elle a levé les yeux vers moi, j'y ai vu une lueur provocante, dans la pénombre. Ses cheveux auburn, légèrement ébouriffés, étaient à portée de caresse, si l'envie m'en prenait.

« Pas du tout, m'a-t-elle répondu, c'est seulement que je suis vraiment contente de te voir, et puis quel mal y a-t-il à ce que des amis d'enfance se serrent dans les bras l'un de l'autre, en copains ? »

En copains, voire plus, m'avait-il semblé, mais j'ai gardé cette réflexion pour moi.

« Je me demande si Philip sera rentré, a-t-elle murmuré.

— Tu l'attends ce soir ?

— Oui, s'il respecte son plan de vol.

— Ça va l'ennuyer, de me trouver là ?

— Mais non, pourquoi ?

— Il te manque, quand il n'est pas là ?

— Je me sens très seule, mais je ne suis pas sûre que ce soit la même chose. »

Tout d'un coup, et j'en étais le premier surpris, je me suis dit que ce serait rudement bien si le mari d'Alison ne rentrait pas ce soir. Je l'ai serrée un peu plus fort, et elle s'est blottie confortablement contre moi ; j'ai effleuré ses cheveux de mes lèvres, en respirant son parfum tiède et engageant.

Est-ce que ça allait se faire pour de bon, plus de trente ans après que ça aurait dû se faire ? Est-ce que j'allais enfin coucher avec Alison ? Est-ce que je tenais là une chance unique et ultime de me racheter ? Une part de moi appelait de ses vœux ce dénouement, l'autre paniquait déjà, cherchant des prétextes pour se défiler, or les prétextes étaient tout trouvés.

Évidemment : Alison était mariée, et mère de famille, qui plus est. Si je n'y prenais pas garde, j'allais jouer le rôle le plus méprisable du répertoire : celui du briseur de ménage. Qu'est-ce que j'en savais, après tout ? Ce Philip était peut-être l'homme le plus sympa, le plus gentil qui soit, le vrai chic type. Totalement dévoué à sa femme. Il allait être démoli, déglingué si quelqu'un les séparait. Il travaillait trop, et alors ? Ça n'en faisait pas un mauvais mari, ni un mauvais père. Au contraire. Car de toute évidence, il était mû par le désir de procurer à sa famille bien-aimée le niveau de vie le plus élevé possible, aujourd'hui comme demain. Et moi, je ne pensais qu'à cocufier ce parangon de fierté paternelle et de fidélité conjugale.

J'ai retiré mon bras des épaules d'Alison et je me suis redressé sur la banquette arrière. Elle m'a lancé un regard oblique et surpris ; elle s'est redressée à son tour ; elle a lissé sa coiffure et rétabli les centimètres de la bienséance entre nous. De toute façon, nous étions presque arrivés.

Une fois chez elle, elle a retiré son manteau et m'a précédé dans la cuisine.

« Tu veux un café ? m'a-t-elle demandé. Ou bien du raide ? » Me voyant hésiter, elle a annoncé : « Moi, je vais prendre un scotch.

— Parfait, moi aussi. »

Comme elle apportait la bouteille de Laphroaig et versait le liquide doré dans les verres, je l'ai regardée en douce : elle se tenait rudement bien pour une femme de cinquante ans. Elle et Caroline me donnaient des complexes. Dès mon retour, il faudrait que je fréquente une salle de gym. Et que je commence à me nourrir mieux. Parce que en ce moment c'était régime chips, biscuits, chocolat — et paninis, bien sûr. Pas étonnant que j'aie perdu tout tonus musculaire et pris de la brioche à la place. J'étais lamentable.

« À la tienne », m'a-t-elle dit en apportant les verres. Nous avons trinqué, nous avons bu, et puis il y a eu un long moment de suspens, tous deux plantés là au milieu de la cuisine, à attendre qu'il se passe quelque chose. Je tenais ma première occasion de marquer un point décisif ; je l'ai laissé passer.

Alison s'en est rendu compte ; elle s'est détournée, une déception mineure se lisant sur son visage, et elle a remarqué que le téléphone mural clignotait.

« Un message, je me demande si c'est Philip », a-t-elle dit.

À tous les coups c'était Philip. Il appelait de l'aéroport, pour dire qu'il avait atterri un quart d'heure plus tôt et que, le temps de récupérer ses bagages sur le tourniquet, il serait là d'ici une demi-heure. Il téléphonait pour dire qu'elle lui avait atrocement manqué, et qu'il comptait les minutes.

Elle a appuyé sur le bouton, et nous avons tous deux écouté le message.

« *Allô, chérie,* disait la voix de son mari. *Écoute, je suis vraiment désolé, mais nos Thaïlandais déraillent, je vais devoir faire un saut à Bangkok. Avec un peu de chance, je devrais trouver un vol direct pour rentrer, si bien que je n'aurai que deux jours de retard, et je serai auprès de toi vendredi. Est-ce que ça te va ? Sincèrement, je suis navré, mon cœur. Je t'apporterai un joli cadeau pour me faire pardonner. D'accord ? Prends soin de toi, chérie. À vendredi.* »

Ensuite, le message durait encore quelques secondes, mais Philip ne disait plus rien. On se demandait même pourquoi il avait tardé à raccrocher, sauf s'il tenait absolument à faire entendre à sa femme les bruits de fond de l'aéroport, et la voix modulée de l'hôtesse qui disait au micro : « *Mesdames et messieurs, bienvenue à Singapour. Nous rappelons aux passagers en transit qu'il est interdit de fumer dans l'enceinte de l'aéroport. Nous vous remercions de votre compréhension et vous souhaitons une agréable fin de voyage.* »

# XVIII

Et voilà que le dernier obstacle était enfin levé.

Il y a une logique éclatante, sans doute, dans les événements qui ont suivi, comme si nous les avions toujours anticipés, elle et moi, comme s'ils étaient écrits d'avance. Et pourtant, je m'étonne de ne rien pouvoir me rappeler en détail. On se figure toujours que les expériences les plus précieuses de la vie, celles qui définissent la personne, restent à jamais gravées dans la mémoire ; pourtant, Dieu sait pourquoi, ce sont souvent les premières à passer, à s'estomper, au contraire. Le voudrais-je que je ne pourrais donc malheureusement pas vous dire grand-chose des quelques heures qui ont suivi. Ainsi, j'ai oublié le regard que m'a lancé Alison en reposant son verre, avant de m'embrasser sur la bouche pour la première fois (oui, l'initiative de ce geste lui est revenue, en fin de compte). J'oublie ce que j'ai ressenti au juste quand elle m'a pris par la main pour s'engager dans l'escalier. J'oublie le balancement de ses reins, le galbe de son corps, tandis que je montais derrière elle. J'oublie le froid de la chambre inoccupée, au début, froid qui a fait place à la tiédeur quand elle m'a pris dans ses bras et serré contre elle. J'oublie l'effet que ça m'a fait, au bout de tant et tant d'années, de sentir le contact bienheureux et amoureux d'un corps contre le mien ; la barrière des vêtements, bientôt abandonnés. J'oublie, à présent, la texture de sa peau, son parfum léger et familier — un parfum de retour au pays — quand mes lèvres se sont posées sur sa nuque, la douceur de ses seins dans mes mains arrondies, sous mes tendres baisers ; j'oublie les heures qui ont suivi, les rythmes lents, inexorables de nos étreintes, le flux et le reflux de l'amour et du sommeil, de l'amour et du sommeil. Notre réveil, dans les bras l'un de l'autre, enfin réunis et inséparables, sous la lumière bleue d'un matin d'hiver à Édimbourg. J'oublie tout cela, je l'oublie.

Quant à la suite...

Écoutez, la fin de l'histoire, vous la connaissez à présent. Ou du moins, à présent qu'elle est finie, qu'Alison et moi sommes réunis, et heureux, à présent que tout ce cauchemar de ce qui a précédé est derrière nous, cette histoire a rempli son office. Pourquoi continuer à cracher des mots sur du papier ? Si nous vivions tous dans un parfait bonheur, sans conflits, sans tensions, sans névroses, sans angoisses, sans problèmes irrésolus, sans injustices monstrueuses tant sur le plan personnel que politique, sans rien de toutes ces saletés, alors les gens qui courent chercher la consolation dans les histoires n'auraient plus besoin de le faire, n'est-ce pas ? Ils n'auraient plus du tout besoin d'art. C'est pourquoi je n'en ai pas besoin, moi, et vous non plus, désormais ; vous n'avez nul besoin de connaître nos projets, à Alison et moi, en ce matin-là ; vous n'avez que faire des détails fastidieux sur sa séparation et son divorce, sur notre installation quelques mois plus tard dans une maison de Morningside ; peu vous importe combien de temps il m'a fallu pour m'habituer à mes deux beaux-fils adolescents, méfiants et sur leurs gardes jusqu'à ce que nous les emmenions passer nos premières vacances familiales en Corse, où tout s'est résolu comme ça, où le ressentiment et la rancune se sont évaporés sous le soleil de la Méditerranée, et...

Bon, voilà, comme je vous le disais, vous n'avez que faire de savoir tout ça. Surtout que rien n'est vrai.

# XIX

Non, rien n'est vrai, mais vous savez quoi ? Je crois que je commence enfin à me débrouiller, comme écrivain. Qui sait si je ne vais pas suivre les traces de Caroline et tenter à mon tour de le monter, ce fameux groupe d'écriture de Watford ? À mon avis, il y a des passages du dernier chapitre qui valent bien le travail de Caroline sur nos vacances en Irlande. Ça vous a plu, la scène érotique où toutes mes phrases commençaient par « j'oublie » ? Ça, c'est du boulot d'écrivain, tiens ! Il m'a fallu du temps pour la trouver, cette idée.

Et je dois avouer que j'y ai vraiment pris plaisir. Je n'aurais jamais imaginé qu'inventer soit aussi gratifiant. J'ai pris plaisir à mon petit fantasme sur Alison, notre nuit de passion et notre vie commune. L'espace d'un instant, j'ai eu la sensation d'être encore chez elle, dans sa chambre, et que tout arrivait vraiment, au lieu de cette réalité de merde, minable, misérable, immanquable, à savoir :

Que je suis resté de marbre pendant qu'elle multipliait les travaux d'approche.

Qu'elle a fini par renoncer, et qu'elle est montée dans sa chambre en disant : « Je crois que je perds mon temps, mais à tout hasard, Max, sache que je laisse la porte ouverte... »

Que j'ai fini mon whisky, et qu'une dizaine de minutes plus tard je prenais ma valise dans le hall.

Que je me suis rendu compte alors que je ne savais pas quelle chambre elle m'avait réservée. Je suis retourné au salon, m'asseoir sur le canapé d'angle, où je suis resté de longues minutes, tête dans mes mains.

Que j'ai décidé que je pouvais aussi bien m'effondrer sur le canapé. J'ai ouvert ma valise pour chercher ma trousse de toilette, et j'ai sorti le classeur de mon père à la place.

Que j'ai jeté un coup d'œil sur les poèmes, mais, que comme d'habitude, je n'y ai rien compris.

Que j'ai considéré un moment le titre de la seconde partie, *The Rising Sun, Mémoires*, sachant très bien que ce qui s'y trouvait risquait fort de me déranger.

Que j'ai entendu les pas d'Alison qui allait et venait avant de se coucher.

J'ai attendu que ces bruits cessent, et puis j'ai bu encore un peu de whisky, et puis j'ai laissé passer dix minutes, un quart d'heure avant de monter à la salle de bains. Là, j'ai écouté à la porte ouverte de sa chambre, j'ai écouté sa respiration douce et régulière de dormeuse car je l'entendais très bien dans le silence presque complet de la maison ; et puis j'ai redescendu l'escalier sur la pointe des pieds, j'ai repris le classeur, j'ai fixé la page-titre.

La dernière chose que je me rappelle, c'est d'avoir entendu une voiture passer dans la rue poudrée de neige, rompant la quiétude de la nuit.

Et alors je me suis mis à lire.

# L'AIR

## Le Soleil Levant

Juin 1987

La semaine dernière, il m'a fallu me rendre sur le Strand, dans le centre de Londres, pour achever les démarches relatives à mon départ en Australie. À présent, d'ici quelques jours, je quitterai enfin ce pays, pour n'y plus jamais revenir peut-être. En attendant, ma virée à Londres a remué certains souvenirs particulièrement puissants, que je me sens obligé de coucher sur le papier avant de partir.

Ces formalités à la Maison de l'Australie m'ayant pris moins longtemps que prévu, je me suis retrouvé avec l'après-midi devant moi, et j'ai décidé d'aller me promener dans la City — ne serait-ce qu'en souvenir du bon vieux temps. J'avais pris mon appareil photo, mon fidèle Kodak Retina Reflex IV acheté dans les années soixante, et qui n'a encore jamais raté un cliché, car je souhaitais fixer sur la pellicule ces lieux jadis si familiers, à supposer qu'il en restât trace.

Tout en arpentant Fleet Street sous un soleil de plomb, Ludgate Hill dans l'ombre oblongue de la cathédrale

Saint-Paul, puis Cheapside jusqu'à apercevoir le portique massif de la Banque d'Angleterre elle-même, je réalisais que je n'avais pas marché dans ces rues depuis presque trente ans, vingt-sept pour être précis. Tout avait changé depuis. Tout. La vieille City, centre de mon univers pendant quelques mois intenses et troublants vers la toute fin des années cinquante, avait connu une révolution que cette époque reculée appelait déjà de ses vœux. C'était une révolution dans l'architecture, dans la mode et, à présent, enfin, dans les pratiques professionnelles. Tous les beaux édifices anciens se dressaient encore dans leur arrogance, le Guildhall, Mansion House, le Royal Exchange et St Mary-le-Bow, mais il était venu se ficher entre eux des douzaines de tours, certaines datant des obscurantistes années soixante, d'autres âgées d'un an ou deux à peine, acrobatiques, fuselées et étincelantes, à l'image de la décennie que nous avions l'honneur et l'avantage de vivre. Les hommes (on voyait encore peu de femmes, malgré tout) portaient le complet, mais ces complets m'ont paru plus anguleux, plus agressifs que dans mon souvenir, et pas un seul chapeau melon alentour. Quant aux pratiques professionnelles, tout se passait sur écran, à présent, s'il fallait en croire ce qui se disait. Les rendez-vous, les poignées de main chaleureuses sur le parterre de la Bourse appartenaient désormais au passé. Finies les transactions esquissées au Gresham Club, entre porto et cigare ; finis les potins financiers échangés sur le mode feutré entre gens policés au George and Vulture. Apparemment, les traders déjeunaient désormais rivés à leur bureau — de sandwiches enrobés de cellophane, livrés par des traiteurs à des prix exorbitants — sans quitter de leur regard fixe l'écran où les chiffres clignotaient en permanence pour annoncer profits et pertes, du matin de bonne heure au soir tard. Quel rôle aurais-je pu jouer, moi, si j'étais arrivé avec mes vingt et un ans et mon ignorance dans ce nouveau monde à l'impatience frénétique ?

Car je n'avais que vingt et un ans quand je suis arrivé à Londres. Ça se passait au cours des dernières semaines de 1958. N'ayant pas fait d'études supérieures, pendant deux ans je m'étais terré dans l'anonymat fastidieux d'un emploi de bureau subalterne à Lichfield ; mais une pulsion rebelle latente — ma juvénile horreur, sans doute, à l'idée d'étouffer ainsi à vie — avait fini par me propulser loin de la sécurité de ma ville natale et de la maison paternelle pour m'expédier à Londres, y chercher fortune, comme dit le cliché, ou, sinon fortune, du moins quelque chose de plus fumeux et fuyant encore : ma vocation, ma destinée. Car, sans en parler à ma famille (pas davantage que je n'en aurais parlé à mes amis si j'en avais eu), je m'étais mis à écrire. Écrire ! Une prétention pareille n'aurait jamais été tolérée si mes parents en avaient eu connaissance. Mon père m'aurait moqué impitoyablement, surtout s'il avait su que mon instinct me portait vers la poésie, et pis encore la poésie moderne, cette aberration culturelle apparemment informe et absurde que détestaient par-dessus tout les classes laborieuses aux goûts conventionnels. Lichfield, berceau de Samuel Johnson, n'était guère un lieu propice au poète en herbe dans les années cinquante. Tandis que Londres, s'il fallait en croire les rumeurs, regorgeait de poètes. Je me figurais les longues conversations copieusement arrosées, dans des petits studios des faubourgs sud ; les soirées enivrantes à écouter des

331

lectures de poésie dans l'atmosphère bohème et enfumée des pubs de Soho. Je m'imaginais une vie bien à moi, où il me serait possible de déclarer solennellement : « Je suis poète » sans encourir l'incrédulité ou la dérision.

J'ai une longue histoire à coucher sur le papier ; il faut que j'avance. Sans trop de difficultés, j'ai trouvé une chambre dans une maison en colocation près du cimetière de Highgate, puis, par les petites annonces du *London Evening News*, un emploi temporaire de coursier chez Walter, Davis et Warren, courtiers en bourse. Leurs bureaux se trouvaient dans Telegraph Street, et l'essentiel de mon travail consistait à acheminer du courrier en mains propres, entre la Chambre de compensation et les sociétés de bourse de Blossoms Inn ; ce système permettait d'enregistrer transferts de fonds et chèques dans la journée. (Ce ne serait plus nécessaire aujourd'hui, avec les fax et les transferts électroniques.) J'avais droit à une heure de pause-déjeuner, entre treize et quatorze heures, et je la prenais le plus souvent chez Hill's, un restaurant à l'ancienne mode, près du métro Liverpool Street, dans la City. Si l'on n'était pas rebuté par les céramiques vertes des murs qui lui donnaient un peu l'aspect de toilettes publiques, on pouvait y manger un pâté en croûte bœuf-rognons accompagné de purée et suivi d'un crumble aux pommes pour à peine une demi-couronne.

Manger seul dans un lieu public est chose inconfortable. Je n'avais pas d'amis dans la City, ni ailleurs dans Londres, du reste, et donc personne avec qui bavarder à table. Par conséquent, en général, j'emportais un livre, d'ordinaire un mince volume de poésie contemporaine, vraisemblablement emprunté à la bibliothèque de Highgate. Le restaurant était bondé, et aux tables de six il n'était pas rare de se retrouver avec cinq inconnus. Un jour, début janvier 1959, je levai les yeux de mon livre — *Quatre Quatuors* de T.S. Eliot — pour découvrir un barbu à peu près de mon âge qui me dévisageait avec intensité. Sa fourchette en suspens au-dessus de son assiette de foie de veau aux oignons, il restait les yeux rivés sur moi au lieu de manger, et se mit à déclamer, d'une voix forte et parfaitement modulée :

> *Le temps présent comme le passé*
> *Sont peut-être présents dans le futur*
> *Et le futur présent dans le passé.*
> *Si tout temps n'est qu'un éternel présent*
> *Il s'ensuit que le temps n'admet pas la rédemption.*

Nos voisins de table nous regardèrent d'un air passablement ébahi. L'un d'entre eux émit peut-être même un claquement de langue réprobateur. Adresser la parole à un inconnu, à haute et intelligible voix, dans un lieu public, et avec une phraséologie aussi baroque, c'était indubitablement une grave entorse au protocole de la City. Pour ma part, j'en restai coi.

« Dites-moi, est-ce que vous tenez Mr Eliot pour un génie, poursuivit ma nouvelle connaissance sur un ton insolent, ou bien pour un escroc et un imposteur de la plus belle eau ?

— Je... je ne sais pas, bredouillai-je. Ou du moins, si (recouvrant un peu d'assurance), à mon avis — et pour ce qu'il vaut — c'est... c'est le plus grand poète vivant. De langue anglaise, j'entends.

— À la bonne heure. Je me réjouis d'avoir pour commensal un homme de goût, un homme raffiné. »

Il me tendit la main, que je serrai. Puis il se présenta. Il se nommait Roger Anstruther. Nous avons encore parlé de T.S. Eliot quelque temps, avec des incursions dans l'œuvre d'Auden et dans celle de Frost, cependant ce qui me reste surtout de cette première conversation n'est pas sa substance, mais l'étrange effet électrisant que me faisait la présence de cet homme singulier et impérieux. Ses cheveux tiraient sur le roux ; sa barbe était drue, quoique taillée très ras ; et si la sobriété de sa vêture proclamait sans équivoque qu'il appartenait à la faune professionnelle du Square Mile, un mouchoir jaune à pois bleus dépassant de sa poche de poitrine dénotait une élégance toute personnelle, pour ne pas dire affectée.

Brusquement, à deux heures moins le quart, il se leva d'un bond en regardant sa montre.

« Eh bien, me dit-il, on joue Fauré au Wigmore Hall, ce soir. Le *Quatuor en mi mineur*, entre autres. J'ai pris deux billets au premier rang, et j'ai l'intention de m'abîmer dans les délices nébuleuses de l'introspection française. Voici le second billet. Rendez-vous au Cock and Lion à sept heures, c'est tout près de la salle. Si vous arrivez avant moi, je prends un grand gin-tonic, avec de la glace. »

Il me serra la main de nouveau, il jeta sur ses épaules un long pardessus en cachemire noir, et il sortit avec panache. Je le suivis du regard, bouche bée. Mais une fois revenu de ma surprise, je me sentis surtout palpiter, délirer de bonheur.

Faut-il le dire, Roger Anstruther n'avait rien de commun avec quelque homme que j'aie pu croiser au cours de ma courte vie étriquée.

C'était un passionné de musique et, sans qu'il fût lui-même instrumentiste, sa connaissance du répertoire classique, depuis le baroque jusqu'à nos jours, était sans faille, parfaitement maîtrisée. Mais il savait également discourir avec une autorité absolue sur toutes les autres formes d'art. Architecture, peinture, théâtre, roman — il ne semblait pas exister une seule œuvre qu'il n'ait lue, entendue, vue, et qui ne lui ait donné à réfléchir. Pourtant, il n'avait qu'un an de plus que moi. Comment avait-il acquis un tel savoir, une telle expérience — une telle assurance, aussi, naturellement — en si peu de temps ? L'écart entre nous, magnifié par son verbe grandiloquent, professoral, parfois arrogant, voire carrément terroriste, aggravait comme jamais mon sentiment d'insularité, de provincialisme, d'inculture.

Quoi qu'il en soit, c'est ainsi que commença ce que je tiens pour ma véritable éducation. À partir de ce jour-là, Roger et moi sommes sortis quasiment tous les soirs. Concerts symphoniques au Royal Festival Hall, théâtre d'avant-garde dans Soho et Bloomsbury, peinture à la National Gallery, à Kenwood House, lectures de poésie dans les sous-sols aveugles ou le premier étage de pubs minables à Hampstead. Et quand nous ne trouvions rien à nous mettre sous la dent, nous nous contentions d'arpenter les rues, le dédale des ruelles désertes de Londres, jusque tard dans la nuit, Roger me désignant au passage un détail architectural singulier, un édifice extravagant, un repère oublié auquel s'attachait quelque obscur fragment de l'histoire de Londres. Là encore, son savoir semblait inépuisable. Il était enthousiaste, buté dans ses opinions, fascinant, infatigable, exaspérant, le tout à parts égales. Frivole et charmant à ses heures, il se montrait parfois impatient et cruel. Il me dominait complètement. C'était un rapport qui nous comblait tous deux — au début.

Le plus souvent, nos soirées commençaient au sortir du travail, dans un pub nommé le Rising Sun, près de Smithfield Market, à Cloth Fair. En général, j'arrivais le premier, peu après cinq heures, et je lui prenais son gin-tonic en l'attendant. J'avais découvert qu'il travaillait à la corbeille, mais pas au poste prestigieux que je lui aurais prêté. Il était ce qu'on appelait un « bouton bleu », c'est-à-dire qu'il occupait le bas de l'échelle boursière. Au fond, il était coursier, comme moi, à ceci près qu'il se trouvait sûrement plus proche du centre nerveux que je ne le serais jamais. Les hommes qui effectuaient véritablement les transactions, on les appelait les contrepartistes ou *jobbers*; n'ayant pas le droit de traiter directement avec le public, ils obéissaient aux ordres des courtiers, dont beaucoup avaient de petits bureaux (les « boxes ») sur le pourtour de la corbeille. Les boutons bleus faisaient le lien entre les courtiers et les *jobbers*; ils portaient les messages, relayaient les instructions et, pendant les heures d'ouverture du marché, ils étaient chargés de toute besogne que leur assignait le *jobber*, fût-elle triviale ou extravagante. Je ne pouvais m'empêcher de considérer que pour un homme comme Roger, avec son intelligence hors du commun (ainsi pensais-je alors) et ses hautes ambitions, cet emploi avait quelque chose de dévalorisant.

« Bah, je ne ferai plus ça très longtemps », me dit-il un

soir, devant un verre au Rising Sun où montaient les vapeurs de tabac tandis que dehors la bise de janvier soulevait sans désemparer des tourbillons de neige. « Ma désillusion vis-à-vis du monde de la finance est pour ainsi dire parachevée. »

De bien grands mots, penserez-vous, pour un garçon de vingt-deux ans. Mais Roger ne s'exprimait jamais sur un autre ton.

« J'ai toujours su que la Bourse serait un endroit effroyable, poursuivit-il, mais j'avais de même observé que ceux qui y travaillent, tout en étant ennuyeux à périr, sans exception, ne donnaient jamais l'impression d'être à court d'argent. Certes, beaucoup ont hérité de Papa-Maman. La plupart des courtiers sont passés par Eton, et la moitié des *jobbers* aussi ; ces écoles-là, nous savons tous ce que ça coûte. Mais quand même, ils font profession de s'ouvrir à des étudiants issus des lycées publics, comme moi ; et je me suis dit que si j'arrivais au moins à me faire une idée des masses d'argent qui passent d'une main à l'autre, alors je finirais bien par en récupérer au passage. Mais, sur ce point, je crois que j'ai été naïf. En outre, je n'ai pas le tempérament adéquat. Je n'aime pas assez l'argent pour passer ma vie à y penser. C'est en quoi je diffère de Crispin, vois-tu. »

Crispin Lambert, je le savais, était le *jobber* pour qui (avec qui, préférait-il dire) Roger avait mission de travailler.

« Tu t'entends bien avec lui ? demandai-je.

— Oh, pas trop mal. C'est plutôt un type bien, à l'échelle de la canaille boursière. Mais c'est un pur produit du système, au fond. Le charme personnifié, en apparence. Si tu le rencontres, tu penseras que tu n'as jamais vu un type aussi cordial ; mais ce n'est qu'un masque qui cache sa rapacité absolue. Il aime l'argent au-delà de tout, il en veut, et il ne reculera devant aucun moyen à sa disposition pour en avoir. C'est ce que j'entends quand je dis que ces gens sont ennuyeux à périr. Pour moi l'argent est un moyen. Si j'en avais, je voyagerais. Je découvrirais le monde en grande pompe. Il ne me déplairait pas de m'offrir de bonnes places à l'opéra. D'acheter un ou deux Picasso. Mais Crispin et ses semblables voient l'argent comme une fin en soi. Leurs aspirations ne vont pas au-delà. Et pour moi, je regrette, c'est une vision du monde dépourvue d'intérêt. Creuse, superficielle, sans rien derrière. Parce que, enfin, qu'est-ce qui peut bien se passer dans la tête de ces gens ? Quelle vie intérieure ont-ils ?

— Il n'a pas, je ne sais pas, des passe-temps, des marottes, des distractions ?

— C'est un fou de chevaux, reconnut Roger. Il étudie assidûment les journaux de turf, il connaît de nom tous les entraîneurs de toutes les écuries d'Angleterre. Mais je ne suis pas certain qu'il en tire plaisir. Il parie pour gagner, c'est tout. Tu vois, on en revient toujours à l'argent. »

Le hasard voulut que je rencontre effectivement Crispin Lambert quelques semaines plus tard. Mes rapports avec Roger connaissaient déjà à divers égards une évolution infime mais inquiétante. D'abord, j'avais découvert à mes dépens sa propension, pour ne pas dire sa délectation, à provoquer des situations embarrassantes. Nous étions allés voir une création de *Titus Andronicus* en costumes contemporains, située intégralement dans les bureaux des HLM de Stockton-on-Tees. Cette innovation avait reçu un accueil assez favorable dans la presse, mais il était manifeste qu'elle laissait Roger de marbre. Au bout d'une vingtaine de minutes, il se leva et clama d'une voix forte : « Mesdames et messieurs, je vois que nous sommes menés en bateau par une bande de rustres sans talent. Ces crétins sont en train de profaner notre plus grand dramaturge, et je refuse d'entrer dans leur jeu une minute de plus. Je m'en vais donc promptement quitter ces lieux au profit du pub le plus proche : qui m'aime me suive. Viens, Harold. » Il portait pour la circonstance, et comme souvent, une cape noire doublée de soie, dans laquelle il se drapa avec panache, avant d'enjamber tant bien que mal les spectateurs de sa rangée en me traînant à sa suite, sous le regard outré de tous, acteurs compris. J'avais beau m'effacer volontiers devant lui et lui faire allégeance en toute circonstance, j'en fus profondément mortifié. À la pensée de ces centaines de paires d'yeux fixées sur nous, le rouge me montait aux joues, tandis que Roger, au contraire, devait savourer cet instant. Il n'aimait rien tant qu'être le centre de l'attention. Un peu plus tard, au pub, il en rit de bon cœur : « Il fallait bien que quelqu'un démasque ces imbéciles. Tout le monde serait resté là vissé sur sa chaise, comme des moutons hypnotisés. » Puis, s'apercevant que tout cet épisode m'avait contrarié et gêné, il se mit en devoir de me tancer pour ma pusillanimité. « Tu manques de cran, Harold, me dit-il, tes inhibitions te réduisent à la lâcheté, non seulement tu as peur de dire ce que tu penses, mais tu refuses de réfléchir à ce que tu penses, justement. On dirait que tu fais tout pour préserver l'ordre établi. Cette attitude risque fort de ne te mener nulle part, malheureusement. »

Ce sentiment devait s'exprimer à plusieurs reprises au cours de notre amitié. La suivante survint après que j'eus commis l'erreur de lui faire voir quelques-uns de mes poèmes, geste présomptueux de ma part qui nous mena à la pire soirée que nous ayons passée ensemble, la première qui m'ait passagèrement donné à croire que je le haïssais à mort. Comme d'habitude, nous étions au Rising Sun, attablés depuis plus d'une heure et demie, et il me faisait un cours sur d'antiques rituels païens en Angleterre (la dernière passion en date de cet esprit volatil et inconséquent) sans avoir glissé la moindre allusion au précieux manuscrit que je lui avais remis sous pli discret : une enveloppe en papier kraft, de format A4. Enfin, à la faveur d'un bref interlude dans son monologue, je lâchai, à bout de patience et au comble de la curiosité :

« Tu les as lus ? »

Il hésita, fit tourner son gin dans son verre.

« Oh oui, soupira-t-il enfin, oh que oui, je les ai lus. »

Le silence qui suivit me parut durer une éternité.

« Et alors ? Qu'est-ce que tu en as pensé ?

— J'ai pensé... j'ai pensé qu'il valait sans doute mieux que je ne t'en parle pas, en somme.

— Je vois, répondis-je, sans rien voir du tout, mais profondément blessé cependant. Tu n'as rien à m'en dire ?

— Oh, Harold, à quoi bon ? souffla-t-il dans un gros soupir. Tu n'as aucune poésie en toi, voilà. Aucune poésie dans ton âme. L'âme d'un poète flotte, elle est aérienne. Toi, tu es cloué à la terre. Tu es de la terre. »

Il me considérait presque avec gentillesse, en disant ces mots, et il me serra la main avec force. Ce fut un instant extraordinaire. Alors que nous nous fréquentions depuis des semaines, c'était notre premier contact physique ; il m'envoyait une décharge d'allégresse dans tout le corps, je crus sentir mon sang frémir dans mes veines, comme si un circuit venait enfin d'être rétabli. Et pourtant, en même temps, j'éprouvai une répulsion absolue. J'étais tellement furieux de son rejet, du souverain mépris où il tenait manifestement mes essais poétiques ! Incapable d'articuler un mot, je dégageai ma main avec brusquerie au bout d'une ou deux secondes seulement.

« Je vais chercher à boire », dit-il en se levant. Je fus certain d'apercevoir une lueur de malice démoniaque dans ses yeux quand il se retourna pour me lancer négligemment par-dessus son épaule : « La même chose ? »

J'étais sous la coupe de Roger. Pour cruel qu'il ait pu être envers moi, je ne pouvais échapper à son emprise. Je m'étais fait très peu d'autres amis à Londres ; en outre, il avait une personnalité tellement plus forte que la mienne que j'acceptais ses critiques les plus sévères en les croyant fondées. Nous avons poursuivi notre programme de plaisirs et d'enrichissements culturels. Mais il ne m'a pas repris la main, pas avant longtemps.

Parmi les sujets récurrents dans nos conversations, il y avait le projet de faire un grand voyage ensemble, un de ces jours, en France et en Allemagne puis en Italie, de visiter Florence, Rome et Naples, et de voir les splendeurs du monde antique. Comme tous les projets de Roger, c'était une entreprise grandiose. Pas question de se contenter d'un petit aller-retour en train. Il y avait d'innombrables lieux à visiter en allant vers le sud ; il commençait même à parler de rentrer par les rivieras, l'italienne puis la française, avec un crochet éventuel par l'Espagne. Si l'on voulait bien faire les choses, ce périple prendrait des mois et coûterait des centaines de livres. Donc, l'obstacle principal à son projet, obstacle tout à fait prévisible, et apparemment insurmontable, était une cruelle absence de fonds.

Un embryon de solution se présenta pourtant au mois de mars, en début de soirée, alors que nous nous dirigions vers le bar du Mermaid Theatre dans l'idée d'y boire un verre et peut-être de voir le spectacle ensuite. Comme nous déambulions dans Carter Lane, nous croisâmes la haute silhouette d'un gentleman de la City, costume à fines rayures et chapeau melon. Roger s'arrêta net et le suivit du regard.

« C'est Crispin, me dit-il. Viens, allons lui dire un mot; je vais te présenter.

— Il va être content de nous voir? demandai-je, vaguement nerveux.

— Horrifié, je pense. Ça n'en sera que plus drôle. »

Crispin venait de s'engouffrer dans un pub qui s'appelait aussi le Rising Sun, bien qu'il fût situé à un kilomètre seulement de notre QG à Cloth Fair. Nous le trouvâmes au bar, penché sur les feuillets de *Sporting Life*, où il s'absorbait.

« Bonsoir, Mr Lambert, dit Roger avec une déférence que je ne l'avais jamais vu manifester envers personne.

— Roger! s'exclama l'autre, qui sursauta en levant les yeux. Bonté divine! Je ne savais pas que ce pub faisait partie de vos abreuvoirs.

— Parmi tant d'autres, Mr Lambert, parmi tant

d'autres. Permettez-moi de vous présenter mon ami, Harold Sim.

— Enchanté, naturellement », dit Crispin en me gratifiant d'une poignée de main tiède. Il hésitait, attendant que nous quittions les lieux. Nous ne bougeâmes pas. « Mais... dit-il après un silence gêné, vous boirez bien quelque chose, messieurs ? »

Au bout de quelques verres, Crispin se montra passablement avenant ; non pas que j'aie pris une part active à la conversation : bientôt, Roger et lui se mirent à parler Bourse, et je me retrouvai perdu dans un maquis de termes financiers auxquels je ne comprenais goutte. Mon esprit prit la tangente, je pensai à tout autre chose. Quelques vers d'un sonnet me vinrent, et je les consignai dans mon carnet. J'oubliai mes compagnons, jusqu'à ce que, quelques minutes plus tard, je découvre que Roger s'adressait directement à moi.

« Hmm, me dit-il, cette proposition m'a l'air intéressante. Qu'est-ce que tu en penses, Harold, on se cotise pour tenter le coup ? »

Je savais qu'ils avaient abordé entre autres les chances d'un certain cheval qui courait à 15 h 30 le samedi suivant, à Newmarket. Je crus donc d'abord que Roger voulait que nous misions sur lui. Mais l'affaire était un peu plus complexe.

« Mr Lambert a déjà rempli son bulletin », me dit-il en brandissant un bout de papier froissé où le bookmaker avait apposé ses graffitis. « Et il propose de nous le revendre. Ce qu'il veut nous vendre, en fait, c'est une option sur le pari.

— Une option ?

— Oui. Vois-tu, il est très correct. Il a misé cinq livres

343

gagnant sur Red Runner, un cheval qui est donné à six contre un. Or toi et moi, nous n'avons pas les moyens de miser une somme pareille, bien entendu. Il suggère donc qu'on lui verse une livre tout de suite, ce qui nous ouvrira le droit de lui racheter son bulletin vingt livres — après la course.

— Vingt livres ? Mais on ne les a pas, les vingt livres.

— Il suffira de les emprunter. Tu vois, à ce stade, on ne peut pas perdre. Il suffit que nous lui rachetions son bulletin gagnant, qui vaudra alors trente livres. Donc, si nous le lui achetons vingt livres, plus la livre versée au départ, nous faisons encore neuf livres de bénéfice. Et le seul risque que nous prenons, c'est la livre initiale.

— Je ne comprends pas. Pourquoi ne pas parier nous-mêmes, tout simplement ?

— Parce qu'on peut gagner davantage comme ça. Si on joue une livre à six contre un, on ne gagnera que cinq livres. Tandis que là, on se fait deux fois plus.

— C'est ce qu'on appelle le levier financier », expliqua Mr Lambert.

J'en avais le vertige. « Oui, mais alors, ça veut dire que vous y serez de votre poche ? »

Mr Lambert sourit : « Ne vous inquiétez pas pour moi.

— Crois-moi, reprit Roger, il ne tenterait pas l'affaire s'il risquait d'y perdre. Je suis sûr qu'il a pensé à tout.

— Précisément, confirma Crispin. Le fait est que j'ai un autre pari — gagnant-placé — dans cette course, chez un autre bookmaker. Si bien que, vous comprenez, je n'ai rien à perdre dans cet arrangement, et il n'est pas exclu que j'y gagne. Tout le monde est gagnant, en somme.

« — Allez, Harold, qu'est-ce que tu en dis? On peut récupérer neuf livres, ce serait un bon début pour notre voyage en Europe.

— C'est juste.

— Eh bien, alors, aboule l'argent, mon brave ami. »

Je n'étais pas ravi de me retrouver seul contributeur dans l'affaire; je n'avais pas souvenir qu'on ait rien stipulé de tel, mais il se trouvait que Roger n'avait que cinq shillings sur lui. Or une livre, ce n'était pas rien pour moi, à l'époque. Je tendis cependant à Mr Lambert un billet vert tout neuf, en échange duquel il déchira une feuille de son agenda pour gribouiller dessus, y apposer sa signature, et la passer ensuite à mon ami.

« Et voilà, dit-il. À présent, tout est strictement légal. À lundi matin, alors, en souhaitant une issue satisfaisante pour tout le monde. »

Là-dessus, il vida son verre et prit congé, en nous adressant un joyeux signe de la main depuis la porte du pub.

Roger sourit et il me donna une claque dans le dos. « Eh bien, tu vois, c'est notre jour de chance, aujourd'hui. On remet ça?

— Notre jour de chance, pas sûr, répondis-je, sourcils froncés sur le fond de mon verre de bière. Il y a sûrement un hic. Et puis, de toute façon, ce n'est pas avec neuf livres qu'on fera l'aller-retour à Naples.

— Exact, dit Roger. Tout à fait exact. Mais c'est un bon début. Et puis, il m'est venu une autre idée. Je vais aller voir ma sœur ce week-end.

— Et à quoi ça nous avancera?

— Elle est riche à en crever. Elle a épousé le patron d'une grande entreprise chimique il y a deux ans. Je vais m'amener comme une fleur samedi après-midi, jouer les petits frères adorants, passer la nuit chez eux et, le lendemain matin, je lui demanderai qu'elle me prête une petite somme.

— Qu'elle te prête une somme?

— Ou qu'elle me l'avance, c'est ce que je dirai. Une avance sur le livre fabuleux que je vais écrire sur les sites archéologiques de l'Europe du Nord et du Sud. Je l'inviterai à investir dans le brillant esprit qu'est son frère. Alors, qu'en dis-tu? Chez ces gens-là, on aime parler investissements. »

L'enthousiasme de Roger était contagieux, parfois, il faut l'admettre. « J'en dis que c'est une fameuse idée », répondis-je. Et pour arroser la chose, il me paya un coup de whisky avec ma bière.

Le lundi midi, quand je le retrouvai chez Hill's, il était porteur d'une bonne et d'une mauvaise nouvelle. Red Runner était arrivé premier, ce qui voulait dire que nous pouvions exercer notre droit de rachat sur la mise de Crispin, et empocher les gains, soit trente livres, moins les vingt que nous lui devions et celle qui nous avait ouvert nos droits, soit neuf livres de bénéfice net. Opération concluante. Moins concluante, en revanche, l'issue de ses travaux d'approche auprès de sa sœur.

« Que ceci te serve d'avertissement, Harold, me dit-il gravement. Les femmes ne sont pas fiables, il ne faut pas compter sur elles. À vrai dire, on devrait tenir pour quantité négligeable ces créatures mesquines et égoïstes. Harriet n'a pas manifesté le moindre intérêt pour notre expédition, ni pour le livre qui pourrait en résulter. Son horizon est tout bêtement trop... borné pour qu'elle conçoive l'importance de notre entreprise. Elle se polarise totalement sur ses petites préoccupations domestiques triviales.

— C'est-à-dire?

— Oh, ce bébé qu'elle attend, bien sûr. Elle a été incapable de parler d'autre chose.

— Ah bon. Enfin, je peux comprendre que...

— Elle a toujours été comme ça, Harriet, tu sais. J'avais oublié. J'avais oublié à quel point je la déteste.

— Et il est pour quand, ce bébé? demandai-je, assez choqué par ses propos.

— Oh, dans quelques mois. Je n'avais pas la moindre envie de la caresser dans le sens du poil en lui posant ce genre de questions. Allez, viens, sortons prendre l'air. »

Abandonnant la pénombre tapissée de faïence du restaurant, nous partîmes finir notre heure de pause dans l'agréable coin de verdure de Finsbury Circus, à quelques pas de là. On était début mars, il faisait tout juste assez bon pour rester assis à lire sous un soleil timide. J'avais apporté *Le Faucon sous la pluie*, premier recueil de Ted Hughes, poète encore peu connu à l'époque, et Roger son exemplaire maintes fois consulté de *La Sorcellerie aujourd'hui*, par Gerald Gardner. Ce titre à sensation publié quelque cinq ans plus tôt avait connu un retentissement considérable, notamment dans les journaux à grand tirage du dimanche, qui chatouillaient volontiers leurs lecteurs en racontant que les sabbats de sorcières étaient monnaie courante dans l'Angleterre des banlieues résidentielles, où, derrière la respectabilité des portes closes, on se livrait à des orgies, voire à des messes noires célébrées par des officiants nus. Roger considérait ces articles comme un ramassis de fantasmes nauséabonds, mais il soutenait que l'ouvrage de Gardner était en revanche un des livres majeurs de ces dernières années, car il avait mis au jour un héritage spirituel authentique et vital, datant d'avant l'époque romaine et constituant une contre-tradition solide face à l'autoritarisme répressif de l'Église. Selon Mr Gardner, ce culte parallèle était celui de la Wicca et sa caractéristique première était l'adoration de deux dieux, ou plutôt d'un dieu et d'une déesse, respectivement représentés par le soleil et la lune. N'étant guère porté vers la foi religieuse pour ma part, j'écoutais d'une oreille distraite Roger discourir sur le thème, mais je me rappelle cependant qu'il me dit ce jour-là : « Tu devrais tenir compte de ceci, Harold, si tu veux véritablement écrire. C'est de la Déesse que nous tirons toute inspiration poétique. Si tu ne me crois pas, tu n'as qu'à lire Robert Graves. Mieux vaut rester dans ses faveurs. Malheureusement », il posa son livre et s'allongea dans l'herbe, mains croisées derrière la nuque, « elle réprouve strictement l'homosexualité et réserve un châtiment terrible à ceux qui la pratiquent. Mauvaise nouvelle pour nous et nos pareils... »

Je ne répondis pas, mais cette remarque, jetée négligemment comme un pur constat d'évidence, me fit frémir d'indignation. Roger, je le savais, prenait parfois plaisir à se faire bêtement provocateur. Ce fut aussi cet après-midi-là, je m'en souviens, qu'il parla pour la première fois de jeter un sort à sa sœur.

En attendant, il ne négligeait pas la dimension plus matérielle de nos affaires. Au cours des semaines suivantes, il conclut toute une série d'arrangements financiers avec Crispin Lambert et ses nombreux bookmakers, paris plus audacieux et plus alambiqués les uns que les autres. J'entendis parler de paris gagnant-placé, de paris à report et de combos. Vinrent ensuite les quintés et les vingt et un, ainsi que les multiples séquentiels. Chaque pari était consigné sur un bulletin. Crispin calculait alors combien le bulletin pourrait rapporter si le résultat de la course était celui escompté, et il nous vendait l'option de rachat après la course. En somme, sans doute parce que lui et Roger savaient calculer et que le monde du turf n'avait pas de secrets pour eux, à tous les coups nous gagnions — tous tant que nous étions. Bientôt, nous nous enhardîmes, et les accords que nous signions ne furent plus des options de rachat après la course mais des obligations. Nous avions préféré cette solution, parce que les termes nous étaient plus favorables, même si le risque couru (couru exclusivement par nous) était beaucoup plus grand. Cependant, la cagnotte du voyage s'arrondissait régulièrement. La perspective de planter là le travail pour s'embarquer dans l'aventure enflammait Roger chaque jour davantage, au point qu'il n'était plus capable de parler d'autre chose : ça tournait à l'obsession. Les plaisirs culturels de Londres pâlissaient à ses yeux, et nous n'allions plus que rarement au concert ou au théâtre. Quand nous n'étions pas penchés sur un plan de Pompéi ou sur un croquis de nécropole germanique, il préférait s'enfermer chez lui, s'abîmer dans son fonds de bibliothèque de plus en plus fourni sur la sorcellerie et le paganisme. Et, quoiqu'il continuât de parler de notre voyage comme d'une entreprise conjointe, j'avais le sentiment diffus et indéfinissable que notre intimité s'effilochait ; j'avais de plus en plus conscience de l'avoir vaguement déçu, de ne pas m'être montré à la hauteur de son attente, ce qui m'affectait au plus haut point.

Et puis un jour, en pleine semaine, il vint me voir pour me faire une proposition qui m'alarma quelque peu.

« Hier, j'ai passé presque toute la soirée avec Crispin au Rising Sun, m'expliqua-t-il. C'est vraiment un type très bien, à mon avis. Il souhaite de tout cœur nous aider à financer notre voyage. Enfin, bref, hier soir, nous avons trouvé une martingale pour rafler la somme d'un seul coup d'un seul. Samedi soir, l'argent serait à nous, la semaine prochaine, nous donnerions notre démission, et dans quinze jours, nous serions dans le train de Douvres. Qu'est-ce que tu en dis ? »

J'en dis que je trouvais la perspective fantastique, comme de juste. Mais je déchantai lorsqu'il me révéla ses intentions.

Il s'agissait de faire une seule mise colossale, ou plutôt une arborescence de paris d'une complexité vertigineuse chez divers bookmakers sur les courses du samedi. Je ne me souviens pas des détails aujourd'hui, ce qui n'étonnera personne vu que je n'y avais rien compris à l'époque, mais, parmi les divers termes qui s'échangeaient, je me rappelle les paris simples, le round-robin, le vice versa, le flag et les full cover. Comme précédemment, c'était Crispin qui avait choisi les chevaux, calculé la cote, placé les mises ; c'était lui qui avait ficelé toute la transaction en un seul dispositif financier, sur le désormais habituel morceau de papier détaché de son agenda, qu'il se proposait aujourd'hui de nous vendre pour...

« Pour combien ? demandai-je, incrédule.

— Je sais, répondit Roger, ça peut sembler beaucoup, seulement on gagne cinq fois la mise, Harold, cinq fois !

— Mais c'est tout ce que nous possédons, tout ce que nous avons réussi à mettre de côté jusqu'à présent. Tous les sacrifices qu'il nous a fallu faire pour économiser cet argent... Imagine qu'on perde tout ?

— On ne peut pas tout perdre. C'est bien là le génie du système. Si nous placions l'argent sur un seul pari, comme la plupart des turfistes, alors oui, bien sûr, nous prendrions un risque énorme. Mais le système que nous avons mis au point, Crispin et moi, est beaucoup plus malin. Il est sans faille, tiens, regarde. » Il me tendait une feuille de papier ministre couverte de calculs et de formules mathématiques bien trop complexes pour moi ou pour n'importe quel autre individu d'intelligence moyenne.

« Mais s'il marchait, ton système, objectai-je, tout le monde l'adopterait.

— Encore faudrait-il avoir assez de cervelle pour le découvrir.

— Tu es en train de me dire que tu as trouvé moyen de faire de l'argent à partir de rien, sur du vent ? »

Roger me sourit avec une fierté de conspirateur en reprenant sa feuille. « Je te l'ai déjà dit, Harold, tu es cloué à la terre. Il faut que tu t'efforces de considérer les choses sous un angle plus spirituel. Ne va pas devenir un de ces mortels médiocres englués dans le monde matériel. Le monde où on passe sa vie à fabriquer des denrées, à en acheter, à en vendre, à s'en servir, à en consommer. Le monde des choses. C'est bon pour le vulgum pecus, pas pour les gens comme toi et moi. Nous sommes au-dessus de ça, nous autres. Nous sommes des alchimistes. »

Je le confesse à ma grande honte, c'était dans les

moments où Roger tenait ce langage que je le trouvais le plus irrésistible, alors même que je me savais sous influence, manipulé. Ce fut cependant l'angoisse au cœur que j'acceptai de confier toutes nos économies, et même un peu plus, à Crispin, contre sa promesse de nous vendre quelques jours plus tard les fameux bulletins dont Roger et lui assuraient qu'ils vaudraient alors une fortune. L'angoisse au cœur, ainsi qu'une boule d'anxiété à la place de l'estomac.

« Tu m'appelleras samedi pour me dire le résultat ? lui demandai-je... Non pas que j'en doute, bien sûr.

— Te téléphoner ? Mais pourquoi veux-tu que je te téléphone ? Tu seras avec moi, évidemment.

— J'avais projeté d'aller voir mes parents ce week-end, expliquai-je, c'est Pâques, tout de même.

— Ne dis pas de bêtises ! s'exclama-t-il avec un geste d'impatience. Je ne t'ai donc rien appris ces derniers mois ? Tu en es encore à te réfugier derrière ces âneries de valeurs bourgeoises et chrétiennes que ta famille te serine depuis ton plus jeune âge ? Ces fêtes chrétiennes ne sont que des mascarades, pâle reflet des origines authentiques. Ce week-end, tu viens avec moi découvrir le vrai sens de la fête de Pâques.

— Je viens avec toi ? Où ça ?

— À Stonehenge, bien sûr. Nous partirons dans la nuit de samedi, il faudra y être avant l'aube, pour ne pas manquer le début de la cérémonie. »

Il m'expliqua ensuite patiemment, comme on le ferait à un enfant débile, que la fable chrétienne de la résurrection de Jésus-Christ n'était rien d'autre que la corruption de mythes antérieurs plus puissants sur l'aurore de l'équinoxe de printemps. Même le mot *Easter*, qui signifie Pâques en anglais, et *Ostern,* son équivalent en allemand, dérivent d'une origine commune, *Eostur* ou *Ostar,* qui chez les Normands désignait la saison du soleil levant, la saison du renouveau. Voilà pourquoi, dimanche à l'aube, des centaines d'adorateurs païens se rassembleraient au sein du grand cercle de pierres près de Salisbury, afin de rendre hommage au dieu Soleil.

« Et nous serons du nombre sans faute, toi et moi, mon cher Harold, conclut-il. Viens chez moi samedi soir, nous ferons un petit souper, et puis des amis viendront nous chercher en voiture vers deux heures, ce qui nous laissera tout loisir d'arriver à temps.

— Des amis ? Quels amis ?

— Des gens que je connais, c'est tout », répondit-il, énigmatique. Il aimait bien maintenir des cloisons étanches entre les divers domaines de sa vie, et s'il se disposait à me présenter ses coreligionnaires en paganisme, il entendait bien que j'y voie un insigne privilège, je le savais.

« N'oublie pas, me dit-il juste avant que nous nous séparions, le dieu Soleil c'est le dieu mâle. C'est cela que nous partons adorer là-bas, l'esprit de la virilité, l'essence de la masculinité. Et je serais vivement contrarié, ajouta-t-il avec une lueur de défi dans le regard, si tu t'avisais de ne pas venir. »

Je lui répondis que j'allais réfléchir, et le quittai sincèrement indécis.

En consignant tout cela, avec un recul de près de trente ans, je trouve incroyable d'avoir été à ce point sous la coupe de Roger Anstruther, personnalité arrogante et dominatrice. Mais n'oubliez pas, vous qui lisez

353

ces lignes, que j'étais novice, peu sûr de moi, jeune homme seul dans la grande ville effrayante. En Roger, je croyais avoir rencontré un homme qui, comment dirais-je, me confirmait quelque chose sur moi-même. Quelque chose que je soupçonnais depuis longtemps, que je savais, même, au plus profond de moi, mais que la peur (la lâcheté, dirait-il) m'interdisait de m'avouer. J'étais encore à l'âge tendre où l'on est avide de démêler les mystères de la vie. J'avais d'abord cru trouver les réponses dans la poésie, mais voilà que Roger m'ouvrait un monde tout autre, plus séducteur encore — un monde d'ombres, de présages, de symboles, d'énigmes et de coïncidences. Était-ce une coïncidence, justement, si tous nos projets semblaient devoir se concrétiser à la veille de la fête du Soleil Levant, alors même que c'était le nom du pub où nous avions eu nos premières conver-sations si déterminantes ? Ces questions taraudaient mon intelligence juvénile et impressionnable, me donnant le sentiment que j'étais peut-être au seuil d'une révélation, d'une avancée capitale qui résoudrait tous mes pro-blèmes et me libérerait des entraves que j'avais traînées toute ma vie.

Telles étaient les raisons, ténues et futiles, peut-être, aux yeux du lecteur froid (pardonne-moi, Max, si tu es ce lecteur), qui firent qu'au lieu d'aller chez mes parents ce week-end-là je choisis de quitter ma colocation à Highgate le samedi soir, pour rallier Notting Hill et le garni qu'habitait Roger, dans une rue décrépite.

En arrivant, je le trouvai à son bureau. Je vis tout de suite qu'il y avait quelque chose qui n'allait pas. Il était pâle comme un mort, penché, mains tremblantes, sur des liasses de feuillets noircis de chiffres auxquels il ajoutait de nouveaux calculs au crayon, dans un état de concentration si forcenée qu'il leva tout juste les yeux pour enregistrer ma présence.

« Qu'est-ce qui se passe ? lui demandai-je.

— Ne m'interromps pas », me répondit-il sèchement. Après quoi il se mit à marmonner des chiffres dans sa barbe, tout en griffonnant plus fébrilement encore sur le papier.

« Roger, tu fais une tête épouvantable, insistai-je. Est-ce que... ? » Je le savais, bien sûr, ce qui se passait. Mes jambes se dérobaient sous moi, tout à coup, et je me laissai tomber lourdement sur son lit, dans un coin de la pièce. « Ne me dis pas que c'est notre mise ? Ça s'est mal passé ?

— Très mal passé, dit-il d'une voix tremblante, en chiffonnant l'une des feuilles qu'il envoya promener pour en noircir une nouvelle. Mal, mal, mal.

— Mais enfin, qu'est-ce que ça veut dire ?

— Qu'est-ce que ça veut dire ? Qu'est-ce que ça veut dire ? » Il me foudroya du regard. « Ça veut dire que nous avons tout perdu. Ça veut dire que lundi matin je donne tout ce que nous avons à Crispin.

— Mais tu m'avais certifié que ça ne pouvait pas arriver.

— Ça ne pouvait pas arriver ou, du moins, ça n'aurait pas dû.

— Comment ça s'est passé ? Ce n'est pas notre cheval qui a gagné ?

— Il a failli. Seulement, une des courses s'est terminée par un ex aequo. Ça a tout fichu par terre. Ça, nous ne l'avions pas prévu.

— Je croyais que vous aviez tout prévu.

— Tu ne pourrais pas te taire une minute, Harold ? me dit-il en m'agitant à la figure la feuille de papier pour toute démonstration. Tu ne vois pas ce que j'essaie de faire, là ? J'essaie d'y comprendre quelque chose. »

Il semblait pourtant y avoir renoncé ; au lieu de se lancer dans de nouveaux calculs, il suçait son crayon et considérait ces pages d'arithmétique d'un œil vague, sans les voir.

« Mais, Roger, commençai-je en douceur, Crispin est ton ami, tout de même. Il ne va pas nous mettre en demeure de payer ? »

Il y eut un silence, le temps que ces mots fassent leur chemin en lui, puis il se leva d'un bond et se mit à arpenter la pièce.

« Faut-il que tu sois crétin ! aboya-t-il. Faut-il que tu sois obtus ! Nous lui avons signé un papier. La City a des codes, pour ces choses-là. *Dictum meum pactum.* Ma parole vaut contrat. Il va nous soutirer tout ce qu'il pourra, imbécile ! Jusqu'à notre dernier farthing. Il est dedans jusqu'au cou, lui aussi, tu sais. Il aura perdu une fortune, aujourd'hui. Une vraie fortune, nom de Dieu. Pas de danger qu'il nous laisse nous en tirer à bon compte. »

Il s'est ensuivi un silence plus long encore, pendant lequel j'ai pu mesurer l'énormité de ce qu'il était en train de me dire : tous nos projets réduits à néant, avec des semaines, voire des mois de dèche et surtout de dettes en perspective — car il m'avait persuadé d'engager dans ce pari exorbitant plus d'argent que je n'en avais sur mon compte. Et lorsque je me mis à y songer, j'éprouvai bientôt à son endroit un sentiment que je ne m'étais jamais permis jusque-là : de l'indignation, une indignation sans mélange — je frémissais, je bouillais d'indignation.

« Non, le crétin, c'est toi », lui dis-je, d'un ton mesuré au début, puis en haussant la voix parce qu'il me regardait d'un air incrédule. « Quel crétin tu es, Roger! Comment as-tu pu faire une chose pareille? Mais, surtout, comment ai-je pu te faire confiance à ce point? Pourquoi t'ai-je écouté? Pourquoi t'ai-je laissé me traiter comme tu me traites depuis des mois, en t'obéissant au doigt et à l'œil, en faisant tes quatre volontés comme une femme amoureuse? Tu m'impressionnais tellement, tu m'intimidais tellement, et voilà, voilà où nous en sommes. Tu ne savais pas ce que tu faisais. Tu ne savais même pas ce que tu disais. Tu n'es qu'un truqueur, tiens! Un imposteur. Et moi qui buvais tes paroles, qui croyais tout ce que tu me racontais — qui mettais au rancart la moitié de mes livres préférés parce que tu n'avais que mépris pour leurs auteurs, moi qui jetais les trois quarts de mes poèmes parce que tu les considérais avec un tel... dédain froid et calculé. Et pourtant tu n'es qu'un imposteur, ni plus ni moins. Dire que je t'ai écouté, dire que je t'ai pris au sérieux! Quand tu ne nous donnais pas en spectacle au théâtre, tu essayais de me convaincre que la foi chrétienne était de la gnognotte et que nous ferions mieux d'aller sacrifier des chèvres au milieu d'un cercle de pierres, tous tant que nous étions. Tu m'as même dit que tu allais jeter un sort à ta sœur, mon pauvre ami! Mais pour qui tu te prends, au juste? Pour un gourou, un sorcier? Pour un hybride entre Leavis, Midas et Gandalf? Je n'y crois plus, Roger, dommage, ça ne prend plus. Tu m'as ébloui assez longtemps, mais aujourd'hui je te perce à jour, voilà la vérité.

Mes yeux se sont ouverts, sans doute faudrait-il que j'en remercie le bon Dieu. Seulement c'est cher payé, très cher. Enfin, c'est le métier de la vie qui rentre. »

J'ai pris mon manteau sur le lit et j'ai commencé à l'enfiler, bien décidé à partir. Mais je me suis immobilisé en entendant les mots que Roger marmonnait obstiné-ment sur un ton monocorde à faire froid dans le dos.

« J'ai bel et bien jeté un sort à ma sœur. »

Je m'arrêtai, le bras à demi engagé dans la manche.

« Pardon ? »

Pour toute réponse, il s'approcha de la cheminée et y prit une lettre, écrite sur deux feuillets de papier bleu. Il me la tendit et me regarda la lire.

Elle venait de sa mère. Je ne me rappelle plus bien ce qu'elle disait mais je me souviens de l'essentiel, à savoir qu'elle annonçait à Roger que sa sœur était dans un état d'égarement depuis quelques jours, ayant perdu son bébé.

« Et alors ? lui dis-je en lui rendant la lettre pour achever d'enfiler mon manteau.

— C'est mon œuvre », répondit-il.

Je le considérai un instant pour voir s'il parlait sérieu-sement. Apparemment, oui. « C'est grotesque », lui dis-je, en me dirigeant vers la porte.

Il m'agrippa le bras et me tira à l'intérieur.

« C'est vrai, te dis-je, c'est ce que je lui avais demandé.

— Ce que tu lui avais demandé ? À qui ?

— À la Déesse. »

Je n'étais pas d'humeur à écouter ces sornettes. Vrai ou pas (sincère ou pas, plutôt), je n'avais qu'une envie, partir.

« Amuse-toi bien à la fête, demain matin, moi je rentre chez moi. »

Je tentai de m'arracher à son étreinte, mais il la resserra, et en le regardant dans les yeux j'eus la surprise d'y voir des larmes.

« Ne t'en va pas, Harold, me dit-il, je t'en prie, ne t'en va pas. »

Avant que j'aie pu comprendre ce qui se passait, il m'avait attiré contre lui, et m'embrassait sur la bouche. J'essayai de me dégager, mais il me serrait avec une force que je ne lui aurais pas imaginée.

« Il y a tant de choses, chuchotait-il en frottant contre ma bouche les poils de sa barbe rêche. Il y a tant de choses que nous n'avons pas faites, qui nous restent à faire... »

Je le sentais bander contre mon bas-ventre. Dans un ultime sursaut, je m'arrachai à lui et le repoussai de toute ma force. Cela suffit à le faire tomber dans la cheminée, où il alla se cogner contre la chaufferette fort heureusement éteinte, pour se retrouver affalé par terre en se frottant la tête qui avait heurté le carrelage victorien. L'idée me traversa un instant que je lui avais peut-être fait mal, mais j'étais dans une telle fureur qu'au lieu de me précipiter à son secours je m'acharnai sur la poignée de sa porte, que j'ouvris en toute hâte pour disparaître sans prendre la peine de la refermer, et sans un regard en arrière.

Il ne me reste plus grand-chose à raconter.

Après cet épisode, il s'écoula plus d'un an sans que je revoie Roger. Le lundi, il me fit parvenir un court billet très business-business m'informant que Crispin Lambert exigeait le paiement d'une grosse somme d'argent. Je parvins à la réunir de bric et de broc, essentiellement en l'empruntant à mes parents, et la lui envoyai au plus tôt. Ensuite, ce fut le calme plat. J'appris que Roger avait quitté sa société de *jobbing*, et qu'il ne travaillait plus à la corbeille, mais je n'avais pas idée de ce qu'il était devenu. J'en étais certes curieux, mais je refoulais ma curiosité, car il m'apparaissait désormais comme dangereux pour moi. Dangereux également, les sentiments qu'il avait failli susciter en moi. Je ne voulais plus rien en savoir. J'entrai dans une période de ma vie sans embûches, mais incolore. J'avais nourri un sentiment sincère pour Roger. Sans lui, la vie était fade, elle manquait de piquant. À l'automne, une nouvelle secrétaire arriva chez Walter, Davis et Warren. Elle s'appelait Barbara; elle venait de Birmingham; c'était une jolie blonde à la poitrine généreuse; je lui fis des avances; elle y réagit de façon encourageante. Nous nous retrouvions en dehors des heures de bureau : ainsi commença une cour discrète, chaste et sans relief. Je l'emmenais au cinéma, je l'emmenais au théâtre, je l'emmenais au concert. Un soir, au début de l'été 1960, je l'ai emmenée à l'Albert Hall écouter la version orchestrale du *Roméo et Juliette* de Prokofiev, dans l'espoir que ses grandes envolées romantiques nous enflamment l'un pour l'autre d'une passion équivalente. Il n'en fut rien. À l'entracte, elle m'avoua qu'elle préférerait que je ne l'emmène plus aux concerts classiques : elle aimait mieux Cliff Richard et Tommy Steele. Elle me le dit comme nous étions au bar, en train de finir nos verres, moi un demi de bitter, elle un Dubonnet-citron, puis elle s'éclipsa aux toilettes. À l'autre bout du comptoir, Roger me dévisageait. Il était seul, un sourire entendu et satisfait aux lèvres. Il leva son verre dans ma direction. Moi, je finis le mien et quittai le bar sans lui rendre la pareille.

Le lendemain matin, un message m'arrivait au bureau, qui disait ceci :

*Il est encore temps que je te tire d'affaire.*
*Ce soir, 21 heures au Rising Sun.*

Il avait raison, bien sûr. Il ne m'était plus possible de lutter contre ce que je savais être ma destinée ; plus possible de me raconter des mensonges sur ma propre nature. Lorsque je dirigeai mes pas vers le Rising Sun, ce soir-là, c'était dans l'intention bien arrêtée de faire tout ce que Roger Anstruther voudrait de moi.

J'arrivai assez en avance, vers neuf heures moins vingt, et commandai un double whisky pour me calmer les nerfs. Je le bus promptement, et en commandai un autre. Le second me dura une bonne demi-heure, au bout de laquelle un coup d'œil sur ma montre m'apprit que Roger était en retard. Je commandai une pinte de bitter et sortis mon carnet, pensant qu'écrire m'aiderait à recouvrer mon calme. Le pub était bondé. Il s'écoula encore une demi-heure.

Ce fut seulement alors que j'entrevis l'explication évidente au retard de Roger. Est-ce que par hasard il pensait à l'autre Rising Sun ? Aussi curieux que cela puisse paraître, je n'y avais pas songé un instant. Pour moi, le Rising Sun de Cloth Fair était notre pub à nous. Nous y avions pris notre premier verre ensemble, connu nos échanges les plus tendres comme les plus chargés de sens par la suite. Quant à l'autre, celui de Carter Lane, je n'y étais allé qu'une seule fois, le soir où Roger m'avait présenté à Crispin Lambert. Il ne faisait vibrer aucun écho en moi, ne représentait rien. Mais je n'ignorais pas que Roger y était retourné plusieurs fois, en général pour y retrouver Crispin et échafauder leurs paris abracadabrants. Avais-je commis une erreur aussi inepte qu'humiliante en présumant que nos conversations devaient avoir marqué sa mémoire plus profondément que les séances avec Crispin? Était-il assis là-bas à m'attendre tout comme j'étais assis ici à l'attendre, à l'heure qu'il était?

Je laissai passer encore un quart d'heure, puis décidai de tenter une sortie. En allant à pied d'un pub à l'autre, et en faisant vite, j'avais des chances non négligeables de le trouver s'il m'attendait encore. Je couperais par West Smithfield, puis Giltspur Street, je descendrais Old Bailey tout droit pour déboucher sur Carter Lane par Black Friars Lane. Ainsi, je ne prendrais guère de risques, le seul — d'ailleurs bien improbable — étant qu'il ait eu la même idée en même temps, et qu'il ait quitté le Rising Sun par un itinéraire différent, en prenant Creed Lane, par exemple, puis Ave Maria Lane, Warwick Lane, King Edward Street et Bartholomew Close. Mais j'avais tout intérêt à tenter ma chance.

Je finis mon verre et quittai le pub, tantôt marchant, tantôt courant par les rues désertes, jusqu'à ce qu'apparaissent les lumières accueillantes du Rising Sun de Carter Lane. Hors d'haleine pour avoir couru, mais surtout inquiet à l'idée que cette soirée cruciale se termine en queue-de-poisson, je fonçai tête baissée par la porte du pub. Il n'y avait pas grand monde, ni dans l'arrière-salle ni au lounge, et Roger ne s'y trouvait pas, je le vis tout de suite. Un jeune barman ramassait les verres aux tables libérées.

« Vous n'avez pas vu un jeune type, la petite vingtaine, roux, avec une barbe ? m'enquis-je. Il portait peut-être une cape.

— Mr Anstruther ? Oui, il est venu ; il vient de partir, il y a deux minutes. »

Je lâchai un torrent de grossièretés, à la consternation du barman. Puis, sortant du pub plus précipitamment encore que je n'y étais entré, je m'immobilisai pour regarder à droite et à gauche, ne sachant où aller. Selon toute vraisemblance, Roger avait eu la même idée que moi, et s'était rué vers le pub que je venais de quitter. Alors, piquant un sprint, je repris mon itinéraire de l'aller, et trois ou quatre minutes plus tard, pas plus, j'étais au Rising Sun.

« Vous cherchez votre ami ? me lança le barman sitôt qu'il me vit. Parce qu'il était là il y a un instant, il a demandé après vous.

— Non ! m'écriai-je, en me prenant la tête à deux mains pour m'arracher les cheveux. Par où est-il parti ?

— Par Middle Street, il me semble », répondit le barman.

Mais je ne pus le retrouver. Je me précipitai dans la rue et passai vingt minutes, une demi-heure à le chercher ; je criai son nom, je ratissai toutes les rues avoisinant Smithfield Market, sur un rayon de quelques centaines de mètres.

Il me restait une dernière chance. Je me souvenais qu'il y avait un téléphone à pièces dans le hall de la maison de Notting Hill où il louait son studio. J'appelai le numéro (je le savais encore par cœur) et dus attendre une éternité que quelqu'un décroche, ma respiration anxieuse embuant les vitres de la cabine téléphonique. Mais ce fut en vain. Cela faisait plus d'un an que je n'avais appelé ce numéro, et une voix inconnue finit par m'annoncer que Roger n'habitait plus à cette adresse. Après quelques secondes de silence, où j'essayai de recouvrer la parole, je remerciai la voix anonyme, reposai lentement le récepteur et appuyai le front contre la paroi de la cabine.

Ainsi c'était fini. Tout était fini. Un désespoir glacé, paralysant, s'empara de moi.

Que faire, à présent?

Rétrospectivement, je ne sais pas bien comment je me suis retrouvé en bas de chez Barbara, à Tooting. Est-ce que j'y étais allé en bus? Est-ce que j'avais pris le métro? Je ne m'en souviens pas. Le passage du temps a effacé ce détail de ma mémoire. Il devait être très tard lorsque je suis arrivé, parce que je me souviens de n'avoir pas obtenu de réponse à mon coup de sonnette et d'avoir dû jeter des petits cailloux dans ses fenêtres, au troisième étage, pour la réveiller.

Elle n'était pas précisément ravie de me voir. Elle avait très sommeil, j'étais très ivre. Néanmoins, nous avons réussi à tomber dans les bras l'un de l'autre. Notre étreinte fut haletante, maladroite, de courte durée. Ni l'un ni l'autre ne savions vraiment ce que nous faisions ni pourquoi, je pense. On dit : « La première fois, on s'en souvient toujours. » Je serais tenté de m'inscrire en faux. Cet épisode s'est déroulé pour moi dans un brouillard. Ce dont je me souviens, c'est d'être resté dans le lit de Barbara une heure ou deux ensuite. Au début, nous n'avons dormi ni l'un ni l'autre. Je fixais le plafond, en m'efforçant de démêler le sens des événements de la soirée malgré les vapeurs d'alcool qui m'embuaient la cervelle. À quoi pensait-elle pour sa part, je ne sais pas. À un moment donné, en coulant un regard de son côté, je lui ai vu les joues brillant de larmes. À quatre heures du matin, sorti de son lit en douce, je suis parti de chez elle sans lui dire au revoir et je suis rentré à Highgate à pied, par les rues silencieuses de Londres.

Je ne suis pas allé travailler. D'abord, j'avais trop la gueule de bois ; ensuite, je ne me sentais pas le courage de revoir Barbara. Notre entrevue ne pourrait être que pénible, embarrassante. L'avenir devait montrer qu'elle éprouvait exactement la même chose, comme de juste. Un peu plus tard dans la semaine, elle a donné sa démission et, le vendredi, on lui a fait un petit pot de départ discret, auquel je ne suis pas allé. Elle avait décidé de retourner chez elle, à Birmingham, m'ont dit des collègues. Je n'avais aucune raison de penser la revoir un jour.

Trois mois plus tard, je recevais une lettre de son père. Barbara était enceinte — de mes œuvres, croyait-elle. La lettre ne laissait guère de doute : le père comptait bien que je me conduise honorablement, comme on disait encore à l'époque.

C'est ainsi que, six semaines plus tard, nous étions mariés.

Nous avons vécu quelques mois chez ses parents, près de l'usine Cadbury à Bournville, mais ce n'était pas une solution satisfaisante. J'ai trouvé un poste de bibliothécaire adjoint dans un collège technique du coin et, assez vite, nous avons réuni de quoi louer un petit appartement à Northfield. Notre premier et unique enfant, Max, est né en février 1961. Il nous a fallu encore cinq ans pour accumuler l'apport financier nous permettant d'acheter une maison. Alors, nous avons élu domicile à Rubery — un pavillon de quatre pièces impersonnel en crépi, dans une rue sans caractère aux maisons toutes semblables, non loin du golf municipal, au pied des Lickey Hills.

Nous allions y vivre presque deux décennies, et c'est là que, au printemps 1967, j'ai vu Roger Anstruther pour la dernière fois.

Comment il s'était procuré mon adresse, je l'ignore. Ce que je sais, c'est que je l'ai vu paraître sur le pas de ma porte en début de soirée, un dimanche de mai. Dans la City, il avait déjà une dégaine bien à lui. Ce soir-là, surgi inopinément dans les faubourgs de Birmingham, vêtu comme autrefois d'une longue cape noire, mais coiffé en sus d'un feutre assorti, crânement porté sur le côté, il détonnait carrément. Sur le moment, la surprise m'a laissé sans voix. Je lui ai simplement fait signe d'entrer.

Je l'ai emmené dans la pièce de derrière, que nous appelions la salle à manger, Barbara, Max et moi, tout en n'y prenant que rarement nos repas. Il n'y avait pas de gin-tonic chez nous, et Roger a dû se contenter de vin doux. Barbara s'est jointe à nous un instant, mais elle ne voyait pas du tout qui était cet exotique inconnu (je ne lui avais jamais parlé de Roger) et, manifestement, sa présence la mettait mal à l'aise. Au bout d'un moment, elle est passée à côté, dans le séjour, pour regarder la télévision avec Max. C'était, je m'en souviens, le jour où

Francis Chichester rentrait triomphalement de son tour du monde à la voile et, avant l'arrivée de Roger, nous regardions tous trois le reportage en direct. Tout en parlant avec Roger, j'entendais à travers la mince cloison l'ovation de la foule et la voix claironnante du présentateur de la BBC.

Au début, nous avons gauchement parlé de tout et de rien, Roger et moi. Puis, fidèle à lui-même, il est allé droit au but et m'a annoncé sans plus attendre l'objet de sa visite. Il quittait le pays. L'Angleterre n'avait plus rien à lui offrir, me laissa-t-il entendre. Depuis l'époque où nous nous étions connus, il s'était converti au bouddhisme, et il désirait à présent voyager en Asie. Il commencerait par Bangkok, où on lui avait proposé d'enseigner l'anglais aux élèves du pays. Mais, avant de partir, me dit-il, il avait des « fantômes » à apaiser.

Je crus qu'il parlait de moi et lui assurai avec indignation que je ne me considérais nullement comme un fantôme, mais comme un homme bien vivant, fait de chair et de sang.

« Parce que ça », répondit Roger en considérant notre salle à manger avec ses bibelots sagement alignés, la « belle » vaisselle exposée sur la desserte, les paysages à trois sous encadrés au mur, « c'est ce que tu appelles vivre ? »

Je ne répondis pas. Ce fut heureusement la seule allusion critique qu'il se permit sur la vie que je m'étais choisie. Ce soir-là, il semblait surtout d'humeur conciliante. Il ne resta guère plus d'une heure : il fallait qu'il attrape son train pour Euston afin de boucler ses valises puisqu'il partait le lendemain. Il me demanda si je lui pardonnais sa conduite à mon égard, et je lui répondis (avec une sincérité toute relative) que j'y pensais rarement, et jamais avec reproche ni rancune. Il me dit qu'il était ravi de l'apprendre, et me demanda s'il pouvait m'écrire de Bangkok, à l'occasion. Je lui répondis qu'il pouvait, s'il le désirait.

Sa première carte postale me parvint un mois plus tard. Au fil des ans, elle fut suivie de bien d'autres, à des intervalles extraordinairement irréguliers, depuis des endroits aussi divers que Hanoi, Pékin, Mandalay, Chittagong, Singapour, Séoul, Tokyo, Manille, Taipei, Bali, Jakarta, le Tibet, et j'en passe. Apparemment, il ne restait jamais plus de quelques mois au même endroit, parfois il travaillait sur place, d'autres fois il voyageait simplement, perpétuellement poussé par cet esprit d'enquête compulsif qui semblait une partie essentielle de sa nature. De temps en temps — de loin en loin — je lui répondais, mais je me méfiais de lui et je prenais soin de ne pas lui révéler grand-chose de personnel. Je me bornais à lui envoyer quelques lignes l'informant d'événements récents — Max avait été reçu à son brevet ; un de mes poèmes allait être publié dans un petit magazine local ; Barbara était morte d'un cancer du sein, à l'âge de quarante-six ans.

L'an dernier, quelques mois après la mort de Barbara et le départ de Max, je suis retourné m'installer dans ma ville natale de Lichfield. À cette occasion, je n'ai signalé mon changement d'adresse qu'à une poignée d'amis, mais Roger était du nombre. Il faut croire que quelque part j'aimais bien l'idée que nous n'ayons pas perdu le contact. Mais je me demande aujourd'hui si j'ai eu raison. Si ça rimait à quelque chose.

De sorte qu'à présent j'ai pris la décision suivante : ça suffit.

Dans quelques jours, je pars pour l'Australie entamer une nouvelle vie, si Dieu veut. Et, non, je ne vais pas dire à Roger où je suis parti, cette fois. Il est grand temps d'oublier tout ça, vraiment ; de tirer le trait que j'aurais dû tirer bien plus tôt sur le passé. Coucher tout cela sur le papier, au bout de tant d'années, a été une entreprise laborieuse, mais également rafraîchissante, voire purifiante. Max pourra lire ces lignes, un jour, s'il le souhaite, et apprendre ainsi la vérité sur son père et sa mère. J'espère qu'il n'en sera pas trop perturbé. Moi, pour ma part, je vais tâcher de tirer quelque leçon de cette longue remontée du temps. Il faut que je m'inspire non pas tant des souvenirs que je garde de Roger, ou même de Crispin Lambert (dont la société de *jobbing* vient d'être rachetée à prix d'or par une grande banque, je l'ai appris récemment, au hasard des journaux), mais de ma visite au Square Mile, labyrinthe de rues chargées d'histoire et vouées à l'accumulation monomaniaque de richesse. Engluée dans le passé depuis bien trop longtemps, la City est en train de se réinventer. Elle prouve ainsi qu'une telle réinvention est possible, et je lui tire mon chapeau. Désormais, je vais tenter la même aventure, à mon échelle modeste ; et j'espère y trouver ma petite part de bonheur personnel.

# XX

Dis-moi, Emma, ça fait combien de temps qu'on se connaît, nous deux?

*Continuez tout droit sur cette route.*

Tu t'en souviens pas? Eh bien, aussi étonnant que ça puisse paraître, moins de trois jours.

*Dans deux cents mètres, tournez à gauche.*

Je sais, on croirait que ça fait beaucoup plus long-temps, hein? J'ai l'impression de te connaître depuis des années, à présent. Ce qui explique que je me per-mette de te dire quelque chose. De te faire un petit com-pliment, si tu veux bien. Parce que je ne voudrais en aucun cas t'embarrasser, surtout pas.

*Dans cent mètres, tournez à gauche.*

Mais voilà, je tenais à te le dire, je voulais juste te dire qu'il y a une chose que j'aime vraiment chez toi, une chose que je n'ai jamais rencontrée chez une femme. Tu devines laquelle?

*Prenez la prochaine sortie à gauche.*

C'est cette façon... enfin, cette façon que tu as de ne jamais juger les gens. C'est une qualité très rare, chez une femme, tu sais. Ou chez un homme, d'ailleurs. Tu n'as pas tendance à juger les gens, jamais.

*Continuez tout droit pendant cinq kilomètres.*

Tu vois, par exemple, je sais très bien que je me conduis mal. Je sais que je n'aurais pas dû faire ce que j'ai fait, et que je ne devrais pas être en train de faire ce que je fais à présent. Mais pas d'amers reproches, hein ? Tu sais bien que j'ai mes raisons, que j'ai des circonstances atténuantes.

*Continuez tout droit environ trois kilomètres.*

Ça fait mauvais effet, je m'en rends bien compte. Je pars de chez Alison à cinq heures du matin, ni au revoir ni merci. Et non seulement je me sauve comme un voleur, mais je fais la razzia dans sa cave à liqueurs, pardessus le marché. D'accord, elle et son mari puent le fric, ils en sont pas à deux bouteilles de whisky près. Pas n'importe quel whisky, il faut le dire, deux single malt hors de prix. Bon, ça, je n'y suis pour rien, moi je m'en fous pas mal du goût de cette gnôle, ils auraient eu du Bell's ou du Johnnie Walker, ça aurait fait mon bonheur pareil. Mais, même indépendamment du prix, question de principe, ça se fait pas, je le sais. Je te l'ai dit, tout ça ne plaide pas en ma faveur. Me voilà à cinq heures du mat, à charrier ma valise dans la rue, une bouteille de whisky qui dépasse de chaque poche de ma veste — deux poulagas dans une bagnole de police à l'arrêt qui me regardent de travers, et n'empêche, je me demande bien comment, j'arrive à retourner au centre-ville, et à te retrouver. Quelle heure il pouvait bien être ? Je perds le sens du temps. Tu t'en souviens ?

*Continuez tout droit pendant quinze cents mètres.*

Bon, il s'est passé des choses entre-temps, y a pas de

doute. J'ai pas mal déambulé. Il y a eu ce SDF, dans une embrasure de porte, qui m'a suivi le long de la rue, il arrêtait pas de me demander : « Ça va aller, mon pote? » Et puis je me suis assis sur un banc un moment. Un bon moment, même. C'était quelque part sur les hauteurs, près d'un parc, en surplomb de Princes Street et de Princes Street Gardens, on dominait toute la ville. Un vrai panorama de carte postale. Il faisait encore nuit noire quand je me suis assis sur ce banc, le jour était levé quand je suis reparti. Il s'était remis à neiger. La neige tombait, mais elle ne tenait pas, et elle ne tient toujours pas.

*Au rond-point, prenez la troisième sortie.*

Quel soulagement de te retrouver, je commençais à avoir sacrément froid, je ne te le cache pas. J'ai bu quelques lampées du Laphroaig pour me réchauffer avant qu'on se mette en route, oui, je sais, c'est très mal.

*Prenez la prochaine sortie.*

Ouah, merci! J'ai failli la rater, j'avais la tête ailleurs, pardon! Et toi, arrête de me klaxonner, espèce d'excité, grossier personnage, connard, va! C'est pas une raison parce qu'on connaît pas aussi bien le coin que toi. On n'est pas tous des indigènes comme toi, abruti. Bon, qu'est-ce que je disais?

*Continuez tout droit sur cette route.*

Ah, j'ai oublié, tant pis! Profitons du paysage. T'sais, je crois bien que c'est la première fois que je prends le pont sur la Forth. C'est la première fois que je monte aussi loin au nord, sûrement. C'est bête, non? Quarante-huit ans, jamais été plus au nord qu'Édimbourg. Il faudrait que je fasse une liste. Une liste des choses à faire avant cinquante ans : sauter à l'élastique, en delta-plane, lire une de ces vacheries de bouquins dont Caroline me rabâchait que ça me ferait du bien, *Anna Karénine, Le Moulin sur la Floss*. Trouver quelqu'un à épouser, des gens avec qui coucher, apprendre à ne plus avoir peur de l'intimité, ne plus être aussi solitaire (*tais-toi, tais-toi, tais-toi*), faire le tour du monde à la voile sur un trimaran...

*Continuez tout droit.*

Ah, Donald, tu n'avais pas la moindre chance de t'en sortir, au fond, n'est-ce pas ? Tu n'avais pas plus de chance de boucler ce tour du monde que je n'en ai de me pointer demain dans cette boutique d'Unst avec mon lot de brosses à dents. Qui croyons-nous tromper, hein ? Qui croyons-nous leurrer ? Nous-mêmes, sans doute. Ce qui nous oblige à leurrer le reste du monde dans la foulée, mais là n'est pas le plus difficile. Le plus difficile, c'est d'y croire soi-même, n'est-ce pas ? N'est-ce pas, Donald, mon vieux pote, mon vieux frère de traversée ?

*Continuez tout droit.*

Pardon, Emma, c'est à toi que je devrais m'adresser. Tu commençais à te sentir exclue ? Ou tu commençais à t'inquiéter, peut-être, en m'entendant parler à un type mort depuis quarante ans et que je n'ai jamais connu personnellement. Ça va pas, ça, hein ? C'est pas sain. On pourrait penser que j'ai abusé du whisky avant de prendre le volant de cette charmante voiture. Je ne crois pas aux fantômes, et toi non plus, évidemment. Tu es un être de pure raison, toi. Une pure machine à raisonner, voilà ce que tu es. Tu n'as pas de corps, pas d'âme, rien qu'une intelligence, une magnifique intelligence, c'est ce que j'aime, chez toi. À quoi ça m'avancerait, quelqu'un qui ait un corps et une âme? Qu'est-ce que j'en ferais, moi, étant ce que je suis? Non, nous sommes faits l'un pour l'autre, toi et moi, Emma. Nous sommes ces « êtres cosmiques », avenir ultime de tout homme, selon Crowhurst. Désincarnés. Au-dessus du monde matériel. Nous sommes même si bien assortis que j'ai une demande à te faire. Veux-tu m'épouser? Si, allez, je suis sérieux. Les gays et les lesbiennes ont bien le droit de se marier, de nos jours, pourquoi on pourrait pas épouser son GPS? Où est le mal? Je croyais qu'on vivait dans une société d'ouverture, de tolérance, sans exclusion... Allez, qu'est-ce que tu en dis? Épouse-moi, viens vivre avec moi et sois ma femme. Qu'est-ce que tu me réponds?

*Continuez tout droit sur l'autoroute.*

Ah bon, on est sur l'autoroute, là? On y est entrés quand? Je m'en suis pas aperçu. Mais alors, c'est quelle autoroute, exactement? La M90. D'accord. Et on va où, comme ça, sur la M90? À Perth? Perth, puis Dundee, puis Forfar. Forfar! Quel nom, dis donc! On croirait une formule magique. Ça me rappelle les résultats du foot. Il disait pas ça, le gars qui annonçait les résultats du foot à la BBC? Il disait pas que c'était un cauchemar à prononcer? *East Fife four, Forfar five,* un truc dans ce genre. À vrai dire, tous les noms du coin me font penser aux résultats du foot. Cowdenbeath, Dunfermline, Arbroath. Jusqu'à aujourd'hui, j'avais pas la moindre idée d'où ils pouvaient être, ces patelins, mais bon Dieu ils me ramènent en arrière! Le samedi aprème à la télé. C'était à quelle heure, déjà? Cinq heures moins vingt, je crois bien. Oui, dans ces eaux-là. Coup d'envoi à trois heures, fin de partie à cinq heures moins le quart. Et puis les résultats commençaient à tomber sur cette espèce de petite machine à écrire automatique, comment ils appelaient ça, déjà, les téléscripteurs, je crois bien. Oh bon Dieu, la technologie des années soixante! On a fait du chemin, depuis. Quel âge je pouvais avoir quand j'ai commencé à regarder ça? Sept, huit ans? Je veux bien parier qu'en Angleterre tous les mômes de huit ans faisaient la même chose, le samedi après-midi, dans le salon, à l'heure du thé. Vissés à la télé. Je me demande combien avaient leur père auprès d'eux. Est-ce que mon père regardait le foot avec moi? Allez, Emma, d'après toi? Vas-y, sans réfléchir. Bien sûr que non, l'enfoiré! Il était dans la salle à manger, bien trop occupé à lire T.S. Eliot et ses *Quatre Quatuors*. Ou bien à programmer sa prochaine branlette.

*Allons, Max, un peu d'indulgence pour ton père...*

Quoi... Tu viens de me répondre, là?

*Continuez tout droit sur l'autoroute.*

Attends voir, toi, tu serais pas un peu en train de dépasser les bornes? Je vais te couper la chique un petit moment.

Je serai plus tranquille tout seul, pour l'instant. Tant que je n'ai pas besoin d'elle, en tout cas. Je ne risque guère de me perdre dans l'immédiat. Et puis, de toute façon, qu'est-ce que j'irais foutre à Aberdeen? Hors de question d'attraper le ferry cet après-midi. Il n'y a qu'à voir le temps qu'il fait, déjà. Ce qu'il faudrait, au contraire, c'est retourner chez Alison. Faire demi-tour dès la prochaine sortie, aller tout droit chez elle, m'excuser. Pauvre femme! Avec son cochon de mari qui la trompe. Qu'est-ce qu'elle dirait, si je m'amenais dans cet état ? Elle comprendrait. Elle a une formation de psy, après tout. Une épaule sur laquelle pleurer. J'en ai bien besoin. Quelqu'un à qui parler de... tout ça. Tout ce bazar. Tout ce qui est remonté à la surface, ces deux dernières semaines. Ça fait beaucoup pour un seul homme, il faut le dire. Ça fait beaucoup en même temps. On a tous besoin de quelqu'un à qui parler. Comment tu comptais t'en sortir, Donald ? Neuf mois en mer, c'est ça ? ou dix ? Sans la moindre compagnie humaine, avec seulement ton transmetteur radio, qui marchait à peine. Inimaginable. Alors, évidemment, tu ne t'en es pas sorti, pour finir. Qu'est-ce qui t'a fait passer par-dessus bord, au final, la solitude ? La terrible intimité, comme dit Clive ? Ça ne m'étonne pas. Personne ne peut supporter la solitude à ce point, pourquoi aurais-tu été constitué autrement ? Tu n'es jamais qu'humain. Tu aurais dû faire demi-tour pendant qu'il en était encore temps. Dès que tu as compris que le bateau ne tiendrait pas la mer. Mais enfin, je ne sais pas, les choses étaient peut-être déjà allées trop loin. Ce jour-là, quand tu as compris dans quel pétrin tu t'étais fourré, peut-être que, au lieu de tout consigner sur papier et d'essayer de t'en sortir tout seul, tu aurais dû, je ne sais pas, tenter d'entrer en contact avec ta femme par radio. Je suis certain qu'elle t'aurait dit de faire demi-tour et de rentrer.

*Avec des si...*

N'empêche, tu vois, pour moi il n'est pas trop tard. Il faudrait que je téléphone à quelqu'un pendant qu'il est encore temps, non ? Il faut que je parle de tout ce bazar. À qui téléphoner ? À Lindsay, Caroline, Alison ? Qu'est-ce que tu en penses ? À Poppy, même, peut-être...

À Lindsay, je crois, c'est elle qui aura la vision la plus

pragmatique des choses. Ouais, Lindsay. C'est bien ça. Allons-y.

Rhâ! La batterie est morte. Complètement déchargée. J'ai bien vu qu'elle était très très faible, hier soir; je comptais la recharger une fois chez Alison. Je trouverai peut-être de quoi tout à l'heure.

Toujours est-il qu'elle est HS pour l'instant. Exactement comme ta radio quand tu en avais le plus besoin.

Il doit bien y avoir des cabines téléphoniques à la prochaine aire de services, je me dis.

Et merde, ça n'aurait rien changé, de toute façon.

*Dans quinze cents mètres, au rond-point, prenez la première sortie.*

Ah, te revoilà, toi, bienvenue à bord.

*Dans quinze cents mètres, au rond-point, prenez la première sortie.*

C'est bon, je suis pas sourd.

*Dans quinze cents mètres, au rond-point, prenez la première sortie.*

Ça va, ne me harcèle pas, s'il y a une chose que je déteste, c'est bien les femmes qui vous harcèlent.

*Dans quatre cents mètres, au rond-point, prenez la première sortie.*

Pardon, Emma, je voulais pas te sauter à la gorge de cette façon. Je suis pas dans mon assiette, honnêtement. J'ai rien mangé depuis hier soir. Quand j'ai contourné Dundee, j'étais beurré — pas terrible. Et, par-dessus le marché, il faut que je m'habitue à l'idée que toute mon... existence ne tient qu'à une affreuse bourde de la part de mes parents, de mon père surtout.

*Au rond-point, prenez la première sortie.*

377

Alors, merci, Papa, de m'avoir éclairé. Pour le cas improbable où je commencerais un jour à m'accepter mieux. Non que ça s'annonce dans un futur proche, mais je te sais gré d'en avoir tué toute éventualité dans l'œuf. Au moment même où je me disais que ma vie ne pouvait pas être plus navrante, j'apprends que je n'aurais de toute façon jamais dû venir au monde. Alors, il y a du neuf pour mon épitaphe : « Ci-gît Maxwell Sim, quantité la plus négligeable qui ait jamais vu le jour. »

*Tout droit au rond-point, prenez la deuxième sortie.*

Est-ce que c'est en ces termes qu'il faut que je me voie jusqu'à mon heure dernière ? Une nullité ? La racine carrée de moins un ?

*Prenez la prochaine sortie à droite.*

Ou bien est-ce que c'est une façon subtile de suggérer à Maxwell Sim qu'on n'a plus besoin de lui ? Qu'il est peut-être temps qu'il tire sa révérence ?

*Tout droit au rond-point, prenez la deuxième sortie.*

Bon, il faut que j'y réfléchisse. Laisse-moi tranquille un instant, Emma, tu veux bien ? Ne m'étouffe pas.

Nous disions donc...

*Continuez tout droit pendant environ quinze cents mètres.*

Je crois que l'heure approche à grands pas... l'heure où, l'heure de...

*Dans quatre cents mètres, tout droit au rond-point, prenez la deuxième sortie.*

L'heure de jeter le masque...

*Tout droit au rond-point, deuxième sortie.*

... et d'accepter ce qui m'arrive. Et tout de suite, à 12 h 09 exactement, jeudi 5 mars 2009, à soixante kilomètres d'Aberdeen ; nous roulons sur l'A90 en direction du nord, à une vitesse d'environ 75 à l'heure, je vais quitter cette route, en finir avec ce voyage. Et donc je n'irai pas tout droit au rond-point, Emma. Au rond-point, j'irai à gauche, je suivrai les panneaux pour Edzell. Alors, qu'est-ce que tu en dis ?

*Dans deux cents mètres, faites demi-tour.*

Rhâ ! C'est tout ce que tu trouves à me dire ? Oh non, Emma, plus de demi-tours pour moi désormais. Je ne vais pas suivre tes indications, et je vais te dire pourquoi. Parce que je ne veux pas aller prendre le ferry à Aberdeen. Et, à vrai dire, la logique de la situation exige que je sois dans l'impossibilité de le prendre. Tu sais pourquoi ? Parce que je ne suis plus Maxwell Sim, je suis Donald Crowhurst, et il me faut suivre ses traces, reproduire ses erreurs. Il n'a jamais fait le tour du monde à la voile, et moi je n'irai jamais dans les Shetlands non plus. Il a décidé de falsifier son voyage et moi je vais falsifier le mien. Il peut bien y avoir je ne sais combien de satellites braqués sur moi à l'heure qu'il est, à partir de maintenant, plus personne ne sait où je suis ; j'ai disparu, disparu dans les ténèbres de cette tempête de neige qui approche, et je vais m'y cacher, je vais dériver au beau milieu de l'Atlantique, le temps qu'il faudra, jusqu'à ce qu'il soit l'heure, l'heure propice pour resurgir en triomphe, pour reparaître aux yeux du monde.

*Dans deux cents mètres, faites demi-tour.*

Eh non. Peux pas. C'est fini, chérie. Nos chemins se séparent.

*Dans un kilomètre, tournez légèrement à droite.*

Il me vient une idée, au fait.

*Tournez légèrement à droite.*

379

J'aurais peut-être été bien inspiré de prendre un peu d'essence à Brechin, moi. Jusqu'à présent, on a roulé huit cents kilomètres depuis Reading sans faire un seul plein. Il doit pas rester grand-chose dans le réservoir.

*Prochaine à droite.*

Tu t'obstines à me faire aller vers Aberdeen ? Je croyais pourtant t'avoir dit qu'on abandonnait l'idée. Il faut tourner à gauche, donc.

*Dans deux cents mètres, faites demi-tour.*

Tu ne renonces jamais, toi. Laisse tomber, Emma. Lâche l'affaire. Il y a quelque chose de fabuleux dans le fait de lâcher prise. C'est une...libération incroyable. Je me souviens du jour où j'ai fait cette découverte. C'était pendant ces vacances à Coniston, justement, avec Chris et sa famille. Un jour, on avait décidé d'aller tous escalader l'Old Man, et puis voilà qu'à mi-chemin Chris et moi on prend la tête, et ça devient comme une course entre nous. Et avant qu'on comprenne ce qui nous arrive, on est en train de courir à l'assaut de cette colline, montagne, je ne sais pas comment il faut dire. Et puis bientôt Chris prend l'avantage, et il devient évident qu'il est en bien meilleure condition physique que moi — j'aurais dû m'en rendre compte — et voilà que je le perds de vue, mais je continue à avancer cahin-caha, essoufflé, en me cassant la figure sur les rochers, avec un abominable point de côté, persuadé que la crise cardiaque me guette  Et puis, au bout de quelques instants, je me suis dit : Mais au fait, à quoi ça rime ? À quoi ça rime, ce cirque ? Alors je me suis laissé tomber sur le bord du sentier pendant qu'il continuait. Je savais de quoi j'étais capable, tu vois. Je savais que je n'étais pas un adversaire à la mesure de Chris. Je n'avais jamais pu, ni voulu l'être, d'ailleurs. Et m'accepter, m'accepter pour ce que j'étais m'a procuré un tel soulagement! Bientôt j'ai été rattrapé par les autres, qui arrivaient derrière nous, Mr et Mrs Byrne, Papa et Maman, Alison. Ils se sont arrêtés à ma hauteur, et je me souviens que Mr Byrne m'a dit : « Tu vas rester assis là? Tu ne veux même pas essayer? » Et je lui ai répondu : « Non. » J'étais très content d'être là pendant que Chris grimpait jusqu'au sommet en courant, suivi par tous les autres. J'avais renoncé, et j'en étais très heureux, et pendant une heure ou deux je suis resté admirer la vue. En sachant que j'avais trouvé mes limites, et que je ne les dépasserais jamais.

*Continuez tout droit.*

Je crois bien qu'on vient de croiser un chevreuil, tu l'as vu, dans les bois?

*Il faut que nous parlions de Chris.*

Oui, tu as raison. Il faut effectivement que nous parlions de lui. Il faut que nous parlions d'un tas de choses, dont Chris. Mais d'abord, je vais me garer sur cette aire de stationnement et je vais m'enfiler une petite goutte de whisky, puis faire un petit somme. Parce que j'ai un coup de pompe, là tout de suite, Emma. Un sacré coup de pompe. Et je détesterais qu'il nous arrive un accident. Je ne me le pardonnerais jamais, s'il t'arrivait quelque chose.

*Il faut qu'on parle de Chris.*
Hmm?
*Il faut qu'on parle de Chris, je te dis.*
Oh merde! Il est quelle heure? Trois heures, bordel!
Qu'est-ce que c'est que toute cette neige?

Et il lui est arrivé quoi, au whisky? J'ai quand même pas bu tout ça, si? Il va falloir que j'ouvre l'autre bouteille...

Oh bon Dieu, ma tête!...

Bon, commençons. Pas terrible, la visibilité, cet après-midi. Qu'est-ce qu'il fait noir! On croirait qu'il fait déjà nuit.

*Continuez tout droit.*

D'accord, ça marche.

Bon, tu voulais parler de quoi, déjà?

*De Chris.*

OK, si tu veux. Tu voulais parler de quelque chose en particulier?

*Oui, de la photo.*

La photo? Tu pourrais préciser? Je ne te suis plus, là.

*Poursuivez tout droit.*

À quelle photo tu penses?

*À la photo pliée.*

Ah, tu veux dire celle d'Alison en bikini?

*Pourquoi l'avait-il pliée?*

Pardon?

*Pourquoi ton père avait-il plié cette photo?*

Je croyais qu'on l'avait établi, ça. Parce que cette photo d'Alison l'excitait, et que c'était la seule moitié qui l'intéressait.

*Tu en es sûr?*

Évidemment. Je ne vois pas d'autre explication.

*Dans quinze cents mètres, tournez à droite.*

Allez, Emma, où tu veux en venir?

*Dans huit cents mètres, tournez à droite.*

Mais non, ça nous ramènerait sur la route d'Aberdeen. Et je t'ai déjà dit que je n'y vais pas, ni aujourd'hui ni jamais.

*Tu le sais.*

Je le sais ? Je sais quoi ? Tu serais mignonne de ne plus parler par énigmes.

*Tu sais pourquoi ton père avait plié la photo.*

On pourrait pas parler d'autre chose ?

*Tournez à droite.*

À gauche, je te dis.

*Tu le sais.*

Mais ferme-la, avec ça, Emma ! Change de disque !

*Dis-le, Max, dis-le.*

Va te faire foutre.

*Ne pleure pas, Max, ne pleure pas. Dis la vérité, c'est tout.*

Je ne pleure pas.

*Tu peux la dire.*

Mais pourquoi tu me fais ça ? Pourquoi tu me fais subir ça ?

*C'était vraiment la photo d'Alison qu'il voulait ?*

Bien sûr que non ! Oh bon Dieu, Papa ! Espèce de misérable... Misérable. Dire que je n'ai rien vu. Dire que personne n'a rien vu. Pourquoi est-ce qu'on n'y a vu que du feu, tous ? C'était Chris, hein ? Tu avais un faible pour Chris. Pendant toutes ces années. Le meilleur ami de ton fils. Tu n'avais d'yeux que pour lui. Et maintenant encore, maintenant encore, tu penses à lui. Même en Australie, tu m'en demandais tout le temps des nouvelles. Et il n'y a sans doute pas que Chris. Il doit y en avoir d'autres. Des amis à moi ? Des amis de Maman ? Qui sait ? Tu as gardé tout ça renfermé en toi, Papa. Tu as gardé ça pour toi, tout le temps, pendant des années. D'ailleurs tu continues à le boucler à double tour aujourd'hui encore, ton triste petit secret. Celui que tu n'as jamais pu avouer, ni à Maman, ni à moi, ni à personne.

*Dans deux cents mètres, faites demi-tour.*

C'est bien triste. C'est tellement tellement triste.

*Faites demi-tour, puis continuez tout droit sur environ cinq kilomètres.*

Vidéo-journal. Quatrième jour.

Eh bien, vous avez sûrement envie de savoir où j'en suis.

J'ai le plaisir de vous annoncer que j'approche des Shetlands. J'approche. Bien sûr, il fait un peu noir, dehors, pour que vous voyiez exactement où je me trouve mais, à vue de nez, je dirais, je dirais, que je suis au large de la côte ouest de l'Afrique. Hier, il est clair que nous avons dépassé Madère par tribord et, aujourd'hui, à bâbord, j'aperçois une masse de rochers menaçants qui doit être une des îles Canaries. À moins que ce soit les Cairngorms, parce que, sauf erreur de ma part, nous sommes sur la B976, et nous roulons vers l'ouest en tournant le dos à Aberdeen. Attendez, je vérifie auprès de ma fidèle navigatrice.

*Dans trois cents mètres, faites demi-tour.*

Ha ha, elle me dit ça depuis un moment. Je vous présente Emma, ma fidèle, ma fidèle navigatrice, disais-je, nous avons eu un petit différend, aujourd'hui, sur l'itinéraire. Elle a l'air de penser qu'à ce rythme il est hors de question de doubler le cap de Bonne-Espérance avant Noël, ce qui nous exposera à du gros temps dans les quarantièmes rugissants; mais enfin, question temps, on est déjà gâtés. Des tourbillons de neige denses, comme

vous le voyez autour de la voiture, et un vent qui hurle
— vous l'entendez? —, difficile de tenir le cap dans ces
conditions, sans compter que le conducteur, enfin, le
capitaine, lève le coude assez régulièrement depuis...
une quinzaine d'heures. Rien ne vaut un petit coup de
ratafia, je le dis toujours, pour vous requinquer dans le
grain. Quoi qu'il en soit, la route commence à tourner, à
tourner dangereusement par ici. Je dépasse pas le 30 à
l'heure, mais les vivres, enfin les vivres en essence, vont
manquer et... ouh là le beau virage, je l'ai pas vu venir,
celui-là, et si vous vous demandez ce qui vient de faire ce
bruit, c'est la caméra qui a glissé du tableau de bord par
terre, et voilà pourquoi vous avez en ce moment une vue
imprenable sur ma chaussure gauche.

OK. On coupe.

Emma?
Emma, tu es toujours là?
*Oui, je suis toujours là.*
Je t'entends plus, depuis un moment.
*Je suis toujours là. Qu'est-ce qu'il y a?*
On s'arrête bientôt? Je sens de nouveau la fatigue.
*Continuez tout droit.*
OK, comme tu voudras. Mais c'est pas le bon moment
pour parler?
*Dans trois cents mètres, faites demi-tour.*
Tu y tiens, hein? Je voulais te parler de mon père et
de Roger.
*Continuez tout droit.*
À bien réfléchir, ce n'est peut-être pas une histoire
aussi triste qu'il y paraît. D'une certaine façon, ils se sont
aimés, tu sais. C'est vrai, Roger m'a l'air d'une sombre

brute, et d'un connard parfois, mais je crois qu'il tenait à mon père. Ce qui veut dire qu'il y avait tout de même quelqu'un qui tenait à lui. Parce que Maman, j'ai des doutes. Si tu y réfléchis, Roger et Papa, ils n'ont pas eu de chance. Et c'est Crispin Lambert qui les a fichus dedans. Sans lui et ses stratégies à la noix, les choses se seraient peut-être arrangées. Encore que je ne sois pas persuadé que mon père aurait eu le cran de faire son coming out, de s'avouer qu'il était... l'homme qu'il était. Mais la voie qu'il a choisie était bien plus difficile, d'une certaine façon. Se leurrer, leurrer ses proches, à longueur de vie. C'était bien le projet de Crowhurst, n'est-ce pas? C'est sans doute pourquoi il me rappelle Papa...

Emma?

*Continuez tout droit.*

*Continuez tout droit.*

C'est bien gentil de dire ça. Je ne peux plus rouler tout droit. Regarde, la route est fermée. La police l'a fermée. Ils ont mis des barrières.

Et puis, où on est, bordel? On vient pas de dépasser une ville?

Voyons voir. Oui, nous sommes là. C'est nous, ça, la petite flèche rouge sur l'écran, qui vient de piler. C'est toi et moi. Mais regarde, juste derrière nous, on voit une toute petite route qui va vers l'ouest et qui contourne le barrage pour nous ramener sur la route principale. Ensuite, il ne reste plus qu'à grimper la montagne, et à passer de l'autre côté. Pas de souci.

Sauf que je ne suis pas sûr qu'on ait assez d'essence. Ça fait un bon moment que la jauge clignote. Bon, tant pis. Qu'est-ce qu'il peut nous arriver, au pire? On a du whisky, tu m'as, je t'ai. Arrêtons-nous là pour la nuit, qu'est-ce que tu en dis?

*C'est toi qui vois, Max. C'est comme tu veux.*

Tu es mignonne. Allons-y, donc.

*Les roues du bus tournent tournent tournent*
*Tournent tournent tournent, toute la journée*
*Les roues du bus tournent tournent tournent*
*Les essuie-glaces du bus font fliff flaff fliff*
*Fliff flaff fliff*
*Les essuie-glaces du bus font fliff flaff fliff toute la journée.*

Tu la connais cette chanson, Emma? Je suis sûr que oui. Reprends avec moi, si tu veux. Allez, chante avec moi. Ça fait du bien d'avoir une petite ritournelle à chanter quand on est dans la panade. Ça soutient le moral.

*Le klaxon du bus fait tut tut tut*
*Tut tut tut*
*Le klaxon du bus fait tut tut tut toute la journée.*

Qu'est-ce qu'il y a, tu connais pas les paroles? Je la lui chantais tout le temps, à Lucy. Elle la savait par cœur. Je me demande si elle s'en souvient encore. On la chantait dans le lit, le matin. Le week-end, quand Caroline se levait pour prendre sa douche la première, Lucy venait me rejoindre dans le lit, elle s'asseyait sur mon estomac et on chantait cette chanson.

*Je ne connais pas les paroles.*

Alors le couplet suivant, ça dit :

*Les enfants du bus sautent sur leur siège*
*Bim bam boum*
*Les enfants du bus sautent sur leur siège toute la journée.*

Et puis :

*Les bébés du bus font ouin ouin ouin*
*Ouin ouin ouin*
*Les bébés du bus font ouin ouin ouin toute la...*

Tu sais quoi ? Je crois qu'on ne va pas arriver à grimper cette côte. La voiture n'est pas faite pour ce type de conduite. Les pneus n'ont pas d'adhérence sur la neige. Et puis tu as entendu ce bloub ? Ça sent la panne sèche. Si près du but ! Si seulement on arrivait en haut, on pourrait sans doute redescendre en roue libre sur l'autre versant. Mais, malheureusement, je ne crois pas qu'on y arrive.

Eh non. La chance n'est pas avec nous.

Bloqués. Sur le sable.

C'est tranquille, ici, hein ?

*Très tranquille.*

Tu sais où nous sommes, hein ?

*Où sommes-nous, Max ?*

Dans le pot-au-noir, bien sûr. Nous sommes encalminés, exactement comme Donald Crowhurst quand sa radio a fini par le lâcher. Sa radio était en panne, mon mobile est mort.

*Mais, Max, il faut que tu te rappelles une chose, une chose très importante. Tu n'es pas Donald Crowhurst, tu es Maxwell Sim.*

Non, tu comprends pas, tu as toujours pas pigé. Tout

ce qui lui est arrivé est en train de m'arriver. C'est en train de m'arriver, là, maintenant.

*Nous sommes dans les Cairngorms, pas dans la mer des Sargasses.*

Ferme les yeux, on pourrait être n'importe où.

*Il faisait chaud, dans sa cabine. Ici il fait froid.*

Qu'à cela ne tienne! On va mettre le chauffage à fond.

*Si tu fais ça, Max, la batterie ne va pas tarder à être à plat.*

Je m'en fiche. Et Crowhurst était nu, non? Il n'a pas passé le plus clair de son temps à poil, au cours des dernières semaines?

*Max, ne fais pas ça, je t'en prie. Maîtrise-toi.*

Qu'est-ce qui t'arrive? Tu n'as jamais vu d'homme nu? Non, peut-être pas, d'ailleurs.

*Max, arrête. Remets ta chemise, et baisse le chauffage. Il fait déjà trop chaud dans cette voiture. Tu vas épuiser la batterie.*

Et hop! le pantalon. Détourne les yeux, si tu ne veux pas avoir un choc. Eh ben voilà, on n'est pas plus à l'aise, comme ça? Plus de secrets entre nous. Et si on buvait un petit coup, à présent? Du Talisker, rien que ça, vingt-cinq ans d'âge, merci Alison et Philip. Tu bois pas avec moi? Je peux pas t'en vouloir. Tu es raisonnable. Moi, j'ai déjà bu ma dose, pour aujourd'hui, mais s'il faut passer toute la nuit sur cette montagne...

Quoi? Qu'est-ce qui s'est passé? Où suis-je? Emma?

*Je suis là, Max.*

J'ai dormi?

*Oui, tu as dormi. Plus d'une heure.*

C'est vrai? Et merde, j'aurais espéré que ça ferait plus longtemps. Bon Dieu, on étouffe, là-dedans.

*Le chauffage marche depuis tout à l'heure. Je t'avais dit de ne pas le mettre aussi fort, la batterie est presque à plat. Tu sais ce que ça veut dire, Max?*

Non, qu'est-ce que ça veut dire?

*Ça veut dire que je suis en train de faiblir. Je me sens partir.*

Oh non! Pas ça! Pas toi, Emma. Ne me quitte pas, je t'en prie.

*Je n'en ai plus pour longtemps. Quelques minutes.*

Je vais baisser le chauffage, je vais l'arrêter complètement.

*Trop tard, Max. Il faut nous dire au revoir.*

Mais, Emma, je ne peux pas me passer de toi. Tu as été, tu as été... tout, pour moi, ces derniers jours. Sans toi... sans toi, je ne peux plus avancer.

*Il faut qu'il en soit ainsi.*

Non, non! Tu ne peux pas partir! J'ai besoin de toi.

*Ne pleure pas, Max. On a passé des bons moments ensemble. Maintenant c'est le bout du voyage. Il faut que tu l'acceptes, si tu peux Il ne nous reste plus que quelques minutes à passer ensemble.*

Non! Je ne peux pas accepter ça!

*Est-ce que tu aurais quelque chose à me dire, à présent?*

Quoi? De quoi tu parles?

*Est-ce que tu aurais quelque chose à me confier, avant que je parte?*

Je ne comprends pas.

*Je pense que tu as quelque chose à m'avouer. Un petit secret. Quelque chose que tu n'as jamais dit à Caroline. Quelque chose qui a un rapport avec Chris.*

Avec Chris?

*Oui. Tu sais de quoi je parle, n'est-ce pas ?*

Tu veux dire...

*Oui ?*

Tu veux dire, ce qui s'est passé en Irlande ? La fosse aux orties ?

*C'est ça. Allez, vas-y, Max. Ça te soulagera de le dire à quelqu'un.*

Oh ! mon Dieu, mon Dieu... Comment est-ce que tu le sais ?

*Dis-le à haute voix. Dis-moi ce qui s'est passé. Dis-moi ce qui est arrivé au pauvre petit Joe. Ce que tu lui as fait.*

Putain ! merde... putain !

*Pleure, si tu veux, c'est pas grave. Il faut que ça sorte.*

Tu veux la vérité ?

*Bien sûr que je veux la vérité. La vérité est toujours belle.*

Mais la vérité, Emma, la vérité, c'est que... oh mon Dieu ! La vérité, c'est que je le détestais. N'est-ce pas terrible à dire ? Ce n'était qu'un petit garçon, un petit garçon curieux, heureux, plein de vie. Et moi je le détestais d'être aussi heureux. Je le détestais d'avoir Chris pour père. D'avoir deux sœurs avec qui jouer. Je le détestais d'avoir tout ce que moi je n'avais jamais eu. Tout ce que Papa ne m'avait jamais donné.

*Pleure, si tu en as envie.*

Je ne m'en étais jamais rendu compte, tu vois. Je n'aurais jamais cru avoir tant de haine en moi. Je n'aurais jamais cru pouvoir détester un enfant à ce point.

*Ne retiens pas tes larmes, Max. Pleurer te fera du bien. Et alors, qu'est-ce qui s'est passé ? Qu'est-ce que tu as fait ?*

Je ne peux pas le dire.

*Mais si, tu peux. Tu peux le dire, Max. Il jouait à la corde, c'est ça ? Il se balançait au-dessus de la fosse aux orties ?*

Oui.

*Et puis il est passé sur l'autre bord, et il a voulu lâcher la corde, et là, qu'est-ce que tu as fait ?*

Je peux pas le dire.

*Si, tu peux le dire, tu peux, Max. Je le sais, ce qui s'est passé. Tu l'as poussé.*

Je...

*C'est bien ça ? Tu l'as poussé dedans ? Est-ce que tu l'as poussé, Max ?*

Oui, oui, je l'ai poussé. Et il l'a compris, en plus. Il savait que c'était moi. Il l'a dit à son père. Chris n'a pas voulu le croire, au début. Mais je pense qu'il a fini par le croire. Et c'est pour ça qu'ils sont partis tous les cinq. C'est pour ça qu'il ne me parle plus.

*Pleure, si tu en as envie. Mais il vaut mieux que tu arrives à en parler.*

Ça a été plus fort que moi. Je voulais lui faire mal. Je voulais tellement lui faire mal. Je n'aurais jamais cru vouloir faire mal à quelqu'un à ce point. Dire qu'il n'avait que huit ans ! Huit ans, merde. J'ai mauvais fond. Je suis un sale type. Je n'aurais pas dû te le dire, hein ? Est-ce que tu me détestes, maintenant, Emma ? Est-ce que tu pourras me pardonner ? Est-ce que tu pourras m'aimer de nouveau ?

*Je suis la seule personne à qui tu pouvais le dire, Max. Parce que je ne juge pas, tu sais bien. Je suis contente que tu me l'aies avoué. C'est bien que tu me l'aies avoué. Il fallait que tu l'avoues un jour. Mais la batterie est pratiquement à plat, à présent. Il va falloir que je te dise au revoir. Je vais devoir t'abandonner, Max.*

Emma, ne t'en va pas !

*Il le faut. Je vais t'abandonner à la merci des éléments. La neige tombera sur toi. Les ténèbres te recouvriront. Les éléments t'ont réduit à cette situation. À présent, ce sont eux qui te maîtrisent.*

Tu n'as plus rien à me dire? Parce que, moi, je vais te dire quelque chose, quelque chose que je veux te dire depuis une éternité.

*D'accord, une dernière chose chacun, à toi.*

D'accord. Alors voilà. Je t'aime, Emma. Je t'aime vraiment. Ça fait des jours que j'ai envie de te le dire, mais je n'ai jamais osé. Le cran m'a manqué. Le cran m'a toujours manqué. Mais, voilà, c'est sorti. Je t'aime. Je t'ai toujours aimée. Dès l'instant où j'ai entendu ta voix pour la première fois...

*Alors, au revoir, Max...*

Mais, mais... qu'est-ce que tu allais me dire, toi?

*Dans trois cents mètres, faites demi-tour.*

Emma...

Emma, je t'en prie, ne pars pas...

Ne me laisse pas tout seul. Ne me laisse pas tout seul ici.

Je t'en prie...

Emma? Emma?

# FAIRLIGHT BEACH

## XXI

Quand j'ai vu la Chinoise et sa fille jouer aux cartes à leur table du restaurant, les lumières du port de Sydney miroitant derrière elles, j'ai compris que j'allais bientôt, très bientôt, trouver ce que je cherchais.

Nous étions le 11 avril 2009, deuxième samedi du mois.

J'étais arrivé au restaurant vers sept heures, elles trois quarts d'heure plus tard. Elles ne semblaient avoir changé en rien depuis la dernière fois que je les avais vues, pour la Saint-Valentin. Tout à fait semblables à elles-mêmes. Jusqu'à la robe de la petite fille, peut-être. Et tout ce qu'elles ont fait à leur table a été exactement semblable, aussi. Elles ont commencé par dévorer un copieux repas, étonnamment copieux, même, quatre plats chacune. Et puis, lorsque le serveur est venu débarrasser la table et qu'il a apporté un chocolat chaud à la fille et un café à la mère, la Chinoise a sorti son paquet de cartes et la partie a commencé. Tout comme la première fois, j'aurais été en peine de dire à quoi elles jouaient; sans être un jeu d'adultes, ce n'était pas non plus un jeu d'enfants comme la bataille. Toujours est-il qu'elles s'y absorbaient totalement. Une fois la partie commencée, elles semblaient dans un cocon d'intimité, oublieuses de la présence des autres dîneurs. La terrasse n'était pas aussi bondée que la dernière fois, en partie parce qu'on n'était pas à la Saint-Valentin, et puis aussi parce qu'il faisait aujourd'hui nettement plus frais, à Sydney, on y sentait déjà l'automne; beaucoup de gens préféraient dîner à l'intérieur, et j'étais content que la Chinoise et sa fille se soient installées en terrasse, où je pouvais les revoir fidèles en tout point à mon souvenir, les lumières du port miroitant sur l'eau derrière elles. J'essayais de les regarder discrètement, juste un petit coup d'œil dans leur direction de temps en temps, sans les dévisager ouvertement, ni rien. Je ne voulais pas les gêner.

Au début, j'ai éprouvé un plaisir sans mélange à les voir. J'étais heureux de savourer ce sentiment puissant d'ordre et de sérénité qui m'avait envahi en les voyant arriver sur la terrasse. Après tout, le serveur avait eu beau m'assurer il n'y avait pas si longtemps qu'elles venaient régulièrement le deuxième samedi du mois, j'avais eu du mal à croire qu'elles seraient effectivement là ce soir. Si bien que ma première réaction avait été le soulagement pur et simple. Et pourtant, cette réaction a été rapidement suivie d'une anxiété croissante. Car j'avais eu beau y réfléchir des heures, je n'avais pas réussi à trouver une entrée en matière astucieuse pour les aborder. Leur servir une formule éculée du type : « Excusez-moi, mais nous ne nous sommes pas déjà vus quelque part ? » ne m'avancerait à rien, j'en étais bien conscient. Mais d'un autre côté, si je leur disais que j'avais pris l'avion depuis Londres essentiellement dans l'espoir de les revoir, je risquais de les affoler. Existait-il un juste milieu entre ces deux approches? Peut-être que si je leur disais la vérité, à savoir que je les avais vues dans ce restaurant deux mois plus tôt, et qu'elles étaient devenues pour moi une sorte d'emblème, de symbole de tout ce qu'une relation entre deux êtres humains devrait être, à une époque où les gens étaient sans doute en train de perdre toute capacité de faire le lien entre eux, alors même que la technologie leur en offrait des possibilités toujours plus nombreuses... non, j'allais m'embourber si je poursuivais trop loin dans cette direction. Mais enfin quand même, avec un peu de chance, si les mots qu'il fallait parvenaient à sortir de ma bouche, c'était peut-être un angle d'attaque envisageable. Et puis, j'avais intérêt à me dépêcher si je voulais saisir la chance de leur parler ce soir. Il se faisait tard et la petite fille donnait des signes de fatigue. Elles allaient partir d'une minute à l'autre. Déjà, la partie de cartes était finie. Elles s'étaient remises à parler, à rire, à faire semblant de se disputer sur Dieu sait quoi, et la Chinoise cherchait le serveur des yeux, pour lui demander l'addition, sans aucun doute.

Bon, c'était le moment. Mon cœur battait la chamade. J'étais sur le point de me lever et de m'avancer jusqu'à leur table lorsque quelque chose m'a arrêté. Quelque chose, ou plutôt quelqu'un. Car à cet instant précis, inopinément, mon père est apparu sur la terrasse, et s'est approché de ma table

Oui, mon père. C'était bien la dernière personne que je me serais attendu à voir en cet instant. Il était censé se trouver à Melbourne, avec Roger Anstruther.

Soit, j'admets que j'ai sauté quelques épisodes essentiels. Sans doute est-il temps de revenir en arrière.

On était samedi après-midi quand j'ai fini par me réveiller dans une chambre d'hôpital, à Aberdeen. À mon chevet se trouvaient deux personnes : Trevor Paige et Lindsay Ashworth. Ils étaient venus me ramener chez moi.

Le lendemain, Trevor et moi sommes rentrés à Londres par le train, tandis que Lindsay revenait au volant de la Prius. Pendant le voyage, Trevor m'a donné des nouvelles des Brosses à Dents Guest ; elles avaient été mises en liquidation judiciaire le jeudi matin, la banque refusant de prolonger leur crédit. L'annonce en avait été faite à peu près au moment où je me trouvais du côté de Dundee, mais personne n'avait réussi à me joindre. Les dix membres du personnel se trouvaient tous au chômage, et le projet de lancer la nouvelle gamme au salon de la British Dental Trade Association avait bien entendu avorté. Tous les plans de Lindsay Ashworth étaient réduits à néant.

Une fois à Watford, il m'a fallu plusieurs jours pour me remettre. J'ai passé les trois quarts de la semaine au lit. Je dois dire que j'ai eu beaucoup de visites. Trevor et Lindsay sont venus me voir, bien sûr, mais aussi Alan Guest lui-même, ce qui m'a semblé une attention délicate. Il avait l'air très culpabilisé par la façon dont la campagne s'était terminée pour moi, comme s'il y était pour quelque chose ; je lui ai dit de ne pas s'inquiéter sur ce chapitre. Poppy est venue me voir deux fois, et la seconde elle a amené son oncle. Mieux encore, pendant le week-end, j'ai été l'heureux témoin d'un vrai petit miracle, sous la forme d'une visite de Caroline et

Lucy. Elles ne sont pas restées coucher à la maison, mais quand même, c'était leur première visite depuis la séparation, et Caroline m'a assuré que ce ne serait pas la dernière.

Dès que je me suis senti mieux, j'ai contacté mon ex-employeur et j'ai pris rendez-vous avec Helen, le médecin du travail. Je lui ai dit que j'envisageais de reprendre mon poste au magasin, s'il était toujours vacant. Helen a été un peu déconcertée par ce revirement, je l'ai bien vu. On avait nommé un nouveau responsable du service après-vente, mais elle allait consulter la DRH, me dit-elle. Elle m'enverrait par courriel une liste des postes à pourvoir dans d'autres rayons, et elle m'a assuré que toute candidature de ma part recevrait un accueil bienveillant. Elle a tenu parole. La liste est arrivée, j'ai candidaté pour un poste au rayon des tissus d'ameublement, et j'ai le plaisir de vous apprendre que je l'ai obtenu ; il est convenu que je débute le lundi 20 avril.

En attendant, j'avais pris une résolution, et je m'apercevais qu'il ne me restait plus beaucoup de temps pour la mettre à exécution. Un matin, je me suis installé à la cuisine avec le sac-poubelle contenant les cartes postales de Roger Anstruther. Je l'ai renversé sur la table, et j'ai commencé à faire le tri. Je voulais tout d'abord les classer par ordre chronologique, ce qui n'était pas facile car elles n'étaient pas toutes datées, et que le cachet de la poste était souvent illisible sur celles qui ne l'étaient pas. Il m'a fallu jouer aux devinettes assez souvent. Tout de même, au bout de quelques heures j'avais suffisamment progressé pour dresser une carte sommaire de ses pérégrinations au fil des dernières années. Depuis janvier

2006, il avait voyagé à partir de la Chine du Sud, traversé le Myanmar, la Thaïlande, le Cambodge et l'Indonésie ; il avait passé près d'un an dans l'île de Palau, à plus de neuf cents kilomètres à l'est des Philippines. Difficile d'imaginer un coin plus reculé, et l'idée que Roger ait pu s'y installer rendait mon projet encore plus farfelu qu'au départ. Car je me proposais en effet de... Ah, vous avez deviné, depuis le temps ? Bien sûr. Je m'étais mis en tête d'opérer une sorte de réconciliation entre Roger Anstruther et mon père. De commencer par contacter Roger, pour que lui et mon père puissent se revoir ; se revoir en chair et en os, et non pas seulement se contacter par mail ou par téléphone. Pour autant, à considérer la distance géographique entre eux, l'idée m'a bientôt paru absurde. Ils occupaient certes le même hémisphère, mais c'était tout. Néanmoins, plus j'y pensais, plus je me disais que leurs retrouvailles relevaient non pas d'un fantasme creux, mais d'une nécessité. L'histoire de mon père avec Roger devait s'achever ainsi. J'en étais convaincu jusqu'à la moelle, tout cela ne pouvait être un simple hasard, leurs retrouvailles se superposaient à leur destinée, et les faire advenir était la tâche qui m'incombait sur terre. Vous vous dites peut-être que je n'avais pas tout à fait recouvré mes esprits, depuis l'issue calamiteuse de mon voyage ? Attendez un peu, écoutez la suite. Il restait encore une ou deux douzaines de cartes postales à trier dans le sac-poubelle et, lorsque je les ai sorties, j'ai découvert que la plupart dataient des années quatre-vingt-dix, mais qu'il y en avait une beaucoup plus récente. C'était une vue du front de mer à Adélaïde, et elle était datée de... janvier 2009.

Roger se trouvait donc en Australie. Lui et mon père

vivaient à moins de quinze cents kilomètres l'un de l'autre. Ma respiration s'accélérant, j'ai lu et relu le message au dos de la carte.

*Lassé de vivre au bout du bout du monde. Commence à soupirer après le confort occidental. Me dis également, bien que ce soit une idée morbide, qu'il faudrait que je me mette en quête d'un lieu où finir mes jours. Me voici donc ici, pour quelques mois au moins. J'ai marqué ma pension d'une flèche; on devait y avoir une jolie vue sur la baie, en des temps révolus, mais les nouvelles copropriétés y ont mis bon ordre.*

Dites voir : ça n'est pas le destin, pour vous ?

Souvent, ces dernières semaines me l'avaient montré, Internet met des barrières entre les gens au lieu de faire le lien. Mais il y a aussi des fois où la toile vous simplifie la vie, un vrai bonheur. Il ne m'avait pas fallu plus de quelques heures pour trouver la vue du front de mer sur Google Earth, repérer la pension, découvrir son nom et son adresse, et envoyer un courriel aux propriétaires leur demandant s'ils avaient bien un client de ce nom. La réponse m'arrivait le lendemain matin, et c'était celle que j'espérais.

Donc, j'avais déjà trouvé Roger Anstruther.

Je me suis envolé pour l'Australie le 4 avril. Mon séjour serait de courte durée, cette fois, à peine plus d'une semaine — même pas le temps de se remettre du décalage horaire. En plus, je ne pouvais guère me le permettre financièrement — sauf à contracter de nouvelles dettes. Mais il fallait le faire. Au début, j'avais pensé arriver chez mon père à l'improviste, considérant qu'il vaudrait mieux le surprendre. Et puis je m'étais rendu compte que c'était une bêtise : on ne s'envole pas pour les antipodes — au prix que ça coûte — histoire de voir son père à tout hasard. Et s'il était justement parti en virée ? S'il avait décidé de prendre quinze jours de vacances ? Alors, la veille de mon départ, j'ai essayé de lui téléphoner, mais je n'ai pas pu l'avoir. Son fixe ne répondait pas, et son portable non plus. J'ai commencé à paniquer. Il était peut-être tombé mort sur le sol de sa cuisine, dans son nouvel appartement. À présent, il fallait absolument que je parte le voir.

Naturellement, quand j'ai sonné à sa porte, trente-six heures plus tard, il n'a pas mis deux secondes à répondre.

« Qu'est-ce que tu fais là ? m'a-t-il dit.

— Je suis venu te voir. Tu ne réponds pas au téléphone ?

— Tu m'as appelé ? Il a un problème, le téléphone, je ne sais pas comment j'ai fait, mais j'ai neutralisé la sonnerie, et maintenant je n'entends pas quand on m'appelle.

— Et ton mobile ?

— La batterie est à plat et je ne trouve plus le chargeur. Tu n'as tout de même pas fait tout le voyage pour ça, si ? »

J'étais toujours sur le seuil de la porte.

« Je peux entrer ? »

Je pense que mon père a été sincèrement touché que je revienne le voir si peu de temps après ma dernière visite. Touché, et stupéfait. Cette semaine-là, nous n'avons rien fait de spécial, dans l'ensemble, mais il y a eu entre nous un naturel, et (oserai-je dire) une proxi-

404

mité inédite. Je lui ai rendu le précieux classeur bleu que j'étais allé récupérer à Lichfield et je lui ai dit que j'avais lu ses Mémoires, *The Rising Sun*, mais, cela mis à part, nous n'en avons pas parlé. Pendant un moment, du moins. Je n'ai pas davantage précisé que les strates successives des cartes postales de Roger occupaient la moitié de ma valise. J'attendais mon heure, et nous avons passé les premiers jours occupés à de menues tâches domestiques. Mon père était dans les murs depuis trois mois, mais l'appartement n'était pas encore convenablement meublé, de sorte que nous avons pris le temps de faire la tournée des marchands de meubles pour lui acheter chaises, placards, ainsi qu'un lit d'appoint. En outre, il avait un vieux poste de télé qui devait avoir vingt ans, et qui marchait tout juste, si bien qu'un jour nous sommes allés lui acheter un bel écran plat avec lecteur DVD. Il a protesté qu'il n'aurait plus de quoi passer ses vieilles vidéocassettes et que les télécommandes étaient devenues si petites qu'il risquait de les égarer mais, dans le fond, je crois qu'il était content ; et pas seulement de son poste, mais en général. Les choses se passaient déjà beaucoup mieux que lors de ma précédente visite.

Vendredi soir est arrivé, et je ne lui avais toujours pas dit ce que j'avais mijoté pour le lendemain. Nous avons commandé des plats chinois et ouvert une bonne bouteille de shiraz de Nouvelle-Zélande, et puis pendant qu'il découpait le quart de canard laqué et qu'il sortait les ravioles de leur emballage de cellophane, je suis passé dans la pièce à côté, et je lui ai dit en revenant :

« J'ai quelque chose pour toi, Papa. »

J'ai posé un billet Qantas sur la table, entre nous.

« Qu'est-ce que c'est ?

— Un billet d'avion. »

Il l'a pris et l'a regardé.

« C'est un billet pour Melbourne, a-t-il dit.

— Exactement.

— Pour demain.

— Oui, pour demain. »

Il l'a reposé.

« Mais qu'est-ce qui se passe ?

— Tu vas à Melbourne demain.

— Qu'est-ce que tu veux que j'aille faire à Melbourne ?

— Il y a, il y aura quelqu'un là-bas demain qu'il serait bon que tu voies. »

Il m'a regardé sans comprendre. Ma formule avait dû lui donner à penser qu'il s'agissait d'un médecin spécialiste.

« Mais qui donc ?

— Roger.

— Roger ?

— Roger Anstruther. »

Mon père a cessé de découper le canard en minces aiguillettes croustillantes, et il s'est assis.

« Tu es en contact avec Roger ? Mais comment ?

— Je l'ai pisté.

— Comment ça ?

— J'ai trouvé un indice dans la dernière carte postale qu'il t'a envoyée, et que j'ai récupérée à Lichfield.

— Il m'écrit toujours ?

— Oui. Il n'a jamais cessé de t'écrire. Je dois avoir deux cents cartes postales de lui dans ma valise, là-haut. »

Mon père s'est gratté la tête.

« Et il veut me voir ?

— Oui.

— Tu lui as parlé ?

— Oui.

— Et quelle impression il t'a faite ?

— Il a l'air d'avoir très envie de te voir.

— Il vit à Melbourne, à présent ? »

J'ai fait « non » de la tête. « À Adélaïde. On a choisi Melbourne parce que c'était à peu près à mi-chemin entre lui et toi. »

Mon père a repris le billet, il a regardé l'heure du vol, sans paraître enregistrer les détails pour autant.

« Je vois que tout est réglé, alors.

— Si tu en es d'accord.

— Où avons-nous rendez-vous ?

— Au salon de thé des Jardins botaniques, j'ai dit. Demain, à trois heures de l'après-midi. »

Il a reposé le billet, pris son couteau et sa fourchette, et s'est remis à découper le canard, le front plissé par la réflexion. Pendant un bon moment, il n'a rien ajouté. Mon père, je commence à m'en apercevoir, a le génie du silence.

Ce soir-là, néanmoins, j'ai bien vu qu'il était en proie à une grande agitation. Je lui ai donné les liasses de cartes postales et, quand je suis allé me coucher, je l'ai laissé à la table de cuisine, en train de les lire l'une après l'autre. À trois heures du matin, réveillé à cause du décalage horaire, j'ai vu de la lumière sous la porte de sa chambre. J'entendais craquer le plancher qu'il arpentait. Je soupçonne que ni lui ni moi n'avons dormi de la nuit, après ça.

Le lendemain matin, j'étais le premier à la cuisine.

Vers sept heures, alors que j'étais en train de faire le café, il est entré en disant à brûle-pourpoint : « Tu ne m'as pas pris de billet de retour ?

— Non.

— Pourquoi ?

— Je ne savais pas combien de temps tu voudrais rester. Je me suis dit que ça dépendrait de la façon dont les choses se passeraient. Il va falloir que tu prennes ton retour toi-même.

— Je n'ai pas de quoi m'offrir un vol Melbourne-Sydney.

— Je te rembourserai. »

Quand j'ai dit ça, il a fait quelque chose... enfin, il a fait quelque chose que j'ai trouvé extraordinaire. Si vous avez eu la chance d'entretenir des rapports raisonnablement normaux avec vos parents, vous aurez du mal à comprendre à quel point c'était extraordinaire pour moi. D'abord, il a dit : « Merci, Max. » Puis il a ajouté : « Il ne fallait pas, tu sais. » Jusque-là, tout était normal. Mais ce qui était insolite, c'est que, tout en le disant, il s'est approché de moi qui étais en train de verser l'eau bouillante sur le café en poudre, et qu'il m'a mis une main sur l'épaule. Il m'a touché !

J'avais quarante-huit ans. Je ne me souvenais pas qu'il ait fait une chose pareille auparavant. Je me suis retourné et nos yeux se sont croisés, fugacement. Mais c'était un instant trop pénible pour lui comme pour moi, nous avons promptement détourné le regard.

« Qu'est-ce que tu vas faire de ta journée ? m'a-t-il demandé.

— Rien de grandiose, sauf que ce soir je dois aller au restaurant. J'espère y retrouver quelqu'un, moi aussi. »

Je lui ai raconté qu'il s'agissait du restaurant où nous avions failli dîner ensemble lors de ma dernière visite. Je lui ai aussi un peu parlé de la Chinoise et de sa fille.

« Tu la connais, cette femme ? m'a-t-il demandé comme je lui tendais un mug de café instantané.

— Non, pas exactement, mais... (j'avais le sentiment de dire quelque chose de bizarre, je me suis expliqué laborieusement)... en un sens, j'ai l'impression de la connaître. J'ai l'impression de la connaître depuis longtemps.

— Je vois, il a conclu sur un ton dubitatif. Elle est mariée ? Elle a un ami ?

— Je ne crois pas. Je suis même assez convaincu que c'est une mère célibataire.

— Et ce soir, tu te disposes à lui parler, c'est ça ?

— C'est ça.

— Eh bien, bonne chance.

— Bonne chance à toi, Papa, j'ai dit, ça va être un grand jour pour nous deux. »

Nous avons trinqué avec nos mugs, et bu au succès de nos prochaines aventures.

Une demi-heure plus tard environ, juste avant son départ, je lui ai rappelé que j'avais retrouvé le chargeur de son téléphone portable et que je l'avais laissé sur la bibliothèque, dans le séjour.

« Ne l'oublie pas, surtout ! » je lui ai lancé — il était dans sa chambre, en train de mettre quelques affaires dans un petit sac.

« Ne t'inquiète pas ! m'a-t-il crié. Je l'ai pris. Je l'ai là. »

Et moi, comme un imbécile, je l'ai cru.

Et voilà, il était là, de retour à Sydney, quelque douze heures plus tard; il s'asseyait en face de moi sur la terrasse du restaurant, et les lumières du port miroitaient derrière nous. Outre la Chinoise et sa fille, nous étions les derniers clients à l'extérieur : il soufflait une brise de mer frisquette. Elle ébouriffait mon père, qui avait la chance d'avoir encore tous ses cheveux, à son âge. Tout en me disant cela, j'ai passé la main dans les miens, presque entièrement gris à présent mais, comme ceux de mon père, épais et drus; j'ai pensé que je devais les tenir de lui, et que je devrais lui en être reconnaissant parce qu'à mon âge bien des hommes sont déjà presque chauves. Là-dessus, j'ai regardé mon père et je me suis rendu compte que je lui ressemblais à bien des égards : la couleur des yeux, le dessin du menton, cette habitude que nous avons tous deux de faire tourner le liquide dans notre verre avant de boire, et pour la première fois ce constat a été bienvenu, positif, il m'a fait chaud au cœur — j'avais comme l'impression de rentrer chez moi.

« J'espérais bien te trouver ici, m'a-t-il dit. Tu as fini de manger? Tu veux boire un verre avec moi? Parce que, crois-moi, j'ai bien besoin d'un verre. »

Je lui ai dit que je l'accompagnerais volontiers, et il a commandé deux grands amarettos — sauf qu'il a dit « amaretti ».

« Alors, comment ça s'est passé? j'ai demandé, tout en voyant qu'il avait dû y avoir un problème. Comment ça s'est passé, avec Roger? Tu l'as reconnu, après toutes ces années? »

Le serveur nous a apporté nos verres aussitôt (c'est l'une des choses que j'apprécie dans ce restaurant, la qualité exceptionnelle du service) et puis il s'est avancé vers la table voisine, sans doute pour l'addition de la Chinoise et sa fille.

Mon père a fait tourner son amaretto dans son verre avant d'en boire une lampée substantielle.

« Qui a eu l'idée qu'on se retrouve au salon de thé des Jardins botaniques, toi ou Roger ?

— Moi, pourquoi ? Ça n'était pas une bonne idée ? Ne me dis pas qu'il était fermé pour travaux ou je ne sais quoi.

— Non, non, c'était une excellente idée, au contraire. Les jardins sont superbes. Je m'étonne seulement que ce soit toi qui aies choisi ; je n'aurais pas cru que tu étais déjà allé à Melbourne...

— Je n'y suis jamais allé, mais j'ai un ami Facebook qui y habite, alors je lui ai demandé de suggérer un point de rencontre. C'est plutôt son idée que la mienne, en somme.

— Ah ! Ah bon. Très bien, alors. »

« Très bien », c'était vite dit. Je sentais qu'il y avait quelque chose qui n'allait pas du tout.

« Mais... ?

— C'est-à-dire... » Mon père a bu une gorgée, puis il a réfléchi à ce qu'il allait dire. « C'est-à-dire, c'était une idée charmante, Max, sauf que...

— Oui ? »

Il s'est penché vers moi pour me confier : « Sauf qu'il y a *deux* salons de thé dans les Jardins botaniques. L'un près de l'entrée principale, face au monument aux morts, l'autre à côté du lac d'agrément. Moi, je suis allé à celui du lac.

— Et Roger ?

— Eh bien, apparemment, il est allé à l'autre. »

Je commençais à prendre la mesure de l'absurdité totale, de l'horreur absolue de la situation.

« Vous vous êtes ratés ? »

Mon père a hoché la tête.

« Mais je lui avais donné ton numéro de mobile, et j'avais enregistré son numéro sur le tien. Il n'a pas essayé de t'appeler ?

— Si, quatorze fois. Comme je l'ai découvert en arrivant chez moi. Tiens. »

Il a sorti son téléphone portable de sa poche, et m'a montré le petit message sur l'écran : « 14 appels en absence ».

« Et pourquoi est-ce que tu n'as pas répondu ?

— Je n'avais pas mon téléphone sur moi.

— Tu n'avais pas ton téléphone sur toi ? Mais, Papa, espèce d'idiot, je te l'ai demandé, si tu avais ton téléphone, et tu m'as dit que oui. Ce matin même, je te l'ai demandé.

— Je croyais l'avoir pris, mais non. J'avais pris ça à la place. »

Il a sorti un objet de son autre poche et l'a posé sur la table entre nous. C'était la télécommande de son nouveau poste à écran plat.

« Reconnais qu'ils se ressemblent beaucoup », a-t-il dit en les plaçant côte à côte.

C'était vrai, en effet.

« Et alors ? Qu'est-ce qui s'est passé ?

— Eh bien, je suis arrivé au salon de the vers trois heures moins dix, et je suis resté à ma table environ une demi-heure, au bout de laquelle je me suis avisé que Roger était en retard. J'ai sorti mon portable pour savoir s'il avait appelé, et c'est là que j'ai découvert que j'avais emporté la télécommande à sa place. Bah, je ne me suis pas affolé, sur le moment, je croyais encore qu'il n'y avait qu'un seul salon de thé aux Jardins, et que je m'y trouvais. J'ai donc attendu encore vingt minutes, et puis une serveuse est venue débarrasser ma table, et je lui ai demandé : "Au fait, si vous disiez à quelqu'un que vous l'attendez au salon de thé des Jardins botaniques, c'est ici que vous l'attendriez?" Elle m'a souri, et elle m'a répondu : "Bien sûr", puis en repartant elle s'est retournée pour me lancer : "Ah, sauf si vous parlez de l'autre, évidemment." »

Avant de boire, nous avons tous deux fait tourner l'amaretto dans nos verres, qui étaient presque vides.

« À ce moment-là, j'ai compris ce qui s'était passé. J'ai demandé à la serveuse combien de temps il fallait pour aller de l'un à l'autre à pied, elle m'a dit dans les dix minutes, un quart d'heure (elle voyait que je n'étais plus de première jeunesse) ; je lui ai demandé s'il y avait un seul chemin ou plusieurs ; il y en avait plusieurs. Alors je me suis dit que Roger avait dû s'apercevoir de ce qui se passait, lui aussi, et qu'il valait mieux ne pas bouger. Je suis donc resté encore vingt minutes, et puis là il faut croire que j'ai perdu les pédales. Parce que j'aurais très bien pu demander au personnel du salon de thé de téléphoner à l'autre établissement pour savoir s'ils avaient un client qui corresponde à la description de Roger, seulement voilà, je n'y ai pas pensé, je me suis levé, et je suis parti pour l'autre salon de thé. Ce qui m'a pris dans les vingt-cinq minutes, parce que je ne marche plus tellement vite, aujourd'hui, et que je n'arrêtais pas de me perdre. Toujours est-il que, quand je suis arrivé, Roger était parti.

— Il y était au départ?

— Oh oui, le type du comptoir me l'a décrit sans équivoque.

— Mais ça fait quarante ans que tu ne l'as pas vu. »

Mon père a souri. « Je sais. Mais c'est bien Roger qu'il m'a décrit. Il y a des choses qui ne s'oublient pas.

— Et alors, qu'est-ce qui s'est passé?

— Alors, j'ai... » Mon père se préparait à se lancer dans la suite de son récit, mais le découragement l'a pris.

« Oh, Max, m'a-t-il dit, tu veux vraiment le savoir? Encore un verre? »

Nous avons commandé deux autres amarettos au serveur : c'est à ce moment-là que je me suis aperçu que la Chinoise et sa fille avaient disparu.

« Oh non! Elles sont parties! » j'ai lancé, anéanti. Je ne les avais même pas vues s'en aller.

« Qui est parti?

— La femme et sa fille, celles à qui je voulais parler.

— Tu n'as pas trouvé moyen?

— Non.

— J'étais convaincu que tu l'avais déjà fait.

— J'allais justement me lancer quand tu es arrivé, et maintenant les voilà parties. »

Dans ma détresse, je me suis levé de table pour mieux voir les alentours; elles avaient déjà fait cent mètres, main dans la main, en direction de Circular Quay. J'ai bien pensé un instant courir après elles. J'avais fait le voyage depuis Londres pour parler à cette femme, tout de même. À vrai dire, j'aurais sans doute quitté la terrasse séance tenante et piqué un sprint à leur poursuite si mon père n'avait pas posé la main sur mon bras pour me retenir.

« Assieds-toi, m'a-t-il dit. Tu pourras leur parler demain.

— Comment ça, demain ? lui ai-je répondu, irrité contre lui, à présent. Elles sont parties, tu m'entends ? Elles sont parties, et je n'ai aucun moyen de les retrouver, sauf à revenir dans un mois.

— Tu pourras leur parler demain, a répété mon père, je sais où elles seront. »

Notre deuxième tournée d'amarettos est arrivée. Le serveur nous a précisé qu'ils étaient offerts par la maison. Nous l'avons remercié, et mon père a repris : « Si tu parles de la femme avec sa petite fille qui étaient assises dans l'angle, là-bas... » J'ai acquiescé, ma respiration s'accélérant de crainte qu'il s'amuse à me faire une fausse joie. « Je les ai entendues parler en arrivant. La petite demandait si elle pourrait aller se baigner demain, et la mère lui a répondu que oui, s'il faisait beau. La petite a dit qu'elle voulait aller à Fairlight Beach.

— Fairlight Beach ? Où est-ce ?

— C'est une petite banlieue balnéaire, du côté de Manly. La plage est abritée, et il y a une piscine naturelle. C'est là qu'elles seront demain, apparemment.

— S'il fait beau.

— S'il fait beau.

— Et qu'annonce la météo ?

— De la pluie, a dit mon père en sirotant son amaretto. Mais en général, ils se trompent.

— Elles ont dit à quelle heure elles iraient ?

— Non, il vaut sans doute mieux que tu y sois de bonne heure si tu ne veux pas les rater. »

Était-ce jouable ? Mon avion pour Londres décollait à dix heures du soir, je n'avais pas de projets pour la journée. L'idée de passer des heures sur cette plage à guetter la Chinoise et sa fille ne me souriait guère, malgré tout. Mais que faire d'autre ? J'éprouvais désormais un besoin dévorant de lui parler, ne serait-ce que pour échanger quelques mots. L'idée de rentrer à Londres sans avoir noué quelque contact que ce soit avec elle m'était insupportable.

« Bon, j'ai soupiré. Je vais bien être obligé, alors.

— Ne t'en fais pas, Max, tout ira bien. »

Je l'ai regardé avec étonnement. Pas de doute, je lui découvrais de nouvelles facettes, cette semaine. Ce n'était pas son genre de tenir des propos rassurants.

« Je te trouve très... calme, si on pense à la journée que tu as passée.

— Qu'est-ce que tu veux qu'on y fasse ? Il y a des choses, comme ça, Max, des choses qui ne devaient pas se faire. Ça fait plus de quarante ans que je n'ai pas vu Roger. Ça fait cinquante ans que nous avons vécu les événements décrits dans mes Mémoires. J'ai survécu sans lui pendant tout ce temps. Certes, j'ai été déçu qu'on ait réussi à se louper une seconde fois aujourd'hui. J'avais le sentiment abominable que l'histoire se répétait, comme tu peux penser. Mais voilà. Je suis retourné au salon de thé, le premier, celui qui se trouve près du lac d'agrément. J'y ai passé un moment. J'ai bu une bière. Je me disais, s'il vient tant mieux, s'il ne vient pas tant pis. Il n'est pas venu. L'après-midi était magnifique. Il fait bien meilleur à Melbourne qu'ici. J'ai bu ma bière, j'ai écouté les chants de tous ces oiseaux exotiques, j'ai regardé les palmiers, les dattiers... à vrai dire, j'ai passé un très bon moment. Ils ont un cyprès chauve absolument superbe, sur les rives du lac. Un cyprès chauve de Louisiane. Il m'a même inspiré un poème. "Taxodiaceae", je l'ai appelé. Tiens, lis. »

Il m'a tendu un carnet de moleskine, et j'ai tenté de lire ce poème de huit vers qu'il avait écrit l'après-midi même. Déchiffrer son écriture n'était déjà pas une mince affaire en soi. Quant au sens, comme d'habitude, je ne savais pas par quel bout le prendre.

« Super », j'ai dit, en lui rendant le carnet. Je cherchais désespérément quelque chose à ajouter. « Tu devrais vraiment les faire publier, tes poèmes.

— Oh, je ne suis qu'un amateur, je le sais bien.

— Roger t'a laissé des messages? ai-je demandé, espérant que tout n'était pas perdu, dans cette débâcle.

— Je n'en ai pas la moindre idée, je ne sais pas accéder à mes messages, et de toute façon je ne tiens pas vraiment à les entendre, s'il en a laissé.

— C'est vrai? Après toutes ces années, tu n'es même pas... curieux?

— Max, m'a dit mon père en se penchant vers moi et en posant ses mains sur les miennes — autre geste sans précédent. Tu as fait quelque chose de fantastique pour moi, aujourd'hui. Je ne l'oublierai jamais. Non pas parce que je tenais tellement à revoir Roger, mais parce que ça montre que tu m'acceptes. Tu m'acceptes tel que je suis.

— Mieux vaut tard que jamais, j'ai répondu, avec un petit rire de regret.

— Comment trouves-tu mon appartement? m'a-t-il

417

demandé après un bref silence (pendant lequel il a retiré ses mains posées sur les miennes).

— Euh... bah, ça va, quoi. Il faudrait l'arranger un peu, peut-être, le rendre plus accueillant.

— Il est hideux, non ? Je vais donner mon préavis.

— Tu veux déménager ? Pour aller où ?

— Je pense qu'il est temps de rentrer, à vrai dire. Cet appartement de Lichfield, c'est du gâchis, tout de même. Il serait plus logique que je l'habite. Comme ça, si tu te fais du souci pour moi, ou moi pour toi, ça facilite la vie d'être à trois heures de voiture plutôt qu'à vingt-quatre heures d'avion. »

Et, oui, j'étais d'accord. Il serait bien plus logique qu'il habite Lichfield plutôt que Sydney. C'est donc de cela que nous avons discuté le reste de la soirée et non pas de Roger Anstruther, ou de la Chinoise et sa fille. J'ai parlé à mon père de Miss Erith, qui le traitait de triste sire pour être parti comme un voleur, sans lui dire quand il rentrerait. Je lui ai raconté en quels termes d'affection elle était avec le Dr Hameed, comment elle avait vitupéré les multinationales qui faisaient main basse sur l'Angleterre. Et il a convenu qu'il aurait plaisir à la revoir. Et puis, je ne sais trop comment, sans doute parce que nous avons évoqué son départ à Lichfield en réaction à la mort de ma mère, nous en sommes venus à parler de ma mère. Parler de ma mère, après toutes ces années. Jusque-là, je suis à peu près sûr que nous n'avions jamais prononcé son nom en présence l'un de l'autre, depuis son enterrement. Et à ce moment-là, pour la première fois, j'ai vu les yeux de mon père s'emplir de larmes, de vraies larmes, quand il s'est mis à parler de leur vie conjugale, en disant quel mari déplorable il avait été, quelle vie de merde il lui avait fait mener... vraiment, qu'on croie en Dieu ou en la destinée, elle n'avait pas tiré le bon numéro à la naissance, tout ça pour mourir à quarante-six ans, n'ayant rien connu d'autre qu'une existence sans joie avec un homme rongé par la haine de soi, un homme incapable de nouer un lien avec elle, ou même avec son fils, un homme qui ne savait que renfermer ses émotions, et refouler ses désirs...

Mon père ne s'est ressaisi que lorsqu'il s'est aperçu que le serveur s'était approché de nous.

« Messieurs, a-t-il annoncé, dans quelques minutes nous vous demanderons de partir. Le restaurant ferme.

— Très bien, j'ai dit.

— Mais avant... deux derniers amarettis. »

Lorsque nos verres sont arrivés, nous avons trinqué de nouveau, et porté un toast à la mémoire de ma mère.

« Elle était tout pour moi, j'ai conclu. Je ne le lui ai jamais dit, tu sais. J'aurais dû. J'espère qu'elle a compris, d'une manière ou d'une autre, combien je l'aimais. »

J'ai regardé Papa, espérant qu'il allait dire quelque chose d'analogue. L'avait-il aimée, lui aussi ? Il faut croire que oui, à sa manière, sinon il ne serait pas resté avec elle aussi longtemps. Mais il n'a rien dit, et il m'a souri tristement pour toute réponse.

Le serveur avait commencé à empiler les chaises sur les tables. Nous étions fatigués l'un comme l'autre, bons pour le lit.

« Quoi qu'il en soit, regardons vers l'avenir. Tout au moins, il faudrait faire quelque chose pour la pierre tombale de Maman. Elle porte *Barbara Sim, 1939-1985* pour seule inscription. On devrait vraiment essayer d'ajouter quelque chose.

— Tu as raison, a répondu mon père. On va commencer par là. »

J'ai eu une inspiration : « Je sais, si on mettait ces vers des *Quatre Quatuors*, ceux qui sont si bien, sur le passé qui est contenu dans le présent ? »

Mon père y a réfléchi. « Pas mal, pas mal du tout. »

Mais je me rendais bien compte qu'il n'était pas convaincu.

« Tu as une meilleure idée ?

— Pas vraiment, mais l'ennui, c'est que ta mère avait horreur de la poésie. Elle aurait détesté qu'on mette du T.S. Eliot sur sa tombe.

— Bon, d'accord. Qu'est-ce qu'elle aimait ?

— Oh, je ne sais pas, moi. Elle aimait Tommy Steele, Cliff Richard...

— OK. Va pour Cliff. Les paroles d'une chanson...

— *Living Doll*, poupée vivante... a dit mon père d'un air songeur. Non, ça ne va pas pour une tombe.

— Et *Devil Woman*, la diablesse ? Non, peut-être pas...

— *Congratulations*, non, pas bon.

— *We're All Going on a Summer Holiday* ? On part tous pour les grandes vacances... ?

— Non, ça ne fonctionne pas comme épitaphe, ces chansons. Aucune. »

Nos regards se sont croisés de nouveau et, tout à coup, nous avons éclaté de rire. Et puis nous avons continué à faire tourner l'amaretto dans les verres, avant de le boire jusqu'à la dernière goutte.

# XXII

Donald Crowhurst s'est penché sur l'insoluble mystère de la racine carrée de moins un et, à brève échéance, il s'est enfoncé dans un « tunnel noir » dont il ne devait jamais ressortir. La plupart d'entre nous ont plus de chance, Dieu merci. S'il est rare de parvenir à éviter tous les tunnels de la vie, d'ordinaire quelque chose nous permet de retrouver la lumière. Celui que je traversais... disons qu'il était finalement plus long et plus noir que je ne l'aurais imaginé. Je m'aperçois aujourd'hui que je m'y suis fourvoyé pendant les trois quarts de mon existence. Mais ce qui compte, c'est que j'ai fini par m'en échapper. Et quand je suis enfin ressorti au grand jour, clignant des yeux et me frottant les paupières, je me suis retrouvé en un lieu de Sydney qui s'appelle Fairlight Beach.

J'y suis arrivé à neuf heures du matin, ayant pris le premier ferry qui relie Circular Quay à Manly. De Manly Wharf à Fairlight Beach, il y avait un quart d'heure de marche, à peu près. Les cieux étaient gris, gonflés de nuages porteurs de pluie, mais il faisait une chaleur lourde et moite — bien assez chaud pour se baigner. Les douzaines de joggers que je croisais sur la promenade étaient en nage. Je m'étais figuré que je ne passerais pas inaperçu, qu'il n'y aurait pas un chat, que j'aurais l'air un peu louche, assis là tout seul, en surplomb de la plage. Mais non, les passants défilaient en flot continu. Il n'y avait pas que des joggers, mais aussi des promeneurs de chien, des touristes, des gens sortis faire une balade matinale, acheter le journal du dimanche. Je me sentais chez moi. Je me sentais faire partie de cette communauté bon enfant, détendue, tolérante.

Mais tout de même, trois heures, c'est long quand on est tout seul sur son banc à guetter anxieusement quelqu'un. J'avais pris le *Sun-Herald* en chemin, mais j'ai eu fini de le lire au bout d'une heure. La seule autre chose que j'avais pensé à emporter, c'était une bouteille d'eau, et je ne tenais pas à trop boire, de peur d'avoir besoin d'aller aux toilettes. La vue était spectaculaire : au bout de la plage de sable, il y avait une piscine d'eau de mer taillée dans le rocher, rectangle bleu-vert iridescent, et derrière, la mer, calme et grise ce matin, à perte de vue, émaillée de yachts, et puis, plus loin encore, à l'horizon, déduite plutôt qu'aperçue, Sydney elle-même, dans son immensité glorieuse. En d'autres circonstances, peut-être, si je n'avais pas guetté avec une telle avidité l'arrivée de la Chinoise et sa fille, j'aurais trouvé mon bonheur à passer la journée sur ce banc en regardant la plage et l'eau. En l'occurrence, cependant, cette perspective avait vite épuisé ses charmes.

Mais enfin, je ne veux pas vous faire languir aussi longtemps que moi. Elles sont venues. Elles sont venues peu après midi. La Chinoise, sa fille, et une autre fillette à peu près du même âge. Une amie de la petite, visiblement; blonde, de race blanche. Elles sont passées devant mon banc toutes les trois, et puis elles sont descendues sur la grève; la Chinoise a étalé un tapis de plage sur le sable, et les deux enfants se sont aussitôt mises en maillot de bain pour courir jouer dans les rochers. La Chinoise, qui portait un T-shirt blanc et un pantalon bleu marine évasé vers le bas, s'est assise sur le tapis et s'est versé une boisson chaude d'une thermos, tout en fixant la rive d'en face.

Je tenais ma chance. Le moment était enfin venu. Mais est-ce que je pouvais vraiment oser? Est-ce que j'allais aborder une parfaite inconnue, une femme seule, de surcroît, venue passer un après-midi à la plage avec sa fille et une amie de celle-ci? Est-ce que j'allais jouer les intrus, faire irruption dans son monde, envahir son intimité, en lui servant une formule maladroite du type : « Excusez-moi, vous ne me connaissez pas, mais... »

J'étais en passe de m'avouer que finalement j'étais incapable de faire une chose pareille lorsque tout à coup un cri de douleur et de détresse a retenti du côté de la piscine.

J'ai levé les yeux : c'était la petite camarade de la jeune Chinoise. Elle était tombée à l'eau. Elle s'était juchée sur l'extrême bord de la piscine, en équilibre sur un rocher, et elle avait basculé à la renverse. Instinctivement, j'ai couru à son secours. De l'autre côté, depuis la plage où elle avait étendu son tapis, la Chinoise accourait aussi, et nous sommes arrivés sur place en même temps.

« Jenny! a-t-elle crié. Ça va, Jenny? »

L'eau n'était pas profonde du tout, et Jenny s'était déjà remise debout, dans un torrent de larmes. Le muret s'élevait à un peu plus d'un mètre, trop haut pour qu'elle grimpe. Il fallait donc commencer par la remonter auprès de nous. Je lui ai tendu les bras.

« Tiens, je lui ai dit, accroche-toi, je vais te tirer. »

La petite blonde a pris mes deux mains, et je l'ai soulevée sans peine pour la remettre sur le bord de la piscine. Elle s'était cruellement écorché le mollet et la cheville gauches en tombant dans la mer, dont le fond était rocheux à cet endroit-là. Elle saignait abondamment. Elle s'est jetée dans les bras de la Chinoise et elle a pleuré quelques instants, en suite de quoi nous avons tous quatre fait le tour de la piscine pour regagner le tapis de plage.

« Merci, merci beaucoup », disait la Chinoise. Elle était encore plus belle de près.

« Je peux faire quelque chose ? j'ai demandé.

— Ça va aller, je pense. Il faut simplement qu'on nettoie la plaie...

— On rentre pas tout de suite, hein, Maman ? demandait sa fille.

— Je ne sais pas, ma chérie, c'est Jennifer qui décide. Jennifer, tu veux rentrer chez ta maman ? »

Jennifer a fait non de la tête.

Lorsque nous avons atteint le tapis, la petite s'est allongée, et nous avons pu regarder sa jambe de plus près. L'une des plaies était assez profonde, elle avait un vilain aspect. La Chinoise a sorti un Kleenex d'une boîte, dans son panier de pique-nique, et moi, j'ai versé un peu d'eau de ma bouteille sur l'écorchure, et à nous deux nous avons nettoyé la plaie et étanché le sang. Puis la Chinoise s'est remise à fouiller dans son panier et je l'ai entendue murmurer pour elle-même : « J'ai pas de

Tricosteril ! Comment j'ai pu oublier le Tricosteril ! » Et je me suis souvenu d'être passé devant une pharmacie en venant, si bien que j'ai proposé d'aller en acheter.

« Non, je vous en prie, ce serait vraiment abuser de votre...

— Pensez-vous ! C'est à deux pas. Il faut qu'on protège ses écorchures, sinon elle ne pourra pas se baigner de la journée.

— Vraiment, je ne crois pas... »

Sans écouter ses protestations, sans même la laisser achever, je suis parti chercher les pansements. Je n'ai pas mis dix minutes aller-retour. En tendant le paquet de pansements, je me suis rendu compte que, cela mis à part, je ne serais pas d'un grand secours. Les écorchures ont été promptement couvertes, et les deux petites — qui avaient apparemment englouti leur pique-nique pendant ma course — avaient retrouvé leur bonne humeur. Elles étaient prêtes à foncer de nouveau vers la piscine.

Avant de leur en donner l'autorisation, la Chinoise s'est levée et elle a attaché les cheveux de sa fille en queue-de-cheval avec une barrette.

« Mais défense de retourner à l'eau avant d'avoir digéré, et cette fois-ci faites attention.

— D'accord.

— On dit merci au gentil monsieur qui nous a aidées ?

— Merci, ont répété sagement les deux petites en chœur.

— De rien », j'ai répondu, mais elles étaient déjà parties.

Nous sommes restés plantés là tous deux un petit

moment, la Chinoise et moi, dans un silence perplexe, ne sachant que dire ni l'un ni l'autre.

« Au moins, j'ai fini par bredouiller, je suis content de m'être trouvé là, enfin, bien sûr, vous vous en seriez parfaitement sorties toutes seules, mais... »

Elle m'a regardé en fronçant les sourcils avant de dire : « Je ne suis pas très forte pour reconnaître les accents, mais... vous ne seriez pas anglais ?

— Si, en effet.

— Alors vous êtes seulement de passage ? Vous êtes à Sydney depuis longtemps ?

— Une semaine seulement. J'étais venu voir mon père, des affaires de famille à régler. Mais c'est fait, et à présent je rentre à Londres. Ce soir même, à vrai dire. »

En entendant ces mots, elle m'a tendu la main avec une raideur cérémonieuse. « Eh bien, merci beaucoup de votre aide, Mr... ?

— Sim, lui ai-je dit en lui serrant la main. Maxwell Sim.

— Merci, Mr Sim. Avant que vous partiez, j'aurais aimé vous poser une question, si vous me le permettez.

— Je vous en prie.

— Enfin... c'est de la curiosité de ma part. J'aurais seulement aimé savoir si c'est par pure coïncidence que nous avons dîné au même restaurant hier soir ?

— Ah », j'ai dit. Apparemment, elle voyait clair dans mon jeu.

« Et aussi il y a deux mois, si je ne me trompe.

— Deux mois, oui, c'est exact.

— Est-ce que vous me suivez, Mr Sim ? Est-ce que je devrais appeler la police ? »

Je ne savais que dire. Ses yeux étincelaient, mais j'y lisais plus de défi que d'affolement.

« Je suis effectivement venu ici, ai-je dit en choisissant mes mots, parce que je savais vous y trouver. Et je voulais vous retrouver parce que j'avais une question à vous poser. J'ai besoin de savoir une chose que vous êtes la seule à pouvoir me dire. Voilà tout.

— Voilà tout ? Eh bien, écoutons cette question, alors.

— Très bien. La question. » Bah, puisque j'en étais là, autant avouer tout à trac. « Vous êtes mariée ? Vous avez un ami ? Votre fille a un père ? »

La Chinoise a eu un mince sourire, elle a détourné les yeux. « Je vois, a-t-elle dit. Oui, Mr Sim, je suis mariée, et heureuse en ménage, selon la formule consacrée, a-t-elle ajouté en me regardant de nouveau.

— Ah. Bien. » Aussitôt, j'ai eu l'impression qu'un immense gouffre de déception s'ouvrait devant moi, et je n'ai plus eu qu'une envie, m'y jeter. « Dans ce cas, j'ai dit, il vaut mieux que je m'en aille. Excusez-moi si je vous ai... importunée. J'ai trouvé extrêmement...

— Je vous en prie, m'a-t-elle interrompu. Ne partez pas. Vous ne m'avez nullement importunée. Vous m'avez même été d'un grand secours. Et ce que vous avez fait est, disons, assez romantique, d'un certain point de vue. Si vous êtes venu jusqu'à cette plage pour me voir, la moindre des choses, c'est que je vous offre... une tasse de thé, peut-être ?

— C'est très aimable à vous, mais...

— Je vous en prie, Maxwell, asseyez-vous. Vous permettez que je vous appelle Maxwell ?

— Naturellement. »

427

Elle s'est assise sur le tapis et m'a fait signe de me mettre à côté d'elle, ce que j'ai fait, non sans embarras.

« Je m'appelle Lian, ma fille Yanmei, et le nom de sa camarade d'école, vous le connaissez déjà. Vous voulez du citron, dans votre thé ? J'ai bien peur de ne pas avoir de lait.

— Je vais le prendre... nature, en fait. Au plus simple. »

Lian a versé du thé noir dans deux gobelets en plastique, et elle m'en a tendu un. Je l'ai remerciée, nous avons bu en silence un instant, puis j'ai dit : « Si je peux vous donner un semblant d'explication...

— Je vous en prie, allez-y.

— La vérité, c'est que, quand je vous ai vues dîner ensemble au restaurant, vous et Yanmei, il y a deux mois, vous m'avez fait une forte impression.

— Vraiment ? Et en quoi ?

— Je n'avais jamais observé une pareille intimité entre deux personnes. À l'observer, j'ai réalisé à quel point cette intimité manquait dans ma propre vie, et je me suis mis à espérer, à fantasmer, en fait, que je pourrais la partager. »

Lian a eu un de ses sourires minces et pourtant séduisants. Les yeux fixés sur le fond de sa tasse, elle a expliqué : « Ces dîners sont des moments privilégiés pour nous. Nous allons à ce restaurant chaque deuxième samedi du mois. Parce que, une fois par mois, Peter, mon mari, doit se rendre à Dubaï. La semaine ouvrable y débute le dimanche matin, vous comprenez, alors il prend son avion la veille au soir, à neuf heures dix. Yanmei et moi, nous l'accompagnons à l'aéroport, et ensuite elle est toujours un peu abattue, elle aime tant

son père, il lui manque tellement, quand il n'est pas là...
Alors je lui fais ce plaisir de l'emmener au restaurant.
Douze fois par an, sans faute, été comme hiver. Les
enfants ont besoin de choses qui se répètent, de rituels.
Les adultes aussi, d'ailleurs. Aller à ce restaurant est une
des constantes de notre vie.

— J'adore la façon dont vous jouez aux cartes, toutes
les deux », ai-je dit ; je n'avais plus rien à perdre en parlant aussi clair que possible. « On dirait que le monde
n'existe plus pour vous. En plus, Yanmei est tout votre
portrait en réduction. » J'ai jeté un coup d'œil du côté
de la piscine ; l'enfant était en équilibre sur le bord, et
rassemblait son courage pour plonger. « Elle parle
comme vous, elle fait les mêmes gestes, vous vous ressemblez comme deux gouttes d'eau...

— Ah oui ? Vous voyez une ressemblance physique
entre nous ?

— Et comment !

— Sauf que Yanmei n'est pas ma fille biologique, vous
savez.

— Non ?

— Non, Peter et moi l'avons adoptée il y a trois ans.
Nous ne sommes même pas de même nationalité. Moi,
je suis de Hong Kong, à l'origine, et elle vient de Chine
populaire. D'une ville qui s'appelle Shenyang, dans la
province du Liaoning. Alors cette ressemblance n'existe
peut-être que dans votre imagination. Peut-être était-ce
quelque chose que vous aviez envie de voir.

— Peut-être », ai-je dit en buvant mon thé, le regard
sur l'autre rive de la baie. Cette nouvelle me dérangeait,
sans que j'en comprenne la raison. Savoir qu'il n'existait
aucun lien de parenté entre Lian et Yanmei changeait

plus ou moins mon fantasme à leur sujet. « Vous n'avez pas d'enfants à vous, alors ?

— Non, ça a été un grand chagrin de notre vie, pendant un temps. Mais aujourd'hui nous avons Yanmei, alors...

— Elle était orpheline ?

— Oui, sa mère est morte il y a quelques années, elle n'avait que trois ans. Une mort affreuse, hélas. Vous savez, les conditions de travail dans certaines de ces usines dépassent l'imagination. Tout ce que les ouvriers doivent endurer pour que nous, les Occidentaux, puissions acheter des articles à bon marché. La mère de Yanmei travaillait à l'atelier de peinture d'une usine, des quinze, seize heures par jour, à peindre au pistolet, avec des peintures chimiques, bourrées de solvants toxiques. Sans précautions adéquates, sans masque, rien. Elle est morte d'un cancer. Une tumeur au cerveau.

— Quelle horreur ! ai-je dit, formule assez plate, mais je ne trouvais pas mieux. Et qu'est-ce qu'elle fabriquait, cette usine ?

— Des brosses à dents, je crois. »

J'ai lancé un coup d'œil aigu à Lian. Avais-je bien entendu ?

« Des brosses à dents ?

— Oui, des brosses à dents en plastique, à bon marché. Vous avez l'air surpris. C'est si étonnant ? »

À vrai dire, j'étais sans voix.

« Les brosses à dents ont une importance particulière pour vous ? »

Peu à peu, j'ai retrouvé ma voix. « Oui, en effet. Une très grande importance. Et surtout, ce que vous venez de me raconter, l'histoire de la mère de Yanmei... Je la trouve stupéfiante, incroyable.

— Elle n'a rien d'incroyable. Ce sont des choses qui arrivent tout le temps dans les pays en voie de développement et ailleurs. Malheureusement, nous avons tendance à refuser de les voir.

— Non, ce que je trouve incroyable, c'est l'incidence personnelle, l'incidence sur ma vie.

— Ah, je vois. Mais vous pourriez peut-être m'expliquer en quoi... »

J'ai inspiré profondément, avec un geste de dénégation. « Ça prendrait trop... je crains que ça ne prenne trop longtemps. Vous voyez, bizarrement, tout ce qui m'est arrivé ces dernières semaines est lié à Yanmei et à sa mère. Mais il faudrait que je vous raconte toute l'histoire pour vous le faire comprendre, et je suis sûr que ça vous ennuierait à périr.

— Mais maintenant, il faut que vous me racontiez. Regardez, a-t-elle dit en désignant Yanmei et Jennifer, qui s'éclaboussaient allègrement d'un bout à l'autre de la piscine. Les petites s'amusent bien. Elles ne voudront pas rentrer avant au moins une heure. Je n'ai rien apporté à lire, alors, racontez-moi votre histoire. Je veux l'entendre, même si elle est longue et ennuyeuse. Qu'ai-je d'autre à faire ? »

C'est ainsi que je me suis mis à lui raconter tout ce qui m'était arrivé depuis la première fois que je les avais vues, elle et Yanmei, au restaurant dominant le port de Sydney, le soir de la Saint-Valentin. Je ne savais pas trop par où commencer, et au début j'ai dû être très confus. J'ai commencé par parler d'Alan Guest et de tous les idéaux et ambitions qu'il avait essayé de réaliser avec sa petite entreprise de brosses à dents ; je me disais que si ces expériences récentes m'avaient appris quelque chose, c'était bien la cruauté du monde ; elles m'avaient montré que nous vivons encore dans une ère où l'organisation la mieux intentionnée, la plus innovante, peut être mise à genoux par des forces supérieures. Et puis je me suis dit que ce n'était peut-être pas du tout le sens de mon histoire ; que peut-être ce que j'avais appris, ou du moins commencé d'apprendre, portait sur moi, sur ma nature, mes problèmes personnels. J'essayais donc de rebondir d'une idée à l'autre, et Lian avait l'air de plus en plus ahuri. C'est alors qu'elle m'a dit de tout reprendre depuis le début, dans l'ordre exact où les choses s'étaient passées. Et quand je me suis mis en devoir de le faire, ce que je lui ai raconté m'a davantage fait l'effet d'épisodes aléatoires et décousus que d'un récit cohérent ; des rencontres, surtout, des rencontres avec des gens étranges, inattendus qui avaient tous fait quelque chose, à leur modeste échelle, qui avait changé le cours de ma vie ces dernières semaines. Tout avait commencé avec Lian elle-même, bien sûr, et Yanmei, mais ensuite, il y avait eu... Eh bien, il y avait eu d'abord l'employé de la compagnie aérienne au check-in, qui m'avait surclassé en Premium sans raison apparente. Ensuite, il y avait eu Charlie Hayward, pauvre diable, victime d'une crise cardiaque à côté de moi dans le vol Sydney-Singapour. Ensuite Poppy, avec son enregistreur clandestin, et son histoire sur Donald Crowhurst. Et puis l'homme du parc, à Watford, qui m'avait volé mon téléphone mobile et qui était revenu me demander son chemin. Puis Trevor Paige et Lindsay Ashworth, qui m'avaient emmené boire un verre au Park Inn, pour me proposer d'intégrer leur équipe. Puis le dîner chez la mère de Poppy, que j'avais rencontrée pour la circonstance, avec son détestable ami Richard, la seule personne m'ayant témoigné un peu de gentillesse étant son oncle Clive. Puis la réunion avec Alan Guest lui-même, le jour où j'avais quitté ses bureaux pour me mettre en route vers les Shetlands. Et puis Mr et Mrs Byrne, les parents de Chris, et Miss Erith et le Dr Hameed, là-haut dans leur immeuble, aux marches de Lichfield ; et puis Caroline et Lucy, et notre dîner raté à Kendal ; et Alison Byrne, qui m'avait invité à coucher avec elle, à Édimbourg, et moi qui m'étais enfui, enfui avec ses bouteilles de whisky, pour retrouver ma voiture aux aurores et foncer en solo vers les monts d'Écosse. En fait, la seule personne dont je n'aie rien dit, c'était Emma. Ça me gênait d'avouer que je parlais à mon GPS, et j'avais peur de baisser dans l'estime de Lian si elle l'apprenait.

Pendant que je lui racontais toutes ces rencontres, elle s'était allongée sur le tapis de plage, mains croisées derrière la tête, les yeux fermés. Elle ne disait rien, elle ne me posait pas de questions, et elle ne m'a pas interrompu une seule fois, bien que j'aie parlé très longuement, et, quand j'ai eu fini, elle n'a pas fait le moindre commentaire, au début, si bien que son silence m'a donné à penser qu'elle s'était peut-être endormie. Mais non, elle ne dormait pas ; elle réfléchissait intensément à tout ce que je lui avais dit et, à la fin, elle s'est redressée sur les coudes et m'a regardé pour conclure :

« Eh bien, Max, les choses sont un peu plus claires, à présent.

— Qu'est-ce qui est un peu plus clair ?

— À présent, je comprends pourquoi vous aviez l'air si différent, hier soir, si différent de l'homme qui était venu dîner dans ce même restaurant il y a deux mois.

— Ah oui ? Vous avez vu un changement en moi ?

— Bien sûr. La première fois, vous m'avez fait un peu peur. Il me semblait que je n'avais jamais vu quelqu'un d'aussi seul, d'aussi déprimé. Mais hier soir, et aujourd'hui d'ailleurs, vous avez l'air... disons, plus calme. Vous avez l'air d'un homme presque en paix avec lui-même.

— Presque, j'ai répété.

— Presque.

— Maman ! » Yanmei accourait avec Jennifer sur ses talons. « Quelle heure il est ? On rentre pas tout de suite, hein ?

— Si, malheureusement. La maman de Jennifer doit commencer à nous attendre. Et ne faites pas cette tête, si j'ai bien compris, elle a parlé d'une chasse aux œufs de Pâques. »

Aussitôt les visages des deux petites se sont illuminés.

« D'acc, a dit Jennifer. Mais on va se baigner une dernière fois ! »

Elles se sont ruées vers la piscine en riant.

« Cinq minutes ! » leur a crié Lian.

Elle s'est tournée vers moi, et m'a vu de nouveau perdu dans mes pensées.

« Pardon, j'ai dit dans un sursaut. Je n'avais même pas réalisé que c'est Pâques, aujourd'hui. La fête du Soleil Levant.

— Du Soleil Levant ? a repris Lian, perplexe.

— Ça n'est pas le premier sens de Pâques ? C'est bien la saison des aubes nouvelles, des recommencements ? »

À présent, elle me souriait. Et elle m'a dit gentiment, comme pour s'excuser : « Et vous pensiez que je serais votre recommencement, Max. Avec Yanmei. Je suis désolée, mais... il va falloir chercher ailleurs.

— Je sais.

— Quoi qu'il en soit...

— Oui ? » On aurait dit qu'elle prenait un malin plaisir à laisser sa phrase en suspens, quitte à me déstabiliser, comme si elle n'osait pas vraiment aller jusqu'au bout de sa pensée.

« Quoi qu'il en soit, a-t-elle poursuivi peu après, ce que vous recherchez, cette intimité, vous ne l'auriez pas trouvée auprès de nous.

— C'est ce que vous pensez ? Qu'est-ce qui vous permet d'être aussi catégorique ? »

Lian a récupéré mon gobelet en plastique sur le sable et l'a renversé pour en faire tomber les dernières gouttes de thé. Puis elle a rebouché la thermos avec soin. Ses gestes lents et machinaux donnaient à penser qu'elle avait la tête ailleurs.

« Cette fille, Poppy, a-t-elle fini par dire, elle m'intéresse. Elle se distingue de tous les gens que vous avez rencontrés en route. C'est celle qui vous a le mieux compris, selon moi.

— Oui, mais elle m'a clairement dit qu'elle voyait en moi un ami, et rien d'autre.

— Bien sûr. Et cependant... Quand elle vous a invité chez sa mère... vous n'avez pas trouvé ce geste extraordinaire, de sa part ?

— Extraordinaire ? Comment ça ?

— C'était généreux de sa part. Et puis optimiste, et même... assez perspicace.

— Oui, j'ai dit avec une pointe d'impatience, mais comme je vous l'ai expliqué, je n'ai pas accroché avec sa mère, si c'était l'idée. Je ne l'ai pas trouvée à mon goût.

— Vous croyez que Poppy s'entremettait pour sa mère ?

— Bien sûr, de son propre aveu.

— Mais il y avait quelqu'un d'autre, au dîner, ce soir-là.

— Quelqu'un d'autre ?

— Quelqu'un d'autre. »

De qui parlait-elle ? « Non, j'ai dit. Il y avait un jeune couple, qui pouvait avoir vingt ans de moins que moi, et puis son oncle Clive. C'est tout. »

Lian m'a regardé longuement. Un sourire s'est esquissé sur son visage, mais elle a réussi à le réprimer quand elle a vu mon air d'indignation croissante.

« Excusez-moi, a-t-elle dit. J'ai parlé de façon intempestive.

Elle a fourré les assiettes et les reliefs du pique-nique en toute hâte dans son panier, et elle s'est levée.

« Il est temps que j'aille chercher mes petites. »

Toujours muet de stupeur, je me suis levé à mon tour. Elle me tendait la main, je l'ai prise sans réfléchir.

« Au revoir, Maxwell Sim, a-t-elle dit. Tâchez de ne pas en vouloir à ceux qui croient vous connaître mieux que vous ne vous connaissez vous-même. Ils ne vous veulent que du bien. »

Elle a tourné les talons et elle s'est éloignée.

J'ai hésité quelques secondes, et puis j'ai couru après elle en criant : « Lian ! »

Elle s'est retournée vivement : « Oui ? »

Sans plus me contrôler à présent, sans réfléchir à ce

que je faisais, je l'ai attrapée, prise dans mes bras, et serrée fort. Je l'emprisonnais si étroitement qu'elle ne pouvait plus bouger, même plus respirer, sans doute. Je l'ai serrée comme ça... je ne sais combien de temps. Jusqu'à ce que mon corps soit secoué d'un sanglot géant convulsif; alors j'ai posé ma bouche sur ses cheveux, et j'ai pleuré en chuchotant : « C'est dur, c'est si dur. Je sais bien qu'il faut que je voie les choses en face, mais c'est la chose la plus dure que j'aie jamais... »

J'ai senti la paume de sa main contre ma poitrine, elle me repoussait; avec douceur d'abord, puis avec plus de force. Je me suis dégagé, j'ai reculé d'un pas, je me suis essuyé les yeux, et j'ai détourné le regard : honteux, naufragé, endeuillé.

« Je crois que vous y êtes presque, Max. Vous y êtes presque. »

Elle m'a touché le bras, et puis elle est repartie en direction de la piscine, en appelant sa fille.

Je suis resté sur la plage jusqu'au coucher du soleil.

C'était intéressant de regarder le ciel changer de couleur. Je ne l'avais jamais fait. Lentement, les nuages se fissuraient pour laisser entrevoir le soleil mourant, leur gris s'argentait. Bientôt, ils ont pris une teinte dorée, et puis ils se sont disloqués et se sont éloignés les uns des autres, tandis que la lumière s'adoucissait et que le ciel se striait de rouges et de bleus les plus pâles. Il y avait encore des allées et venues sur la plage, mais plus personne dans la piscine. Cette longue journée touchait enfin à son terme.

Déjà, Lian me manquait. Je détestais l'idée que je ne la reverrais plus jamais. Mon père aussi me manquait.

J'aurais vraiment dû retourner le voir, il ne me restait que quelques heures à passer en Australie, après tout, mais quelque chose m'en empêchait. Quelque chose me paralysait. Il n'y avait aucune urgence à lui parler, de toute façon, puisque je savais qu'il allait revenir s'installer en Angleterre. Nous allions avoir des tas de moments à passer ensemble, des tas de bons moments.

Je ne pouvais pas rester assis là indéfiniment. J'allais rater mon avion si je tardais à partir. Mais je savais que j'avais quelque chose à faire avant.

Il fallait que je parle à quelqu'un. Il fallait que je parle à quelqu'un de toute urgence, une urgence plus cruciale encore que quand je roulais ivre dans la furieuse tempête de neige des Cairngorms, la batterie de mon portable à plat.

Aujourd'hui, bien sûr, mon portable était chargé à bloc.

Alors, qu'est-ce qui m'arrêtait?

J'étais comme la petite Yanmei, en équilibre sur le bord de la piscine, en train de rassembler le courage de plonger, certain qu'une fois que je l'aurais trouvé, ce courage, je pourrais jouir de la fraîcheur de l'eau, de cette sensation de libération, de liberté, qui s'était tant fait attendre...

Vous y êtes presque, Max. Presque.

Quelle heure était-il, à Londres? Le décalage horaire était devenu un casse-tête, ces deux dernières semaines. L'Angleterre avait avancé ses pendules d'une heure pour l'été; l'Australie avait retardé les siennes d'autant pour l'hiver — ou l'inverse? Quelque chose comme ça, en tout cas. Donc, s'il était dix-sept heures à Sydney, il était... très tôt, à Londres. Trop tôt pour appeler quelqu'un? Difficile à dire. La question n'était nullement là, de toute façon. Soit cet appel serait le bienvenu, soit il ne le serait pas.

J'ai sorti mon téléphone, j'en ai déroulé la mémoire jusqu'à trouver le nom de Clive, et puis j'ai inspiré un bon coup, et j'ai appuyé sur « appeler ».

La sonnerie a retenti pendant une éternité. Il n'allait jamais décrocher. Il a pourtant fini par le faire.

« Allô? Allô, Clive?

— Oui, c'est Clive. Bon sang, c'est vous, Max, par hasard?

— Oui, c'est moi. Je vous réveille?

— Oui, à vrai dire. Mais aucune importance. Ça fait tellement plaisir d'avoir de vos nouvelles. »

Bon — dites-moi si je me répète —, est-ce que je vous ai déjà confié que la première chose qui me séduise chez... quelqu'un, c'est sa voix?

$$\sqrt{-1}$$

Je suis resté sur la plage jusqu'au coucher du soleil.

(Vous m'arrêtez, si vous commencez à saturer.)

J'ai regardé le ciel changer de couleur.

(Rien ne vous oblige à en lire davantage ; l'histoire s'arrête là.)

J'ai téléphoné à Clive, et j'ai compris que tout allait bien se passer.

(On revient de loin, je sais. Merci à ceux qui m'ont accompagné jusqu'ici. Sincèrement, j'apprécie. Et j'admire votre endurance, il faut le dire. Elle force le respect.)

Et puis...

Et puis il est arrivé des gens sur la plage. Toute une famille. Ils venaient de Manly Wharf par le sentier côtier, mais depuis l'ouest contrairement à moi. Ils étaient sept en tout. Le mari, la femme et leurs deux filles, faciles à repérer comme tels, et puis les autres, moins évidents à identifier. Des grands-parents, peut-être ? Des oncles et tantes, des amis de la famille ? Je n'aurais pas su dire. Les deux fillettes étaient très pâles, et elles portaient des robes d'été floues sur leurs maillots de bain. La cadette paraissait dans les huit ans, l'aînée douze ou treize, à peu près l'âge de Lucy. Elles ont couru droit vers l'eau et elles ont commencé à s'éclabousser et à patauger sur les hauts-fonds. Leur mère, qui avait de longs cheveux blonds, est descendue les surveiller, tandis que leur père restait sur le sentier au-dessus de la plage, où il avançait lentement, mi-rêveur mi-préoccupé. Il avait les cheveux gris, bientôt blancs, et portait une veste camel sur un T-shirt blanc qui trahissait un peu trop son petit bedon de quadragénaire. Toute sa silhouette évoquait un *caffè latte* servi dans un grand verre bombé.

Il y avait des bancs libres de part et d'autre du mien mais, à ma grande surprise, il les a ignorés pour venir s'asseoir à côté de moi. En d'autres circonstances, cette intrusion aurait pu me déplaire, mais je me sentais d'humeur si détendue, si expansive, je me sentais si plein d'espoir. Je commençais à penser que tout ce qui m'arriverait désormais ne saurait être que positif. Et, en outre, j'avais l'impression de détecter une certaine gentillesse, une certaine bienveillance, dans les yeux bleu foncé de cet inconnu affable  Alors, s'il voulait engager la conversation, j'étais prêt.

« 'Soir, j'ai dit.

— 'Soir », a-t-il répété, à quoi il a ajouté : « Comment va ? »

C'était une de ces questions dépourvues de sens, qui n'appellent pas de vraie réponse en temps normal. Mais ce jour-là, au contraire, j'ai décidé d'y répondre sérieusement, au mépris des conventions.

« Eh bien, puisque vous me le demandez, ça ne va pas mal du tout. Les deux derniers jours ont été assez épuisants, à certains égards, mais finalement je dois dire que je suis en forme. Très en forme.

— Excellent. C'est ce que je voulais entendre.

— Vous êtes anglais, vous aussi, hein ?

— Ha ! Notre accent nous trahit ! Oui, nous sommes venus passer une quinzaine de jours ici. Ma femme est d'origine australienne, elle voulait renouer avec des cousins.

— C'est votre femme, là-bas ? j'ai demandé en désignant la jolie blonde sur les rochers, avec les deux fillettes pâles.

— Oui, c'est elle. »

J'ai regardé l'homme de plus près.

« Ça peut sembler bizarre à dire, mais nous nous sommes déjà rencontrés quelque part, si je ne m'abuse ?

— C'est ce que j'étais en train de me dire, figurez-vous. Je crois, oui, j'en suis sûr — tiens, je me rappelle même où.

— Alors là, vous êtes plus avancé que moi. Mais je vous en prie, ne vous formalisez pas, ce qui se passe, c'est que ces dernières semaines j'ai croisé tellement de gens...

— Ça n'est pas grave, je comprends, a dit l'homme. Du reste, "rencontrer" est un abus de langage. Nos chemins se sont croisés, vaudrait-il mieux dire. Nous ne nous sommes pas parlé.

— Où était-ce, alors ?

— Vous ne vous en souvenez vraiment pas ?

— Non, j'en ai peur.

— C'était à l'aéroport d'Heathrow, il y a presque deux mois. Vous étiez attablé dans un des cafés, et vous essayiez de boire un cappuccino qui était tellement chaud que vous n'arriviez même pas à tenir la tasse. Moi, j'étais assis à la table à côté, je m'envolais pour Moscou.

— Très juste ! Votre femme et vos filles étaient avec vous.

— Elles étaient venues me dire au revoir. »

Oui, je m'en souvenais très bien, à présent. C'était la seule rencontre que j'avais omis de mentionner à Lian, quand je lui retraçais l'histoire de mes dernières semaines. Je me rappelais avoir écouté la conversation de cette famille, et en avoir été passablement mystifié.

« Au fait, qu'est-ce que vous alliez faire à Moscou ? Il se trouve que j'ai entendu certaines de vos paroles, et il me semble qu'il était question... d'interviews ?

— Tout à fait. C'était un voyage de promotion. Figurez-vous que je suis écrivain.

— Ah, écrivain ! Tout s'explique, alors. » Je me suis dit que si Caroline était là, elle serait tout émoustillée de rencontrer un écrivain, un vrai. Moi, par contre, je ne dirais pas que la chose m'emballait. « Je vous connais de nom ? » j'ai demandé.

Il s'est mis à rire. « Bien sûr que non.

— Et qu'est-ce que vous écrivez, comme livres ?

— Des romans, surtout. De la fiction.

— Ah. Je n'en lis pas beaucoup, de fiction. Et vous travaillez à un livre, en ce moment ?

— Je suis en train d'en finir un, si vous voulez savoir. J'approche vraiment de la fin, à présent. »

J'ai hoché la tête d'une façon qui se voulait encourageante, et puis nous nous sommes tus.

« Il y a une chose que je me suis toujours demandée, chez les écrivains. Où allez-vous chercher vos idées ? »

443

Il m'a regardé avec une certaine surprise. Il était fort possible qu'on ne lui ait jamais posé la question.

« Hmm, c'est une question délicate. Parce qu'il est très difficile de généraliser, vous savez...

— Bon, mais ce livre que vous êtes en train de finir, par exemple?

— Où est-ce que j'en ai trouvé l'idée, vous voulez dire?

— Oui, si vous voulez.

— Bon, attendez que je réfléchisse. » Il s'est carré sur le banc en regardant le ciel. « Ça devient un peu difficile à se rappeler dans le détail... mais, oui, c'est ça! Je peux vous dire exactement comment l'idée m'en est venue.

— Allez-y, je vous en prie.

— Eh bien, il y a deux ans, pour Pâques 2007, c'est-à-dire, je suis venu en Australie; or un soir, nous dînions dans ce restaurant qui domine la baie, et il s'est trouvé que j'y ai vu une Chinoise avec sa fille, qui jouaient aux cartes à leur table. »

Je l'ai regardé, baba.

« Et je ne sais pas pourquoi, il a poursuivi, il y avait quelque chose de tellement touchant, chez elles, une telle intimité, une telle complicité... je me suis demandé quel effet ça ferait sur un homme dînant là en solitaire, qui entreverrait leur univers, et voudrait en faire partie. »

J'ai tenté de l'arrêter, mais il était lancé, à présent.

« Et puis, lors du même voyage, j'avais pris rendez-vous avec Ian — mon vieil ami de la fac de Warwick, qui enseigne aujourd'hui à l'ANU, à Canberra; j'avais rendez-vous avec lui au salon de thé des Jardins botaniques de Melbourne, mais je ne m'étais pas rendu compte qu'il y avait deux salons de thé, et nous avons failli nous rater. Et je crois bien que c'est la combinaison de ces deux idées qui a donné naissance à mon livre. C'est souvent comme ça que les choses s'enclenchent. Deux idées qui viennent se... frotter l'une à l'autre. » Il s'est tourné vers moi. Je n'avais plus envie de l'interrompre, ayant quasiment, et pas pour la première fois de la journée, perdu l'usage de la parole. « Ça vous rappelle des souvenirs ? »

J'avais la gorge sèche.

« Je commence à me faire une idée, j'ai fini par dire.

— Et alors, quel effet ça fait d'habiter l'histoire de quelqu'un d'autre ?

— Je... il faut voir, j'ai répondu en pesant mes mots. Il va falloir que je m'y habitue, je crois. » Puis, le cœur en berne, connaissant d'avance la réponse : « Est-ce que par hasard les brosses à dents joueraient un rôle dans votre livre ? Et Donald Crowhurst ?

— C'est assez drôle, a dit l'écrivain, mais oui, en effet, il est question des deux. Je voulais que le récit tourne autour d'un objet domestique, d'un objet d'usage quotidien, qui n'inspire aucune réflexion sur ses implications politiques et environnementales. J'avais du mal à trouver l'objet adéquat, et c'est ma femme qui m'a suggéré les brosses à dents. Et puis, peu de temps après, je prenais un café à Londres avec mon amie Laura, et elle s'est mise à me parler de Tacita Dean, et de ses œuvres inspirées par Donald Crowhurst ; c'est aussi elle qui m'a révélé ce livre brillant de Nicholas Tomalin et Ron Hall. Donc vous voyez, pour répondre à votre question, en général, voilà comment ça se passe, les idées, les lieux, quand je les mets en résonance, d'autres aspects émergent. Des gens, pour être précis, des personnages. Ou bien, en l'occurrence (il m'a regardé droit dans les yeux), vous. »

Tout à coup, je me suis fait l'effet du héros d'un film d'espionnage de série B qui s'aperçoit qu'il vient de tomber dans le piège tendu par le méchant.

« Je vois... j'ai dit. Alors, c'est... moi, ça ? » Je jouais la montre, autant qu'autre chose. « Je ne suis donc qu'un sous-produit de votre imagination, c'est ça ? Eh bien, laissez-moi vous dire que ça ne va pas m'aider à remonter dans ma propre estime.

— Ne le prenez pas si mal : ce n'est pas pire que de découvrir que vous devez la vie à deux pubs proches l'un de l'autre et tous deux nommés le Rising Sun. Ou de savoir, d'ailleurs, que vous ne la devez qu'à la conjonction aléatoire — à un contre un milliard — d'un spermatozoïde de votre père et d'un ovule de votre mère. Sincèrement, Max, je dirais que votre existence a plus de sens que bien d'autres. »

Le ton de l'écrivain, pendant qu'il me disait tout cela, était difficile à jauger. Essayait-il d'être gentil avec moi, ou bien jouait-il au chat et à la souris en attendant de me donner le coup de grâce ?

J'ai regardé vers la plage. Ses filles avaient retiré leur robe et elles plongeaient à tour de rôle dans la piscine pour en ressortir aussitôt. Avec toute l'ampleur de la baie pour toile de fond, et les roses et les ors changeants des dernières braises du couchant, c'était un tableau ravissant. J'avais l'impression qu'il y avait des jours, des mois, des années, que Yanmei et sa petite camarade s'étaient baignées ici ; toute ma conversation avec Lian était désormais d'un autre âge.

446

« Vous voyez, j'avais planifié votre itinéraire dans les moindres détails, a dit l'écrivain avec un soupçon d'arrogance, m'a-t-il semblé. Il devait commencer le jour de la Saint-Valentin 2009. Et puis, quand je me suis aperçu qu'il vous faudrait arriver à Heathrow deux jours plus tard, et que je devrais m'y trouver moi-même ce matin-là, je me suis dit que ce serait bien d'aller vous apercevoir, au passage, en somme. Simplement pour vérifier si tout allait bien, quoi. Je me sens de lourdes responsabilités envers vous, moi.

— Et Fairlight Beach, à Sydney ? » Je commençais à saisir les cheminements de son esprit tortueux, à présent. « Je devine déjà que vous étiez ici le jour de Pâques avec votre famille, je me trompe ?

— Bien sûr que j'y étais. C'est vrai, hein, regardez cet endroit. C'est tellement beau, non, à cette époque de l'année, dans cette lumière ? C'est si beau, si triste, cette plage. Dès que je l'ai vue, j'ai su que la dernière scène du roman se passerait ici. »

J'étais anéanti. Ces mots résonnaient comme un glas.

« La dernière scène ? Vous êtes vraiment si près de finir ?

— Je crois, oui. Alors, ça vous a plu ? Je veux dire, ça vous a plu d'être dedans ? Quel effet ça vous a fait, Max ?

— Je ne suis pas sûr que "plaire" soit le mot. Ça a été... une expérience, bien sûr. J'ai bien dû apprendre une ou deux choses en chemin.

— C'était l'idée. »

Quelle fatuité ! Je commençais à me dire que, sous ses dehors de courtoisie, ce type était bouffi de suffisance et d'autosatisfaction.

« Fabriquer des contes pour gagner sa vie, vous ne trouvez pas que c'est une activité peu reluisante ? » J'étais bien décidé à l'aiguillonner à présent. « Il faut voir les choses en face, vous n'êtes plus un perdreau de l'année. Pourquoi ne pas écrire quelque chose de plus sérieux ? De l'histoire, des sciences...

— Eh bien, c'est une question fort intéressante », a dit l'écrivain en se carrant sur le banc avec la posture et le ton du mandarin face à son amphithéâtre, « parce que vous avez tout à fait raison de juger que, d'une certaine manière, ce que j'écris n'est pas "vrai" objectivement. Mais moi, je me plais à penser qu'il est un autre type de vérité, plus universelle, euh... excusez-moi, vous allez où, comme ça ? »

Je m'étais dit que pendant qu'il discourait complaisamment j'allais en profiter pour me tirer en douce. Mon avion décollait à dix heures, après tout, et il fallait se présenter au check-in deux bonnes heures à l'avance.

« Mais c'est qu'il faut que j'y aille, à présent. Vous comprenez, j'ai un avion à prendre. »

L'écrivain s'est levé pour me barrer le passage.

« Je crois que vous n'avez pas compris, Max. Vous n'allez nulle part. »

À cet instant précis, sa femme est venue lui dire un mot.

« Tu ne pourrais pas faire sortir les petites de la piscine ? Papa a l'air un peu fatigué, je crois qu'il serait temps de rentrer.

— Oui, une minute, a-t-il répondu avec impatience.

— Tu parles encore à ton ami imaginaire ? » a-t-elle dit avec des sous-entendus désobligeants dans la voix, en se dirigeant vers la piscine pour prendre les choses en main elle-même.

Il s'est tourné vers moi.

« Je vous le répète, Max, vous n'allez nulle part, désolé.

— Il faut pourtant que j'attrape mon avion, j'ai dit avec un commencement de tremblement dans la voix. Il faut que je sois à Londres demain, je dîne avec Clive le soir, et puis mon père va revenir vivre à Lichfield, et on va s'occuper de la tombe de Maman.

— Mais l'histoire est finie, Max. »

Je l'ai regardé dans les yeux, et je n'y ai plus lu la moindre gentillesse. Il avait un regard de tueur en série.

« Ça ne peut pas être fini, j'ai protesté, je ne sais toujours pas comment ça finit.

— Facile, a dit l'écrivain, je vais vous le dire, moi, comment ça finit. » Il m'a fait un dernier sourire, navré mais impitoyable, et il a claqué dans ses doigts : « Comme ça. »

Ce roman a été écrit en partie lors d'un séjour dans les Flandres, à la Villa Hellebosch, grâce au mécénat du gouvernement flamand dans le cadre du projet Résidences en Flandres, administré à Bruxelles par Het Beschrijf.

J'aimerais exprimer ici ma gratitude envers mon hôtesse Alexandra Cool pour sa prévenance et sa gentillesse. Tous mes remerciements aussi à Ilke Froyen, Sigrid Bousset et Paul Buekenhout, ainsi qu'à James Cañón, qui me fut d'excellente compagnie pendant mon séjour.

« La fosse aux orties » a été publié pour la première fois dans le recueil *Ox-Tales : Earth*, chez Profile Books au profit d'Oxfam. Grand merci à Mark Ellingham de chez Profile, et à Tom Childs de chez Oxfam pour leurs encouragements et leurs conseils inspirants.

Website : www.jonathancoewriter.com

*Composition CMB GRAPHIC.*
*Impression CPI Bussière*
*à Saint-Amand (Cher), le 3 janvier 2011.*
*Dépôt légal : janvier 2011.*
*Numéro d'imprimeur : 103502/1.*
ISBN 978-2-07-012974-4./Imprimé en France.

175918